相場英雄

偽金
フェイクマネー

実業之日本社

実業之日本社文庫

目次

主な登場人物

椎名《しいな》 渉《わたる》　七海ファイナンス新宿店店長
田尻倫子《たじりりんこ》　元新潟県民テレビアナウンサー、現フリーアナウンサー
上原《うえはら》 実《みのる》　日本橋テレビカメラマン
城所隆太郎《きどころりゅうたろう》　元オンラインゲーム運営会社開発部長、現フリーター
雨宮香子《あまみやきょうこ》　新橋将棋クラブオーナー経営者
冨山《とみやま》 勲《いさお》　日本橋テレビ経済部記者
五味《ごみ》 修《おさむ》　自称よろず屋
池本大吉《いけもとだいきち》　七海ファイナンス代表取締役会長
日下常男《くさかつねお》　七海ファイナンス代表取締役社長

偽金　フェイクマネー

資本に変容すべき貨幣の価値変化は、この貨幣自体については起こりえない。なぜなら貨幣は購入手段や支払い手段としては、たんに購入したり支払ったりする商品の価格を現実化しているにすぎないからである。

カール・マルクス『資本論』

プロローグ

「ママ、どこにいるの？　ママ」

七歳になったばかりの真佐美《まさみ》は、瞼《まぶた》と頰に降りかかった埃《ほこり》を右手で払い、ありったけの声で叫んだ。

暗がりの中、真佐美は首を動かし、懸命に母親の姿を探した。ところどころ、頭上から薄い光が差しこみ、周囲を大量の埃が覆っているのがわかる。薄い光の点と細い線を見ながら、真佐美はもう一度叫んだ。しかし、母の姿はどこにも見えない。

「……真佐美、どこ？　どこにいるの……怪我《けが》してない？」

何度も激しく咳《せ》きこみながら、母がようやく応じてくれた。

「ママはどこにいるの？」

真佐美は懸命に母の姿を探した。しかし、首と右手以外、体が動かない。

二〇〇七年七月一六日午前一〇時過ぎ、新潟県柏崎《かしわざき》市。

夏風邪《なつかぜ》をひいた真佐美は、母の運転する軽自動車に乗りこみ、かかりつけの病院を目指した。途中、母は古い町並みにある老舗《しにせ》の味噌《みそ》屋に立ち寄った。

店の老婆が味噌を袋に詰め始めた時、突然、足元から突き上げるような大きな揺れと轟音《ごうおん》が沸き起こった。揺れが起きた直後、真佐美は腰から下の力が抜けるのを感じた。その時から、真佐美の記憶はぷっつりと途切れた。

「ここどこ？　ママ？」

「……まだ、お味噌屋さんに……いるのよ……マ、ママは……ここよ」

「どこ？」

真佐美が尋ねた直後、母は再び激しく咳きこんだ。

「ママ、大丈夫なの？」

「……ごめんね……」

「怖いよ」

「……大丈夫よ、ママはここにいる……」

ゲホゲホと母の乾いた咳が響いた。

「怖いから、一緒にお歌をうたって」

「何がいいの？」

「ドラえもん」

「ちょっと待ってね……ママ、今、歌を思い出すからね」

「ドラえもんが助けに来てくれるかもしれないよ」

「そうね……」

「早く歌をうたって」

真佐美がそう叫ぶと、母は小声でうたい始めた。

「……こんなこといいな……でき……で、きたらいいな……」

「もっと大きな声でうたわないと、ドラえもんが助けにきてくれないよお！」

「……そう、ね……」

消え入りそうな声で母が言った。

「ママ、どこ？」

真佐美は必死に叫びながら、暗闇の中で目を凝らした。周囲の埃が少しずつ床に落ち、視界が開けてきた。その時、真佐美は自分の腰の上に黒く太い柱が倒れかかっているのに気がついた。

「ママ、早くどかして」

真佐美は徐々に増してくる痛みを堪《こら》えながら、首を左に向けた。

「ママ」

三メートルほど離れたところに母が横たわっていた。大量の埃を浴びたため、髪と顔が真っ白に変色していた。体の上、胸から足にかけては、真佐美と同じように太い柱がのっていた。

「ママ、私はここにいるよ」

真佐美は全身で声を張り上げた。母はこちらに視線を向けたまま、答えてくれない。真佐美はもう一度叫んだ。母の目は大きく開いている。そして、口からは大量の血が流れている。

「ママ、私がうたうよ。『こんなこといいな　できたらいいな』……」

次第に増してくる痛みに、真佐美は顔を歪めた。不気味な軋《きし》み音をたてながら、柱が腰から腹、そして胸にのしかかってくる。

「こんなこといいな　できたら……」

真佐美はもう一度、懸命に声を張り上げた。

◇

シンチャイは今日もローダラム湾を一望できる丘に立っていた。

「みんな、いつ帰ってくるの?」

湾の沖合に浮かぶ奇妙な形をした岩を見ながら、一〇歳になったばかりの少女は呟《つぶや》いた。

二〇〇四年一二月二六日、タイの離島ピピ。あの日もシンチャイは幼稚園のハイキングでこの丘の展望台にいた。午前七時半に村の広場を出発し、約三〇分かけてこの見晴らしの良い場所に辿《たど》り着いた。引率の女性職員が休憩を促した直後、シンチャイはやや強い揺れを感じ、丘の上に倒れこんだ。周囲を見渡すと、同じ年齢の子供達一〇名もその場に座りこんでいた。

本当の異変がシンチャイの目の前で起こったのは、それから二時間半後だった。

〈海が上がってきた〉――。

一人の少年が、眼下に見える村を指差しながら叫んだ。シンチャイは、展望台の手すりにつかまり、少年が指差した方向を見た。

巨大な水の塊、いや、水の壁がビーチ沿いの椰子《やし》の木を飲みこんでいた。直後、水の壁はシンチャイと兄弟、そして両親が住むモルタル造りの従業員宿舎に襲いかかり、次いで四〇棟のコテージをなぎ倒した。

展望台とビーチは離れているが、建物の鉄骨がへし折れる轟音《ごうおん》、ビーチに取り残された人々の悲鳴が入り交じり、巨大な鋭い音の塊となってシンチャイの鼓膜を刺激した。

二〇分後、白い水の壁は、どす黒く変色した濁流に変わった。シンチャイが登った丘の手前まで達した水は、今度は逆に、湾に向かって勢いよく戻っていった。巨大な濁流が去ったあと、住み慣れた村は木クズとプラスチックのゴミに覆われた更地になった。

わずか三時間余りの出来事だった。この短い時間が、シンチャイの全てを変えた。

「みんな、いつ帰ってくるの？」

三年後、シンチャイはようやく復興を果たした村の風景を見つめたあと、いつもと同じ言葉を呟いた。その時、頭上を海燕《うみつばめ》が舞った。シンチャイは海燕の長い翼を目で追った。直後、背後でシンチャイの祖父、そしてまたあの日本人の女が、通訳を介しながら言い争いを始めた。通訳と日本人の女が膝を折り、シンチャイを見た。

「ねえ、シンチャイ。保護施設に行こうよ」

ボランティア団体の男性通訳の横で、日本人の女がまた同じことを繰り返している。

「この女性は、本当にシンチャイのことをかわいそうだと思っているよ」

何度言われても同じだ。保護施設に行くつもりはない。シンチャイは沖合の巨岩の上で弧を描く海燕を目で追いながらそう思った。

〈かわいそう〉――。

この日本人の女はいつもそう言う。「かわいそう」とはどういう意味なのか。水の壁が家族を連れ去ってから、祖父と二人で暮らしてきた。家族の数が減ったことがかわいそうなのか。それとも、水の壁によって左足をもぎ取られた祖父がかわいそうなのか。今、自分には祖父しか肉親がいない。体の不自由な祖父との生活を支えるため、外国人相手に体を売っている。この日本人の女は、体を売ることがかわいそうだと言っているのか。一〇歳のシンチャイには一向に理解できなかった。

「いつ帰ってくる?」

海燕の羽根を見つめながら、シンチャイはもう一度呟いた。

第1章　歪《ひず》み

1

「いったいどういうことですか。またゲーム漬けじゃないですか！」

二〇〇八年七月中旬。白いドアを押し開けた瞬間、椎名渉《しいなわたる》は、Tシャツ姿の男の背中に苛立った声をぶつけた。

肉づきの良い男は、デスク上のモニターを凝視している。男の手元には、飛行機の操縦桿《かん》のようなジョイスティックがあり、モニター脇の小さなスピーカーからは、ゲームのキャラクターが発するけたたましい拳銃の発射音が響いている。椎名は思わず顔をしかめた。

「もう、せっかく二ステージ上がったばかりなんだから。勘弁してよ」

モニターから視線を離した男が振り返り、面倒臭そうに答えた。椎名は、男に向けてぺこりと頭を下げた。

八畳の個室。四方の壁には作り付けの棚があり、オンラインゲームのキャラクターのフィギュアが所狭しと並べられている。戦闘用の鎧《よろい》をまとったロボットが大半だが、椎名が知っている人形は一つもない。椎名はフィギュアやゲームの良さをさっぱり理解できないし、理解する気もない。

ゲーム会社でつまずいた男が、自宅でもゲーム漬けになっている。相当に性質《たち》が悪い。

太った男が陣取るデスク周辺とフィギュア棚こそ整理されているが、フロアには大量のシャツ、靴下、ジーンズが脱いだ形のまま放置されている。ほかにもスナック菓子の空き袋、炭酸飲料の空きボトル、コンビニ弁当の食べ残しが散乱し、椅子の脚の下にわずかにグレーのカーペットがのぞいているのみだ。

「はい、今月分。五万円です」

椎名がひと通り部屋を見回していると、Tシャツの男がデスクの引き出しを引っ掻《か》き回し、くしゃくしゃの一万円札を五枚差し出した。

「毎度ありがとうございます、城所《きどころ》さん」

「新宿《しんじゅく》の店長さん直々に集金に来られたら、払わざるを得ないでしょう」

椎名は皺《しわ》だらけの一万円札を両手で受け取ると、深く頭を下げた。

東証一部上場の消費者金融大手・七海《ななみ》ファイナンス新宿店店長の椎名が、この肉づきの良い男の自宅を訪れるのはこれで三回目だった。

顧客の自宅を訪問して集金するのは、コンプライアンス（法令遵守）意識が過剰に高まっている業界ルールを逸脱する行為だ。しかし焦げつきをなくすには、面倒でも足を運ばねばならない。延滞案件は専門部署である「与信管理センター」の受け持ちだが、本社に報告が上がれば支店の成績にミソがつく。椎名はここ三カ月、支払い期限当日にこの城所の住む横浜《よこはま》のたまプラーザまで足を運んできた。

椎名は改めて眼前の太った男の顔を見た。

城所隆太郎《りゅうたろう》、三二歳、独身。

一年前までオンラインゲーム運営会社の開発部長を務めていた根っからのゲーマーだ。顧客ファイルによると、城所は社内トラブルの責任を問われて退社した後は、親が遺《のこ》した横浜の自宅で引き籠《こも》り生活を送っている。貸付総額は一〇〇万円。

城所は、退職に追いこまれる直前のタイミングで唐突に新宿店のカウンターに現れた。応対した当時の店長は「開発部長」の肩書に反応し、本社の貸付担当者に人物鑑定システムであるスコアリングを甘くするよう懇願した。本社は即座に五〇万円の貸付限度枠を設定した。また、前任店長は若き経営幹部に自らセールスをかけ、二カ月後には限度額が一〇〇万円に膨らみ、貸出実績も同額に並んだ。

しかし、前任者は「部長」の肩書に頼りすぎてしまった。限度額が倍増した直後、城所は社内での不正発覚の責任を問われ、部長から一介のゲームオタクの身分に落ちた。社内の人事トラブルに巻きこまれ、会社をやめる決意をしていた城所は、退社後の生活費を賄うため計画的に「部長」の肩書で七海ファイナンスを利用したのだ。

七海ファイナンスが指定した毎月の返済額は五万円。元金充当額が二万二〇〇〇円、利息と手数料充当分が二万八〇〇〇円となる。

きちんと返済してくれれば、七海ファイナンスの上客だ。しかし、世の中そんなにうまくは回ってくれない。生活費に窮している様子はなかったが、半年前から、たびたび返済が遅れ始めた。三カ月前からは、ぱったりと返済が止まった。そのつど、後任の椎名は横浜まで足を運んだ。城所が他のサラ金や、法外な金利をむしり取る闇金から金を摘んでいないのがせめてもの救いだった。

椎名はコンビニ弁当の残骸が発するすえた臭いに顔をしかめながら、口を開いた。

「城所さん、就職活動はしなくていいんですか」

「僕がそんなことをする人間に見える？」

城所は悪びれる様子もなく、肩をすくめた。無精髭《ぶしょうひげ》を生やした城所の丸い顔を眺め、椎名は溜息《ためいき》をついた。

「こう言っちゃ悪いけど、いい大人が日がな一日ゲーム三昧では、ウチが融資した金なんかすぐに底をついてしまうでしょう」

「今も仕事中だったんだから」

「仕事って……ゲームに夢中だったじゃないですか」

椎名がわざと低い声を発しても、城所は一切動じる気配がない。それどころか口を尖《とが》らせながら体を反転させ、モニターをゲームからワードに切り替え、椎名に見てくれとばかりに手を広げた。

「ねっ、立派な仕事でしょう」

椎名はワードの画面を覗《のぞ》きこんだ。

「覆面大佐のズバッと批評」とタイトルが入った文章を斜め読みすると、ゲームのキャラクター特性に関する批評や、対戦型ゲームそのものへの批評などが事細かに記されている。

「このリポートが原稿料か何かに？」

「ゲーム愛好者向けの会員制サイト、それにゲーム雑誌への連載が月に三本。原稿料自体はトータルで二〇万程度と微々たるもんですがね」

「ウチへの支払いもこの中から？」

椎名が顔を向けると、城所は得意げに頷いた。

「ここまで毎月出向くのも、結構骨が折れるんです」

先月も同じことを言ったばかりだと思いながら、椎名は城所の顔を凝視した。

「一回ゲームを始めると一〇時間から一二時間は動きがとれなくなるんですよ。とても支払いに出向く時間なんかありません」

「駅前の銀行ＡＴＭから返済用の振込が可能なことはご存じでしょう。それくらいはしていただかないと」

「もちろん、椎名さんには毎月来てもらって悪いと思ってます。でも、代わりに内緒でいいことをお教えしますから、この返済方法を続けさせてくれませんか？」

「しかし……本来この方法は社内規定違反でしてね」

椎名が口を開こうとした瞬間、城所は椅子の向きを変え、再びモニターに丸い顔を寄せた。画面がワードからオンラインゲームに切り替わった。

椎名は怒りを懸命に抑えながら、奥歯を強く嚙《か》んだ。

「部屋に引き籠るばかりじゃ体に毒です。これからたまプラ駅前の銀行に……」

「椎名さんコレですよ。コレを使えば、気軽にお小遣い稼ぎができます。裏テクを伝授しますから、ね、今まで通りの返済方法で構わないでしょ？」

椎名は、城所の太い人差し指の先を見た。紫色の髪、顔の半分程を占める大きな瞳の少女がいた。人工的な微笑《ほほえ》みを浮かべるキャラクターの下には、「Rmtgle」の文字。検索サイト「グーグル」を模したフォントが、椎名の眼前で点滅していた。

「僕が裏テクを伝授すれば毎月一〇万円は堅い。その一〇万円を椎名さん個人の手間賃にしてくれませんか?」

「手間賃ですって? ちょっといい加減に……」

椎名が城所の肉づきの良い肩をつかんだ時、城所は再びモニターを指差し、直後、点滅する「Rmtgle」のロゴを素早くクリックした。今度もまたグーグルと同じように、検索の言葉を入れる欄が椎名の眼前に現れた。

「いったい何を検索するんですか?」

椎名がそう口にした途端、城所は素早く二つの単語を空欄に打ちこんだ。エリス、ゴルフ——。

直後、モニターには、ロングの金髪、やたらと脚の長い水着姿の女のイラストが現れた。手にはゴルフクラブ。

「例えば、このエリス。彼女が毎月一〇万円のお小遣いをくれるとしたら、僕の言うことを聞いてくれますか?」

「エリスって誰ですか? アニメかゲームか知りませんが、こんなヴァーチャルなキャラクターがなぜ一〇万円の小遣いを? バカバカしい」

さっきまでニヤついていた丸顔は、真剣な表情に変わっている。

「エリスでご不満なら、別のキャラを用意しますよ？」

椎名はもう一度、城所の顔を見た。城所の細い目の奥で、何かが鈍い光を発した。

2

生中継を終えた田尻倫子《たじりりんこ》は、狭い中継ブースの中で眼前のカメラに向けて頭を下げた。

「お疲れさまでした」

「ダージリン、お疲れ！　今日は一カ所も嚙まなかったじゃない」

東京証券取引所、東証アローズ全体が見渡せる日本橋テレビの報道ブース。八畳ほどの狭いスペースの壁には黒い防音材が施され、テレビ中継用のモニターや市況速報を流すためのパソコン、そしてマイクやケーブルが整然と置かれている。

前場《ぜんば》の株式市況をリポートし終えた倫子は、日本橋テレビのベテランカメラマン、上原実《うえはらみのる》に頭を下げた。

時刻は午前一一時三〇分。日本橋テレビのBSニュース番組『プライムマーケット速報』――。午前一一時二〇分からの一〇分間だけが、倫子がアナウンサーとして唯一世間と接する時間だ。

「ダージリン、原稿読みは良かったけど、あなた昨日お酒飲みすぎたでしょ。目の下にクマが出ているし、ちょっとむくんでる」

「みのりさん、ごめんなさい。ちょっとだけ飲みすぎました」

「もう三〇歳なんだから。で、昨日はどんな連中と合コンだったの？」

「某大学病院の若手医師です」

「それで『優良銘柄』は見つかったの？」

「私はいいなって思う人がいたんです。形成外科勤務の三五歳。でも、先方が興味を示さなくて……。とても『約定《やくじょう》』できる雰囲気じゃありませんでした」

「相手はナースや医療事務のイケイケの娘《こ》たちから虎視眈々《こしたんたん》と狙われている場慣れした連中よ。アナウンサーだってこと、ちゃんとアピールしたの？」

「もちろん。でも彼らは日本橋テレビの局アナとも合コンしたことがあるみたいで。ローカル局出身のフリーアナなんて、洟《はな》にも引っかけてくれませんでした……」

「それより、次の地上波向けの企画、ちゃんと考えたの？　せっかくキー局のニュースにからめるんだから、きちんとプランを練っておかなきゃだめよ」

「……プランタン銀座《ぎんざ》に頼んで、売れ筋婦人服のミニ特集でもやろうかなって思っていたんですけど……」

「また、服飾企画？　ダメよ。もっと違う角度から考えなさい。女子アナを卒業して、取材をこなせるキャスターになりたいって言ってたじゃない」

「はい」

日本橋テレビの名物ディレクターや著名なプロデューサー達と数々の仕事をこなしてきた上原のダメ出しは強烈だった。たしかに上原の言う通り、地上波の番組にからめるチャンスは少ない。

ゴールドに染め上げた短髪、二重の大きめな目。ウエイトトレーニングで締め上げた体。無造作に羽織った白のコットンシャツと黒い細身の革パンツ。表参道《おもてさんどう》辺りのベテラン・ヘアスタイリストといった出で立ちの上原は、とても四五歳には見えない。

ファーストネームは「みのる」だが、倫子は「みのり」と呼ぶよう躾《しつ》けられていた。報道カメラマンの世界では数少ないゲイで、普段の言葉遣いは「オネエ言葉」だ。だからこそ、女性アナに対する視線は鋭い。

上原は、日本橋テレビにとって貴重な戦力だ。他のアナやディレクターによると、上原は独自の判断で的確な画像《え》を収める。疑惑の渦中にいる政治家にインタビューした際は、平然と反論する顔をクローズアップする一方で、小刻みに震える指をも確実にフレームに収め、視聴者に真偽の判断を委ねる。地震など大規模災害の現場に真っ先に駆けつけた経験は数知れず、イラク戦争でも志願して戦地に赴くなど、骨太な取材経験も豊富だ。

被災地では、凄惨な現場撮影はもちろんのこと、現地で踏ん張る庶民の「目」を着実にとらえる。悲しみで途方に暮れる人、憎しみを抱く人。また、混乱や困難から懸命に立ち上がろうとする人々の目。上原ほど、人間の目をシビアにとらえ、視聴者に訴えかけるカメラマンはいない。

「ねえ、ダージリン。企画のアイディアがないなら、これはヒントにならないかしら?」

上原は、パンツのポケットから黒い革の財布を取り出した。

倫子は、手入れの行き届いた上原の指先を見つめた。

「何ですか?」

「これよ、これ」

上原は財布から、銀色に光るプラスチックのカードを引き抜いた。

「ヤマモト電機のポイントカードですよね?」

「あなたの財布にもポイントカードの一枚や二枚はあるでしょ?」

「ありますよ。家電量販店、レンタルビデオ、それに航空会社のマイレージカード」

倫子はデスクの下に置いていたバッグから青い財布を取り出すと、上原と同じようにヤマモト電機のポイントカードを出した。

「まだどの局も特集を組んでいないネタよ。企業が発行するポイントカード。これって恰好《かっこう》のニュース素材よ」

「どういうことですか？」

「相変わらず鈍いわね。ポイントが貯《た》まると商品や電子マネーと引き換えができたりするわよね。これって、架空の通貨ってことじゃない？」

「架空通貨？」

「そうよ」

パソコンの画面を見ると、「ポイ・チェン」というゴシックのフォントが点滅した。

「ポイ・チェンって何ですか？　これがニュース素材になるんですか？」

「なるわよ。看板ニュース番組にはぴったりだわ」

上原は口元を弛め、白い歯をのぞかせた。

「このサイトの機能を駆使することで、私は年間九万円も得をしているわ。あなたはゼロ円でしょうけど」

「九万円とゼロ円？」

3

城所がモニターの中のキャラクターを指差した時、椎名のジャケットの中で携帯電話が震え始めた。折りたたみ型の端末を開き、小型の液晶スクリーンに目をやると「新宿」の文字が光っていた。

「オレだ」

〈店長、王様がお呼びですが……〉

副店長の飯塚保《いいづかたもつ》だった。その声が、王様という自らが発した言葉に萎縮し切っている。

「王様が？　で、どうしろと？」

〈すぐ本社に来ていただきたいそうです〉

「わかった。すぐに向かう」

そう言った直後、椎名は無造作に端末を閉じ、城所に顔を向けた。

「すみません、上司から緊急の呼び出しがかかりましたので、これで失礼します。来月の返済は必ず銀行振込でお願いします」

椎名は城所に軽く頭を下げた。

「一〇万円のお小遣い、つまり椎名さんの回収の手間賃はどうします？」

椎名は首を振った。すると城所は急に表情を変えた。

「失礼ですけど、王様って声が聞こえましたが」

油断のならない男だ。椎名はそう思いながら、後頭部を掻いた。

「七海ファイナンスの会長です」

「さすが椎名さん。『サラ金の王様』に気に入られてるんだ」

「わがままな創業者が末端管理職を呼びつけて発破をかける、それだけのことです」

小声でそう答えたあと、椎名は頭を下げて城所の部屋を出た。パソコンのある部屋と同様、階段、廊下も散らかり放題だ。衣類や宅配業者の段ボール箱をよけながら、椎名は玄関に向かった。

「王様が何の用だ？」

独りごちた椎名は城所邸を後にし、東急田園都市《とうきゅうでんえんとし》線・たまプラーザ駅に向かって歩き始めた。児童公園の脇を通りすぎ、国学院大学のキャンパスに続く長い坂道に差しかかったとき、椎名の脳裏に池本《いけもと》の顔が浮かんだ。

王様こと池本大吉《だいきち》は、白髪を短く刈り上げ、ゴルフ焼けで黒光りした顔を持つ老人だ。鈍い光を放つ窪《くぼ》んだ目は、闇市時代の新宿で、地元を縄張りとする暴力団や愚連隊との狡猾《こうかつ》なやりとりを経て、たくましく生き抜いてきた証拠だ。七海ファイナンスを一代で東証一部上場企業に成長させた創業者であり、現在の代表取締役会長だ。

戦後、池本は新宿の闇市で米軍払い下げの衣料品を売り捌《さば》き、富を得た。ただ同然で得た資金を元手に池本は都営団地や公務員宿舎をセールスして高利貸しを始め、個人向けの無担保融資を組織化し、全国に店舗網を広げた。

「新宿店《ウチ》の成績は悪くないし、客とのトラブルも起こっていない……」

椎名は、広大なグラウンドでラクロスの練習に余念がない学生に目を向けた。その直後、甲高い排気音をとどろかせながら、グラウンド脇をイタリアの超高級セダン、マセラティのクアトロポルテが通り過ぎた。新興の高級住宅地にイタリアのブランド車。カネはある所にはある、椎名はそう呟《つぶや》きながら、なおも池本に呼び出された理由を考え続けた。

たまプラーザ駅前で、東急のショッピングセンターの大きな看板が見え始めた。椎名は、足早に広場を歩いた。先ほど見たクアトロポルテがタクシー乗り場の脇に横付けされている。優雅なマダムが友人でも迎えに来たのか。ケタ外れの高級セダンに羨望の眼差《まなざ》しを送ったあと、椎名は券売機に歩を進めた。

サラ金こと消費者金融界は、金融業界の「最下層」と銀行や証券から蔑《さげす》まれ続けながらも、バブル崩壊後の大不況で着実に体力を蓄えた。リテール金融掘り起こしの大号令の下、銀行界が高利貸し分野に参入したことで、池本を筆頭とする古株大手組は再び貸し出し競争に邁進《まいしん》することになった。パチンコ依存症の主婦層にも貸付先を増加させたことで、「多重債務者」が社会問題化した。二〇〇六年一二月には「改正貸金業規制法」が成立し、消費者金融とクレジットカード業界への締め付けが強化されている。

七海ファイナンスでも、池本直轄のグレーゾーン金利対策のプロジェクトチームを立ち上げ、対応策を練り続けていた。しかし、企画部から異動になった新宿店店長の椎名にお呼びがかかることはなかった。

券売機上の運賃表を眺めた椎名は、小銭入れを取り出した。椎名が百円玉と十円玉の仕分けを始めた直後、ジャケットの携帯電話が再び震えだした。端末の小窓をのぞくと、「本社」の文字が点滅していた。舌打ちしながら小銭入れをポケットに押しこみ、携帯電話を開いた。

「椎名です」

〈おい、エリート。今、どこにいるんだ？〉

小さな端末スピーカーを通し、酒灼《や》けした王様こと池本のダミ声が響いた。

〈店に電話したらいないって言うからさ〉

「今、若干問題のある顧客の所に出向いておりまして」

〈回収したのか？〉

「はい」

〈じゃ、早いところ俺の部屋に来てくれ〉

「どんなご用でしょうか？」

椎名が問い返した直後、通話は一方的に途切れた。

ワンマン経営者の機嫌を損ねないうちに駆けつけなければならない。椎名は溜息をつきながら小銭入れを再び取り出した。百円玉と十円玉をジャラジャラと音を立てて仕分けした途端、駅構内に渋谷行きの急行列車が入ってくる轟音《ごうおん》が響いた。

椎名が小銭を券売機に入れた時、どこからか覚えのあるメロディーが聞こえてきた。椎名は周囲を見回した。しかし、誰もいない。

「オレか……」

椎名は我に返った。自らが奏でた口笛だった。

椎名は、足早に改札を抜けた。そういえばあの時も口笛を吹いた直後に連絡が入った。あの時以来、度々口笛を吹いている自分がいる。

4

「ポイ・チェン」──。

倫子はパソコンの画面に現れた赤いフォントを凝視した。

丸く縁取りされた円の中に、「ポイ」の赤い文字。その横には、シャーロック・ホームズを模した男が虫眼鏡《むしめがね》を覗くイラストと「ポイント・エクスチェンジ」の文字が見える。その横には、信販会社や銀行系のクレジットカードのバナー広告が掲載されている。

「このサイト、何ですか？」

「ポイント・エクスチェンジ。ポイントの交換所ってことね。まずは、ここを見て」

上原は「ポイ・チェン」のロゴの下を指した。

「会員のポイント資産：一五億六五九八万三五七六円相当＝本日の増減＋五〇四万円……ポイント資産？」

薄く透明のマニュキアを塗った上原の人差し指を見ながら、倫子は画面に表示された文字をアナウンサーらしくすらすらと読み上げた。

「まだわからない？」

上原は画面から視線を離すと、倫子の顔を覗きこんできた。倫子は画面に見入った。

先ほど読み上げた「ポイント資産」の下に目を転じると、「航空会社」「クレジットカード」「ネット通販」「BOOK／DVD／CD」「家電」「携帯電話」「企業ポイント」「オンラインゲーム」「現金・電子マネー」の項目が鮮やかな色で表示されている。

「ちょっと貸してもらえますか」

倫子はデスク上のマウスを握ると、カーソルを「家電」に合わせてクリックした。首都圏や全国各地に店舗網を持つさまざまな家電量販店のロゴが画面に表示された。

「ヤマモト電機だ」

倫子は、携帯電話とパソコンを購入した家電最大手のロゴを見つけると、カーソルを合わせてクリックした。

「一ポイントの価値＝一円　ポイント有効期間＝最終利用日から一年」

倫子はサイトを見ながら呟いた。画面の横で、上原が首を縦に振った。

「ヤマモト電機のポイント説明のところを見てごらんなさい」

上原の細く長い指が「ヤマモト電機から交換」の項目を指した。

「交換？」

倫子は上原の指の先を凝視した。

「GMM」「ANL」という倫子にとって馴染み深い名前だった。GMMは、グローバル・ミュージック・マート。DVD、CDを扱う世界的なソフトショップだ。映画・音楽鑑賞が趣味の倫子は、新宿駅南口の高田屋百貨店にある大規模店舗、それにGMMのオンラインショップを頻繁に利用している。

一方のANLは、国内大手の航空会社エア・ニッポン・ラインだ。倫子は海外ボランティア活動に出かける時、必ずANLを利用している。予約の取りやすさはもとより、フライトごとに貯まるマイレージポイントを稼ぐためANL、そしてANLと相互乗り入れを行う提携航空会社しか利用しない。

「みのりさん、もしかしてヤマモト電機のポイントをGMMやANLのポイントに交換することができるってコト？」

「可能だからこそ、このサイトがあるのよ」

上原は得意げに顎をしゃくると、マウスを握っていた倫子の手の上から、大きな掌《てのひら》を被《かぶ》せ、「ANL」の項目をクリックした。

「本当にこんなことができちゃうんだ……」

倫子は画面を見つめた。

「どう、すごいでしょ？」

「ええ」

そう言った直後、倫子は青い財布のカード入れをまさぐった。

「ヤマモト電機、ＧＭＭ、ＡＮＬ……それからドラッグストアのマツダタケシ、レンタルビデオのトビヤ、ネット書店最大手のデルタ・ドットコム」

倫子はデスクの片隅に、それぞれの企業がポイントとして発行した薄っぺらいカードや、会員証を並べた。そしてパソコンの画面をポイ・チェンのトップページに戻し、画面を食い入るように見つめた。

「ダージリンの持っているポイントや会員証はメジャーなものばかり。全て交換可能よ」

上原は真っ青な髭の剃《そ》りあとに指を当てながら頷《うなず》いた。

「最近、いざポイントを使おうとしたら期限切れになっていて困っていたんです。さっそく交換してポイントをまとめます」

「誰だって財布の中に四、五枚のポイントカードが眠っているもの。かくいう私もポイントを一本化しているの」

倫子はポイ・チェンのトップページ、「会員のポイント資産：一五億六五九八万三五七六円相当」の項目に目を向けた。

「インターネットでこうした仲介機能があれば、さまざまな企業の情報や交換レートが一目瞭然ですよね……すごいなあ、面白い！　これニュース素材として十分いけますね」

これで高飛車な百貨店の広報担当者に頭を下げずに済む。まして、視聴者にとって生活に密着した身近な話題だ。

「みのりさん、早速取材の手配を始めます」

倫子はデスクに並べたポイントカードを片づけながら、興奮気味に声を出した。

「ダメよ、待ちなさい」

途端に上原が強い口調で言った。

「だってみのりさん提案の素材じゃないですか？」

上原は左の眉を釣り上げながら、口を開いた。

「ポイント交換サイトを教えたのは確かに私よ。でも、日本橋テレビの看板報道番組『プライムイブニング』で扱うにはもう一つパンチが必要ね」

「パンチですか？」

「視聴者の心をわしづかみにするインパクトってことよ」

倫子は黙って、腕組みした。

日本や世界の一流企業が発行したポイントを有効活用するため、インターネットが仲介役となり、ポイント交換を行う。初めて聞く話であり、インパクトは十分だ。

倫子は再びポイ・チェンのトップページを見つめた。航空会社や家電量販店のロゴが並ぶ項目の上に、「会員掲示板」の文字あった。倫子はカーソルを合わせ、クリックした。画面には、航空会社のマイレージと携帯電話会社のポイント交換の解説、信販会社が新たに始めたポイントサービスについての説明などが載っていた。

倫子は掲示板のページを順繰りにスクロールした。すると、ページ下のレンタルビデオ、トビヤのキャンペーンポイントについての投稿に、「Ｎｅｗ」のフォントが点滅した。倫子はカーソルを合わせた。すると「新参者の陸《おか》マイラーです。ご教示よろしく」とのタイトルが現れた。

「『陸マイラー』って何？　どういうこと？」

「それがパンチよ」

上原が笑みを浮かべていた。

5

池袋駅で電車を降りた椎名は、東京芸術劇場近くの七海ファイナンス本社ビルに向かった。

玄関ホールに辿りついた時、社長の日下常男《くさかつねお》が受付の脇のエレベーターを降り、自分の方に向かって歩いてきた。七海の取引銀行の一つ、美園協立《みそのきょうりつ》銀行で出世競争に破れて移籍してきた下がり眉の冴《さ》えない男だ。椎名が軽く会釈すると、日下は口元を弛めた。

「椎名さん、どうですか仕事は？　企画部とは勝手がちがうでしょう」

「何とかこなしております」

「頑張ってください」

日下はにこやかに話しかけ、足早に出かけていった。雇われ社長の典型だ。椎名は日下の貧相な後ろ姿を一瞥《いちべつ》すると、八階の会長室を目指した。

「椎名です。遅くなりました」

「おう、入ってくれ」

椎名がオークの分厚い扉を開けたとき、奥からサラ金の王様こと、七海ファイナンス創業者で現会長、池本の声が響いた。池本は執務椅子を窓側に向け、池袋の雑踏を見つめていた。椎名はゆっくりと近づいた。

大理石のフロア中央には、アールデコ調の楕円形テーブルと背もたれと座面に豪華な刺繍《ししゅう》が施された八脚の椅子がある。テーブルの中央にはくすんだ色合いの陶器の一輪挿しが置かれている。李朝《りちょう》時代の骨董《こっとう》品だという。

「失礼いたします」

椎名の横を水商売風の秘書が通りすぎた。秘書が事務的に紅茶入りのカップを置いたとき、背中を向けていた池本がゆっくりと椅子を回転させた。池本は窪んだ目を動かし、座るよう促した。

池本という業界のカリスマを前にして気持ちが落ち着かないのはいつもの通りだが、統一感がない調度品の数々も居心地《いごこち》を悪くさせている。

〈高利貸しの成金〉——。

将棋マニアで「金」を自在に使いこなす池本は、常に自らのことを成金と呼ぶ。

「午前中の客というのは城所隆太郎だったな……どんな奴《やつ》だ？」

テーブルにつくなり、池本は顧客の名を口にした。

「元は有能なゲーム開発者だったようですが、現在は無職でフリーターのようなことを……」

椎名自身は、新宿店の顧客データのほぼ全てを把握している。前職時代から、数字の管理には自信があった。しかし、眼前の王様は、そのはるか上を行っている。全国に拡《ひろ》がる有人・無人店舗計一三〇〇の主要顧客のデータの概要を常につかんでいる。特に、首都圏の主要店舗の客については、毎日集計されるデータに目を通している。齢《よわい》八〇にして、毎日エクセルで収益予想の計算までやってのける。

「職業など聞いておらん」

椎名が話し終わらないうちに、池本が口を挟んだ。

「ろくに働きにも出ないそいつは、これからもきちんと返済できるのかと聞いている」

「はい。親が遺した持ち家に住んで、少ないながらも定期収入があり、支払いの意志もあります。返済は可能です」

「借りた金を返す、人として当たり前の常識は持ち合わせているんだな」

「はい」

〈借りた金を返さない奴が悪い〉――。

太平洋戦争後の大混乱を生き抜き、高利貸しを「消費者金融」にまで発展させた男の口癖だ。だが、城所の案件で呼ばれたとは思えない。椎名は満足げに頷く池本を観察した。

「お前の店はこのご時世でも営業成績が落ちていない。大したものだ」

大ぶりのカップにどくどくとミルクを注ぎながら、池本が言った。

「駅と歌舞伎町《かぶきちょう》の中間点という立地の良さのおかげです。ギャンブル中毒の危ない客は論外ですが、堅いサラリーマンが日に二〇人程度来店し、そのうち五人程は実際に貸付可能な優良客です。本社のスコアリング担当者とも話しておりますが、例のグレーゾーン金利問題後も客足は減っておりません」

「そうか」

普段はせっかちで部下を容赦なく怒鳴る池本が、悠然と紅茶をすすっている。今日はいつもと違う、椎名がそう感じたとき、池本はカップをソーサーに置いた。

「グレーゾーン金利撤廃なんて、政府はバカなことをしたもんだ」

「はっ？」

「だってそうだろう。銀行でローンを組めない、あるいは信販会社でカネを借りられない奴らのために俺達がいる。たしかに高い金利を取る。しかし、ラストリゾートだった俺達をがんじがらめに縛ってしまったら、困った奴らは誰からカネを借りるんだ？」

「闇金ということになりますね」

「暴対法で暴力団を規制したつもりが、シノギが地下にもぐってかえって摘発しにくくなった。俺達の業界でも同じことだ。グレーゾーン金利撤廃は闇金業者を太らせ、より重度の多重債務者を生むだけだ」

池本は一気にそう語ったあと、音をたてながら紅茶をすすった。

闇金業者が乱立する歌舞伎町界隈《かいわい》では、一〇《ト》日で三《サン》割、一〇《ト》日で五《ゴ》割の金利に苦しむ顧客が数万人規模で発生している。不適切な債務整理を本業にする「整理屋弁護士」の餌食となる多重債務者も少なくない。無知な債務者につけこみ、闇金の取り立てよりも過酷な弁護士報酬の請求を行う輩《やから》さえいる。

椎名が頷くと、池本は再び口を開いた。

「何年になる？」

「は？」

「ウチに入って何年だ？」

「四年半です」

「そうか、エリートにしちゃよく勤めたな」

池本は、椎名の前職にひっかけて常に「エリート」と呼ぶ。

「会長のご指導のおかげです」

椎名が頭を下げたとき、池本は両手を二回打ち、紅茶のおかわりを催促した。

「まだ独身か？　再婚のアテはないのか？」

「仕事が忙しく、自身のことを考える余裕がありません」

「そうか。だがな、お前ももうすぐ四〇だ。男ヤモメも疲れただろう？　新橋《しんばし》の彼女はどうだ？　あの娘はお前を気にしているぞ」

「いえ、まだまだ仕事で覚えることがありますので」

「そうか」

池本が満足げに頷いた時、隣室から秘書が青いポットに入れた紅茶を携えて再び現れた。

「時は金なり」を地で行く池本は、社員の無駄話や息抜きを許さない。自身、暇さえあれば主要店のデータに目を通し、必要を感じれば早朝・深夜でも電話で店長を追いかけ、激怒し、激励し、結果を求める。

「三年前だっけなあ、お前に助けてもらったのは」

突然、池本が言った。

三年前、大阪の繁華街に池本が個人所有していた土地を巡り、警視庁とひと悶着《もんちゃく》あったときのことだ。バブル絶頂の時、池本は大阪の複数の繁華街に地元業者から斡旋された土地、合計三〇〇〇坪をポケットマネー五〇〇億円で購入した。しかし、バブル絶頂期にそれぞれの土地価格は倍近くまで上昇したが、破裂後は二〇〇億円に萎《しぼ》んだ。池本は含み損の塊を七海ファイナンス傘下のリース会社に買い取らせたのだが、これが警視庁捜査二課の目に留まった。専任捜査官一〇名が半年間内偵を続け、特別背任の容疑が固まった。

当時、椎名の肩書は七海ファイナンス本社の企画部次長だった。池本本人から事情を聞かされたあと、対策を練った。

椎名は、「保険」として警察庁と警視庁から七海に天下りさせていた二名の元キャリアを人質に使った。保安顧問として雇われていた二人は、ある日突然椎名の部下に連れ出され、銀座でどんちゃん騒ぎを繰り返した。事前に椎名から指示されたクラブ側は、ホステス三名を店の中で全裸にし、元キャリアに供した。泥酔していた元キャリアは狂喜し、ホステスを傍らにはべらせ、体中を触りまくった。その間、黒服と椎名の部下は二人の写真を計五〇〇枚撮影した。

銀座での一件から三日後に池本本人に対し、警視庁から任意の出頭要請がかかった。この際、椎名は一連の写真を池本に持参させ、取調室で捜査官に無言で手渡すよう算段した。一連の写真のほかに、椎名は三人分の履歴書を用意した。ホステスに化けさせた新橋、大塚《おおつか》、町屋《まちや》の各支店従業員の書類だった。三名の従業員の就業証明書も添付した。特別背任での立件は、二名の元キャリアの過激なセクハラ問題のもみ消しと引き換えにあっさり見送られた。

「忙しい店長を呼び出して、くだらない話ばかりで悪かった。ところで、エリート。お前さん、日下をどう思う？」

池本が切り出した。

池本は、唐突に社長の日下常男の名を挙げた。

「グレーゾーン金利後の弊社の舵取《かじと》りを懸命に考えておられるように見えます」

椎名は池本の真意を探り出そうと、わざと当たり障りのない答えを口にした。

七海ファイナンスは、一九八三年の「貸金業の規制等に関する法律」施行後、創業者の池本が一旦社長職を退き、代表権のない会長職に就くことで世間の批判を回避していた。「王様」の退位後は池本の三歳下の実弟・孝三《こうぞう》が社長に就いた。当然、池本会長の院政が敷かれたが、兄弟コンビはその後一〇年、二人三脚で業容の拡大に努めた。

その後、九三年に孝三が心筋梗塞で急逝したあとは、池本が代表権のある会長に復帰した。同時に取引銀行や証券会社、取り引きのあった商社から人材を派遣してもらい、三年ペースで社長が入れ替わってきた。

現社長の日下も美園協立銀行の出身だ。日下は本店総務部次長から大型店の支店長を三回歴任したあと、取締役コースから外れた代償として七海ファイナンスに片道切符で送りこまれた「お飾り社長」の典型だ。

「日下社長が何か？　所詮はローテーション人事でしょう」

長い沈黙に耐え切れず、椎名が口を開いた。池本の窪んだ目の奥が鈍い光を発した。

「俺もお飾りだと思っていた」

思っていた、という部分に池本は力をこめた。

「奴は銀行の総務部で総会屋やら政治家の裏の姿を見てきた人物だ。しかし、そんなことはもう忘れて、俺の言うことを聞く普通のサラリーマン社長になったと思っていた」

池本はそう言ったあと、二杯目の紅茶に口をつけた。

日下は丸顔で眉が下がったお人好《ひとよ》しの顔だ。総務部という言わば銀行の汚れ役を経験した人物にしては、時代劇に登場する人の良い公家《くげ》を思わせる風貌で、政治家や総会屋、ずる賢い官僚と渡り合う豪腕総務マンとは毛色が違う。実際、七海ファイナンスに転じてからも、強烈な個性を発揮する会長の下で、淡々と日常業務をこなしているという印象しかない。

「美園協立銀行が何かアクションを起こしてきたのですか？」

「その気配が濃厚だ」

池本が低い声で言った。

メガバンクがどうしたのか。椎名が黙っていると、池本が口を開いた。

「サブプライムローン問題を知っているな？」

池本は日々マスコミを騒がしているアメリカの低所得者向けローンの名を口にした。

「アメリカのシティズンバンクやらトマスリンチ証券が経営危機に直面しているこ

とも知っているな？」

椎名は頷いた。

「美園協立銀行がアメリカの銀行に救済的な出資を行う腹積もりのようだ」

「それとウチの経営がどのような関係があるのですか？」

「大ありだ。だからお前を呼んだ」

池本はそう言ったあと、二杯目の紅茶を一気に口に流しこんだ。

6

チャリン、チャリン、チャリン――。

東京証券取引所近くのコーヒーチェーン店。トレイに二人分のコーヒーカップとサンドイッチをのせた倫子の隣で、上原がレジ横の電子マネー認証機にクレジットカードをかざすと、小銭が触れ合う音に似せた合成音が三回響いた。

「ねえねえ、みのりさん。早く陸マイラーの話を教えてくださいよ」

「おごってあげるとは言ってないわよ。あなたの分は四五〇円」

「はいはい、わかりました」

倫子は財布を取り出すと、ゴソゴソと小銭を数え始めた。

「ねぇ、ダージリン。これが陸マイラーなのよ」

「えっ?」

倫子が百円玉を数え終えた時、上原が真面目《まじめ》な顔を向けた。

「私がなぜ電子マネーで支払いをしたと思う?」

「はっ?」

「やっぱりわかってないわね」

上原は、先ほど支払いを済ませたばかりの青いクレジットカードを取り出した。

「ANLのクレジットカードですよね」

ツナタマゴサンドの包みを開きながら、倫子は上原の手元を見つめた。上原はカードを裏返すと、人差し指でローマ字のロゴを示した。

「これ知ってる?」

うすくマニキュアが塗られた爪の先には、「Gmy《ジミー》」のロゴ。

「ソラー電機が作った電子マネーのネットワーク、Gmyですね。コンビニや飲食店、ガソリンスタンドとかいろんなお店で使える電子マネーですよね」

「そう、グローバルマネーの略でGmy」

「で、それと陸マイラーがどう関係するんですか?」

倫子はサンドイッチを頬張りながら、上原に尋ねた。上原はまじまじと倫子の顔を見つめ、おもむろに言った。

「アタシが毎年必ず南の島に行ってるのを知っているわよね」

「ええ、去年はハワイ島、おととしはニューカレドニアのなんとか島って言ってましたね。でも、話を変えないでくださいよ。今は陸マイラーの話ですよ」

「変えちゃいないわよ。アタシはここ数年、一銭も航空運賃を払っていないのよ」

「そんなにマイレージ貯まっているのですか？」

倫子はサンドイッチのかけらを飲みこんだ。上原は再びカード裏側のＧｍｙのロゴをかざした。

「これのおかげなのよ」

倫子はコーヒーでサンドイッチを喉の奥に流しこんだ。

「ダージリンは、ひと月の公共料金やらカードで使う食事代はいくら？」

「一〇万円くらいかなあ」

「公共料金は銀行から引き落とされるのよね」

「ええ、そうです」

「アタシは公共料金やらを全部このＡＮＬのカードで払っているわ。これが秘訣《ひけつ》なの」

「秘訣？」

ターキーサンドを一口食べたあと、上原はカプチーノに口をつけた。

「タダの航空運賃は、このANLカードとGmyの組み合わせがもたらしてくれたのよ。ダージリン、ボールペン持ってる？」

倫子は訳がわからないまま、バッグからペンを取り出し、手渡した。上原は余っていた紙ナプキンを丁寧に広げると、ペンでメモをし始めた。

「公共料金やら食事代、クルマの経費の支払いで、アタシの支払いは月に大体二五万～二六万円になるの」

倫子は上原が書いた二六万円の文字を見つめながら頷いた。

「でね、これをANLのカードで支払うと、二六〇〇マイルが自動的に貰えるのよ」

上原は「二六万円」の横に「＝」の印を入れ、「二六〇〇m《マイル》」と書き入れた。

「もしかしたら……」

上原の書きこんだきれいな数字を見つめながら倫子は唸《うな》った。

「そう、そのもしかしたらなのよ」

上原は先ほど書き入れた数字の下に「×12」の文字を加えた。

「二六〇〇マイルの一二カ月分で三万一二〇〇マイルになるわ」

「ちょっと待ってくださいよ、確かソウルまでの往復のマイルが一万五〇〇〇だから……」

倫子は財布から自分のカードを取り出し、裏側に表示されている残りのマイレージを見つめた。視線の先にあったのは、六〇〇〇の文字だけだ。

「それでね、普段の小銭支払いは全部Ｇｍｙで済ませるの。そうすると、貯まったポイントがマイルに変換されて、加算されるのよ」

そう言って、上原はまた紙ナプキンに何かを書き入れ始めた。

「でね、普段使うＧｍｙは、オンライン上でＡＮＬカードのサイトからチャージするの。一〇〇円チャージする度に一ポイント、つまり一マイルが加算される。それで、今度はお店でＧｍｙを使うと二〇〇円ごとに利用ポイントとして一マイルが貯まる。月々のカード支払い分に加算された分を合わせると、大体年間でトータル五万から六万マイル貯まるわね」

「ヨーロッパやニューヨークの往復分ですよね……だからさっきの食事代、私の分もまとめてＧｍｙで払ったんですか！」

「やっと陸マイラーのことをわかってもらえたようね」

倫子は手元のマイレージカードを見つめた。単にマイルを貯めるだけの機能しかないカードだ。早めにクレジットカード機能とＧｍｙが組み合わされた複合カードにしなければならないと思った。

「普通に銀行引き落としを使っているだけなら、ゼロ円よね。でもこのクレジットカードを使って支払いを済ませるだけで、年間六万マイル。さっきのポイ・チェンの交換レートなら、ＡＮＬの六万ポイントは実質的に九万円の価値を持っているの。全く同じ支払いをしているだけなのに、ゼロ円と九万円。この差は大きいわよ」

「何もしないで九万円か……」

コーヒーを飲み干した倫子は、真顔で上原の顔を見た。

「そういうことになるわね。この方法は、アタシみたいなサラリーマンには貴重なのよ」

涼しい顔で上原はカプチーノを飲み干した。

「空を飛ばずにマイルを貯める……これぞ陸マイラーか。目から鱗《うろこ》ですね」

「看板報道番組向け企画としてパンチ力は十分でしょ」

「ええ、早速取材の手配を始めます！」

「その前に、そのマイレージカードをクレジットカードに替える方が先決でしょ」

上原はカップをテーブルに置きながらウインクした。

「ええ、フリーの安月給を少しでも補わなきゃ」

陸マイラーは、生活防衛にもなる。倫子はにこやかに笑う上原の顔を見つめた。

「ねぇ、なんでみのりさんは陸マイラーに？　それに、普段あまりお金に執着するようなそぶりはなかったのに。どうしてGmyを使い始めたんですか?」

「知りたい?」

上原は少女がはにかむように肩をすくめてみせた。隣のテーブル、中年の証券マンが奇妙な野生動物でも見るように上原を一瞥した。

「アタシって、いつも細身のパンツ穿《は》いてるでしょ。小銭入れをパンツのポケットに入れるのが嫌なのよ。脚のラインが綺麗《きれい》に見えなくなるんですもの」

「なるほど……」

証券マンの冷ややかな視線を感じながら、倫子は顔を引きつらせて苦笑した。

7

サブプライムローン……。

椎名は池本を見つめながら、懸命に記憶をたどった。

椎名が知っている情報はこうだ。

一〇年ほど前から、米国では地価の上昇が始まった。特に二〇〇〇年から〇六年にかけては上昇に拍車がかかり、価格は約二倍となった。土地価格上昇が住宅投資を刺激し、これが結果的に〇七年夏の世界的な株価大暴落をもたらした「サブプライムローン問題」の根源となった。

眼前の池本がハイライトに火を灯《とも》しているのを視界に入れながら、椎名はさらにメモリをフル稼働させた。

米国で地価が上昇する前、米国や欧州の中央銀行が利下げに踏み切り、世界中で過剰流動性が生まれた。行き場を無くしたマネーは、原油先物相場や穀物相場に流れこんだほか、米国の地価上昇にも狙いを定めた。

元々利払いさえ怪しい住宅ローンだ。錬金術は早晩破たんする運命にあった。金利据え置き期間が終わったローン債権者の中から、延滞物件が続出し始めた。危うい夢の末路に気づいた投資家が一人、また一人とゲームから降り始めた。あとは日本のバブルと同様、膨らみ切った風船が破裂するのは時間の問題だった。米国では最大手の銀行シティズンバンクが半期で二兆円のサブプライムローン向け損失を発表した。証券最大手のトマスリンチも関連融資や投資失敗で一兆五〇〇〇億円の穴を開けた。

池本はハイライトの煙を天井に向けて吐き出している。まだ考えをまとめる時間はありそうだ。そう考えた直後、椎名のジャケットの中で携帯電話が震え始めた。椎名はテーブルの下でこっそり端末を取り出し、小さなウインドーを覗きこんだ。画面には「新宿」の文字。店からの電話だ。しかし、会長の目の前で通話ボタンを押す度胸はなかった。椎名は電話を無視し、ポケットにしまった。ハイライトを吸い終えた池本は、真ちゅう製の丸い灰皿にフィルターを押し付けていた。

「アメリカの健康状態は相当に悪いのか」

池本が窪んだ目を光らせながら、椎名に尋ねた。池本も椎名と同様、主要紙に目を通している。高利貸しの王様として君臨してきた経験から、債務者の健康状態を推し量る眼力はある。アメリカという債務者、そしてサブプライムローン問題が引き起こした世界的な経済の混乱についても、大枠で腐った仕組みを理解しているはずだ。その時、再び携帯電話がポケットの中で震え出した。通話できるタイミングにないことは明らかだ。椎名は端末の不快な振動を感じつつ、池本の顔を見た。

「おっしゃる通り、かなり悪いと思います。日本の土地バブルが崩壊した時よりも状況はさらにひどいはずです」

「大手銀行の元エリート行員からみてもそうか」

「はい」

「そうか……俺が仕入れた情報とほぼ同じだな」

池本は腕組みを始めた。いくらかの時間がすぎた。唐突に美園協立というメガバンクの名前が出たときから、椎名はある程度予想はしていたが、やはり、前職の大手都銀での勤務履歴が自分をこの会長室に呼び寄せたのだ。椎名は重い空気にたえきれず自ら口を開いた。

「それで、美園協立銀行ですが、何を？」

「シティズンバンクに出資するはずだ」

「シティズンバンクですか……現在表に出ているサブプライムローン関連の損失が二兆円程度あるはずです。実質的には七、八兆円程度の隠れ損失が眠っていると聞いています」

「俺もそう睨《にら》んでいる。シティズンバンクは、シンガポールやサウジアラビアの政府系投資ファンドに出資してもらって急場をしのごうとしているようだが、そんなもんじゃ絶対に足りんからな」

池本は、腕組みを解いた。そしてハイライトに火をつけ、煙を天井に向けて吐き出した。

「そこで美園協立銀行も救済目的で金を入れる、そういうことですね」

椎名は池本の顔を見ながら訊《き》いた。池本は黙って頷いた。

「たしかに系列証券がサブプライムローン関連で一五〇〇億円の損失を出しましたが、アメリカの金融機関からみればかすり傷みたいなレベルでしょう。たしかに『失われた一〇年』のリベンジかもしれません」

サブプライムローン問題で極端なクレジットクランチ、すなわち信用収縮が広がっている米国に乗りこめば、失われた一〇年の間に無くした海外市場のシェアを奪還できる。七海ファイナンスの取引先銀行の一つ、美園協立がそう考えてもなんら不思議ではない。

「ただ、問題は美園協立は系列証券に求めたことをウチにも言ってきたということだ」

椎名は池本の顔を見つめた。窪んだ目の奥が一段と鈍い光を放っている。椎名自身が確かめたわけではないが、池本の持つ情報網は多岐に広がっている。毎日顧客リストを眺め、国家公務員や地方公務員、警察関係者に注目する。金利減免や債務免除などを餌に、一部の顧客を自身のネタ元として活用している――。椎名は転職直後、ベテラン社員からそんな噂《うわさ》を聞いたことがある。眼前の池本の表情を見る限り、噂はあながち嘘《うそ》とは思えない。新橋店あたりで、金融庁の職員が顧客となっているかもしれない。

「具体的に、美園協立は何を求めてくるのでしょうか」

「損失を一掃しろとさ」

「まさか、サブプライムローンにからんだ商品をウチが持っているのですか」

「ああ、持っている」

池本は吐き捨てるように告げた。

8

東証の旧立会場に設《しつら》えられた情報発信基地であるアローズには、巨大な株価ボードが見渡せる放送ブースがある。ランチから戻ってクルマ雑誌のイタリア車特集を読みふけっていた上原は、食品会社のお詫《わ》び会見に駆り出され、高輪《たかなわ》のホテルに急行していった。

インターネットでマイルとポイントの情報を調べていた倫子はパソコンの画面を「ワード」に切り替え、脳裏に仮想の進行表を思い浮かべた。

五分という持ち時間を横軸に取り、映画やテレビドラマを制作する時のように、仮の絵コンテを描く。上原が言った「空を飛ばずにマイルを貯める」というキーワードを冒頭に置く。

ごく普通の会社員かＯＬが陸マイラーであると設定する。ごく普通の人間が、超低金利の今の世の中で、カードを有効に利用することで年間数万円の不労所得を得て、低金利という抗《あらが》えない壁を打ち破っている。これで視聴者の興味、好奇心をつかむ。

頭の中で大まかな進行表を組み上げた倫子は、ワードの画面に経済部のデスク、そして『プライムイブニング』のディレクター向けに企画書を書き始めた。

「庶民の知恵！　急増する陸マイラーの実態」――。

倫子はポイ・チェンで仕入れた会員のポイント資産が日々膨張を続けていること、そして上原が置いていった先月分のクレジットカードの明細書から、マイルの貯まり具合を数字で抜き出し、企画書の中に盛りこんでいった。

次いで名刺ホルダーの中から、ANLの広報部員の名刺を取り出した。以前、決算会見の席上であいさつしただけだったが、今度は日本橋テレビの『プライムイブニング』としての取材だ。直通番号で広報部員を呼び出し、企画の意図を告げると、予想外に好意的な声が聞かれた。おまけに、広報部のチョイスでヘビーユーザー数人を一両日中に紹介してくれるという。

受話器を置いた倫子は、さらに企画書に手を入れた。この分なら、すぐに上原とともに画《え》を撮りにいけそうだ。まだどの局も扱っていない陸マイラーのミニ特集だ。企画が好評ならば、『プライムイブニング』のレギュラーの座も夢ではない。

倫子は再びワード画面に戻り、書き上げた企画書を確認し、保存した。

するとデスクの固定電話が鳴った。ANLの広報部員だった。マイルを有効活用しているヘビーユーザーの一人が、取材に応じてくれるという。倫子は礼を言い、直ちに取材の段取りをつけた。他局がほとんど注目していない企画が自らの手で動き出そうとしている。倫子は手元の携帯電話を開いた。

「みのりさん、明日の夜、取材に同行していただけますか？」

〈えっ、もうアポが入ったの？　でもね、こっちの食品会社の偽装問題なんだけど、案外長引きそうなの。それに、別の事件の夜回りと朝駆け取材に付き合うことになったのよ。夜になってもいつ合流できるかわからないから、別のカメラマンを手配しておくわ〉

「そうですか……」

〈調子に乗らない方がいいわよ。アンタは詰めが甘いところがあるから〉

「大丈夫ですよ。視聴者をアッと言わせる特集に仕上げますから」

そう言って、倫子は電話を切った。

上原がいなくとも、映像は撮れる。いや、そうそう上原に頼ってばかりではいけない。取材はどうにか順調に進みそうだ。編集作業だって地方局でこなしてきた。

倫子はもう一度企画書を修正した。

9

〈七海ファイナンス本体がサブプライム商品を組みこんだ債券を保有している〉

揺れの激しい山手線《やまのて》の車内で、椎名は吊《つ》り革につかまりながら池本の言葉を思い出していた。昼下がりの電車の窓から、新大久保《しんおおくぼ》駅周辺のサラ金のケバケバしい看板が見える。

池本によると、海外市場に反転攻勢をかけようとしている美園協立銀行は、経営危機にあえぐシティズンバンクへの救済出資を画策している。ただし、出資の下準備として系列証券やノンバンクが抱えるサブプライム関連商品の損失を確定させ、自らが身ぎれいになることに強くこだわっているという。

〈シティズンに対し、少しでも優位な立場をみせつけるための見栄《みえ》だ〉――。

会長室の天井を見上げながら、池本は呟いていた。

〈業務効率化のIT投資費用を賄うため、六〇〇億円の社債をクレディ・バーゼル証券の主幹事で発行したんだが、社債発行コストを抑制するため、トリプルA格のサブプライム関連債券とのスワップ取引を契約に盛りこんでいた〉――。

クズのようなリスクの高いサブプライム商品だが、米金融界はこれを証券化という手法を通じて束ね、さまざまな投資家に売りつけた。七海の社債引受主幹事となったクレディ・バーゼルにしても、池本のコスト意識の高さに目をつけ、競争相手よりもコストを抑制できる仕組みとして、サブプライム債券とのスワップという手法を提案し、社債の諸々《もろもろ》のコストを七海の帳簿から外した。

〈サブプライム・ショックが顕在化して以降、サブプライム債券と交換したウチの社債はほぼ紙クズ同然の価値に成り下がった〉――。

会長室の天井を見つめたまま、池本は呟いた。サブプライムの荒波が引けば、目減りしたとはいえ、社債市況は回復するだろう。しかし、美園協立銀行はこれを盾にとってこう池本に迫ったという。

〈強制的に損失を確定させなければ、日々の資金供給から一切手を引く、美園協立は日下を通じてそう言いやがった〉――。

発行した社債がスワップ取引を通じてクズのようなサブプライム債券に変わった。六〇〇〇億円の設備投資資金はほぼゼロになった形だ。消費者金融業界は、ある種の設備産業だ。顧客の利便性を高め、これを武器に借金をさせ、金利収入を得る。他社との利便性競争に勝たなければ、即「負け」となる。損失確定に加え、取引先銀行として日々の資金供給を止めるという伝家の宝刀を抜いた美園協立は一枚上手だったということだ。顧客に貸し出すカネ、原資は銀行に頼らなければならない。それを元栓から締めると言い出したのだ。

〈損失を確定させれば、黒字を保てそうだった通期決算が四五〇億円近い赤字となる。その責任を取ってこの際やめるべきだとさ〉――。

自身が興《おこ》した七海ファイナンスを資金繰りで潰すか、それとも銀行の関与を高めた上で、譲るか。池本は、後者を取ると言った。

椎名は、窓越しに西武《せいぶ》新宿駅のホームを見渡しながら、電車の揺れに身を任せた。

中堅都市銀行の大都《だいと》銀行から七海ファイナンスに転職してから四年半が経過した。大都は旧財閥系のかすみ銀行に吸収合併され、もはやその名残《なご》りはない。かすみと大都の合併にあたり、椎名は大都の取引先だった小さな鉄鋼専門商社の経理部次長職への転身を打診された。吸収された側の悲哀というしかなかった。年収は三分の一に激減する。残されたレールは一本だったが、椎名は逡巡《しゅんじゅん》した。そんな時、かつて本店の富裕層向け営業でお得意様になった池本にスカウトされた。

〈カネ貸しはカネ貸し以外の商売ができない〉

池本の言葉が、椎名の人生を全く別のレールに導くポイントの切り替えとなった。転職による大きな犠牲は払ったが、完全実績ベースの給与システムのおかげで、大都時代より若干下がる程度の年収はキープできている。

電車がJR新宿駅の14番線に滑りこんだとき、池本が最後に言った言葉が椎名の脳裏によみがえった。

〈俺が考えていたよりも、日下は狡猾だ〉

池本は、美園協立銀行から送りこまれた日下が今後、七海ファイナンスの実権を握ろうとさまざまな動きを始めるだろう、とも告げた。

〈俺がかわいがっている部下、それに直接スカウトしたお前にも、何らかのアクションがあるかもしれない。気をつけろ〉

椎名は電車を降り、東口の改札に向けて階段を下った。直後、隣を歩いていた主婦らしき二人がまじまじと椎名の顔を見始めた。二人の顔を見返したとき、椎名はいつのまにか自分が口笛を吹いているのに気づいた。まただ。椎名は頭を振り、他のホームから降りてきた客達と通路で混じり合った。そのとき、ジャケットの携帯電話が震えた。

「オレだ」

〈店長、大変ですよ〉

副店長の飯塚だった。飯塚ならば、池本の呼び出しを承知しているはずだ。椎名は雑踏の中で、声を荒げた。

「今、店に戻るところだ。あと五分もすれば着く」

任されている店は、新宿駅東口と歌舞伎町の中間地点にある。水商売や風俗に女性を沈めていたスカウト達がたむろしていた、通称スカウト通りに面した雑居ビルの五階。実際、小走りで行けば三分で着く。

〈会長のところに行っているって説明したんですけど……早く帰ってきてくださ い〉

「そんなにあわてて、いったい誰が俺を待っているんだ?」

〈コンプライアンス部の次長です〉

「コンプライアンス部の?」

〈会長より偉い所から、クレームがついているようで……〉

「会長より偉い所? 七海ファイナンスで会長より偉いって言ったら」

自らの口から出た「会長より偉い所」という言葉に、椎名は絶句した。会長の池本が逆らえない立場の人間といったら、答えは最悪だ。

「すぐ戻る」

椎名は携帯の蓋を閉じると、改札に向けて走り始めた。

〈気をつけろ〉――。

帰り際に池本が言った言葉が、何度も椎名の頭の中でこだました。椎名は東口の雑踏を懸命に走った。ぽかんと口を開けて人を待つ女子高生達と何度も肩をぶつけながら、スカウト通りの石畳を転げるように駆けた。

ビルの五階でエレベーターを降り、店舗の自動ドアが開いた瞬間だった。接客用のカウンター奥、店長席横の応接セットから放たれた視線が椎名を突き刺した。

「私がなぜここに居るか、わかりますか？」

椎名は額に浮き出た汗をハンカチで拭きながら、蛇のような目をした男の顔を見返した。東条英五《とうじょうえいご》。日下社長と同時期に美園協立銀行から七海ファイナンスに転じた男だ。美園協立では経理や法務を専門にしていた。東条の横で、飯塚が傍目《はため》にも気の毒なほどうなだれている。

「椎名さん、はっきり申し上げますが、状況はかなり悪いと言わざるを得ません」

同じ銀行界出身だが、椎名はこの男が嫌いだった。とっくに銀行を離れた身の上なのに、いまだに業界特有のもってまわった言い回しを使う。

「ウチの店で何か特別な問題でも？」

「問題があるから、私がこうして出向いているのです」

「はっきりおっしゃってください」

「金融庁から警告をうけました」

「警告？　ウチの客がらみですか？」

「ですから、私がここに出向いております」

東条は椎名の顔を凝視したまま、低い声で同じ言葉を繰り返した。

「今月のスローガンは何ですか？」

東条は、感情のこもらない冷たい視線を椎名に向けた。

「緩やかな交渉、緩やかな回収」

椎名は解せないまま言った。七海ファイナンスは、毎月本社が業務心得のスローガンを決め、全国の支店に配布する。三カ月前から始まったコンプライアンス強化月間の一環として、客に対して特に丁寧な対応が求められていた。金利過払い訴訟が頻発し、「サラ金のカネは踏み倒してもよい」というイメージが定着しつつある中で、ひたすら頭を下げて耐え忍べという指示だ。

「スローガンの細目は？」

「回収にあたっては強い口調を戒め、電話督促は一日三回。本人の承諾なしには会社と自宅への架電禁止」

「店長たるもの、大事なことを忘れていませんか？」

椎名は冷や汗が背中を流れ落ちるのを感じ、頭を垂れた。

「『回収にあたり特殊なケースが発生した場合は必ずコンプライアンス部に報告し、指示を仰ぐ事』が抜けましたね」

東条は一字一句を区切るように、ゆっくりと告げた。城所の一件だ。椎名は顔を上げ、東条に視線を合わせた。すると東条の口元が歪《ゆが》み、左の上唇が奇妙に釣り上がった。

「顧客の自宅に直接出向いて回収するのはいかがなものでしょうか？　『特殊なケース』の最たるものです」

椎名は、東条の横で立ちすくむ飯塚に視線を向けた。飯塚の両腕、そして両肩がわずかに震えている。飯塚には万が一、問題が起こってもトラブルに発展しないよう、コンプライアンス部に書面で報告を入れておくように指示を出していた。

「すみません、店長」

飯塚の肩口が激しく震え始めた。椎名が質《ただ》す前に、飯塚が正直な反応を見せた。

「報告を出し忘れていた、ということか」

椎名がそう言った直後、飯塚がコクリと頷いた。

「部下の管理も店長の仕事です。明確な失点です、椎名さん」

「しかし、城所という顧客からは実際に毎月支払いが行われておりますし、トラブルは一切ありませんでした」

椎名は懸命に抗弁した。目の前の東条は、言いたいことはそれだけかとでも言いたげに、顎をしゃくった。

「トラブルはなかった、と言いたいのですか」

「なぜ金融庁の耳に入ったのかが理解できません」

「城所さんのご親戚が近所にお住まいなのはご存知ですか?」

「存じません」

「先月、あなたが回収を終えたあと、たまたま叔母《おば》さまが様子を見にいったそうです」

「それと金融庁とは……」

「甘い」

突然、東条が脳天を突き破るような甲高い声を上げた。傍らの飯塚が肩をびくりとすくめた。

「叔母さまは、椎名店長の後ろ姿を見て、誰が訪ねてきたのか、城所さんに聞いたそうです。そして彼は、あなたが七海ファイナンスの店長だと告げた」

「しかし……」

東条は強く首を振った。自らの陣地が次々に消えていくオセロゲームのようだと思った。

「叔母さまは元高校教師。教え子の一人に金融庁勤務の方がいらして、問い合わせをしたそうです。その後のことは、いくら察しの悪い椎名さんでも想像できるでしょう」

「そんな……」

「今日あなたが尊敬されている池本会長のもとを訪れている間に、金融庁の担当課長補佐からコンプライアンス部に電話が入りました」

「それはたまたまタイミングが……」

「甘い」

東条が再び甲高い声を上げた。

「新宿店から城所氏の自宅に回収に赴くという報告書が提出されていれば、こんなトラブルは起こらなかった」

肩を震わせていた飯塚が、その場にへたりこんだ。

「現在、コンプライアンス部長と担当専務が金融庁に出向き、必死で頭を下げています。ただ、消費者がらみのトラブルはウチだけではありません。金融庁の担当課長補佐の態度は硬化しています。担当専務だけでなく、社長のご出馬を仰がねばならないかもしれません。社長も大変ご立腹です」

「私に首を差し出せ、そう言ってるのですか?」

池本の残した言葉が再び頭の中で反響した。

「今ここで、私があなたの去就についてどうこう言う立場にはありませんが、その覚悟はしておいた方が良いかもしれませんね」

東条はそう言うと、口元を一段と歪ませ、白い歯を覗かせた。

第2章　撓《たわ》み

1

　マンションの窓に差しこむ強い西日に顔を照らされ、椎名はソファの上で目を覚ました。後頭部に鈍い痛みが走る。同時に、枕代わりとなっていた左手に猛烈な痺《しび》れを感じた。目を細めて足元を見つめると、ジーンズのフロントホックが外れ、下着のボクサーパンツがのぞいている。靴下は片方がフロアのカーペットの上に芋虫のように丸まり、もう片方は爪先に辛うじて引っかかっている。

　椎名は、右手で周囲をまさぐった。柔軟剤なしで洗い続けた青いラガーシャツが、ささくれだった人差し指に当たった。ごわつくシャツからさらにローテーブルのある方に手を伸ばすと、コツンと何かが指先に当たった。強い日差しの中で目を凝らすと、飲みかけのミネラルウォーターだった。上体をソファの上で起こそうとすると、右手の中指が蓋の開いたボトルを叩《たた》き、スローモーションのように床に落ちた。

前夜、副店長の飯塚に呼び出された。

歌舞伎町の外れ、ゴールデン街でジン・ライムを浴びるほど飲んだ。最後に覚えているのは、マンションの玄関まで飯塚の肩を借りて歩いてきたところまでだ。

六日前のことだ。コンプライアンス部次長の東条が新宿店から姿を消してからきっちり三〇分後、本社人事部長から電話が入った。椎名に自宅待機を命じた七海ファイナンス生え抜きの声は、どこかよそよそしかった。

自宅待機から二日後、神楽坂《かぐらざか》と市ケ谷《いちがや》の中間地点、新宿区払方町《はらいかたまち》の自宅マンションに内容証明郵便が届けられた。依願退職を勧告する文書だった。

日付と署名・捺印《なついん》の欄だけがブランクとなった紙切れだった。文書には、クリップでもう一枚、別の紙が添付されていた。七海ファイナンスの顧問弁護士が書いた文書だった。椎名の取った軽率な行動が会社の利益を著しく毀損《きそん》した、と言いたいらしかった。現段階で依願退職という形式を取らねば、会社に意図的に不利益をもたらしたことを立証したうえで懲戒解雇、あるいは告発に至る可能性さえある、とまで記していた。文書を一瞥《いちべつ》したあと、椎名は何度か会長秘書の直通電話、そして池本個人の携帯電話を鳴らしたが、一度も応答はなかった。

〈気をつけろ〉――。

携帯電話を握りながら、椎名の頭の中に池本の声が何度も響いた。椎名は電話連絡を諦めた。携帯をソファに投げ出した直後、リビングの戸棚から三文判を取り出し、書類に署名捺印して人事部宛に返送した。

二日後の夕刻、近所のコンビニのATMで金をおろすと、取引明細の残高欄の数字が急激に膨らんでいた。今まで四〇〇万円そこそこだった残高が、一気に八二〇万円になっていた。明細を眺めていた時、飯塚から連絡が入り、その足でゴールデン街に向かった。

〈会長が直接スカウトした人材、つまり、椎名さんのような方が軒並みやられ、会長のイエスマンたちも次々と異動させられました〉

〈会長自身も小腸に腫瘍が見つかり癌《がん》の疑いがあるということで、緊急入院しました〉

新宿ゴールデン街の風変わりなバーで、飯塚が意味のあることを言ったのはこの二点だけだった。

池本が皮膚感覚で察知した危険は、予想以上に早く椎名をからめとり、創業者である池本自身をも攫《さら》った。グレーゾーン金利問題で七海ファイナンス自体、そして池本の体力が弱った隙を、美園協立銀行が襲ったとみるのが自然だ。池本の読み通りだろう。外堀と内堀がいっぺんに埋められた。

〈僕のミスで、椎名さんのキャリアを……〉

椎名は頭を振り、強い西日に照らされた自室を見渡した。

店長時代は、朝七時には出勤し、帰宅はいつも午後一一時半すぎだった。食事は全て外食、洗濯や掃除は週一回のハウスキーピング業者に任せきりだった。やもめの中年男が住む部屋にしては片付いていたが、仕事を取り上げられてからは、この有り様だ。近所のコンビニから買ってきた弁当、サンドイッチ、そして宅配のピザ。全てのことがおっくうで、ソファとローテーブル、そして冷蔵庫のまわりにゴミと足跡の道が出来上がっていた。

ゆっくりとソファから足を降ろした。途端に、先ほどこぼした水が脱げかかった靴下と足の裏を刺激した。

椎名が顔をしかめ、足の裏を覗《のぞ》きこんだ直後だった。

「きったなーい」ソファの背後から突然聞き覚えのない女の声が響いた。

「誰だ？」

「誰って、お客さんが今朝方ネットで指名されたでしょ？　オートロックの暗証番号も教えられてたし、玄関の鍵も開いてた。もしかして覚えてないの？　アタシ、ご指名いただいたミヤコです」

椎名は鈍い痛みが残る頭を振り、声の方向に顔を向けた。

垂れた目尻、ファンデーションを塗りたくった奇妙な白い顔だった。三〇歳前後の女が、口元を引きつらせながら、無理矢理笑顔を作っていた。椎名は部屋の奥に体を向けた。テレビ台脇に置いたノートパソコンのモニターが光っている。

「電話借りますね」

女は週刊誌と新聞の束を器用に飛び越えながら、窓際の固定電話に向かった。椎名がくびれのない腰元を見つめた時、女は「到着しました」と受話器に告げた。

「俺、あんたを呼んだのか？」

掌で首筋と後頭部を叩きながら、椎名は呟いた。

未明に飯塚とマンションのエントランス脇で別れたあとの記憶がない。ただ、テーブルの上には、二、三日前の夕刊紙の風俗情報面が無造作に広げられていた。

女は作り笑いを浮かべながら、椎名の言葉を完全に無視した。

「ベッドルームはどこ？　お客さんが先にシャワーを浴びる？　それともアタシ？」

椎名は、安っぽいワンピースを着た女をじっと見つめた。椎名がぼんやりしていると、女は気まずい沈黙を埋めようと部屋の中を見渡し始めた。

「かわいい、誰？」

そう言った直後、女は再びゴミの山を飛び越え、パソコンモニター脇の黒い写真立てを手に取った。

「触るな」

女が写真立てに触れた瞬間、椎名は鋭く叫んだ。女の肩がびくんと反応し、黒い写真立てが床に落ちた。パリンという音をたて、写真を覆っていたガラスが割れた。

椎名は女の傍らに走り寄った。女は明らかに怯《おび》えた表情で、椎名の顔を凝視している。

「なぜ、こんな仕事をしている？」

「えっ？」

「なぜ、デリヘルなんて危ないことをしている？　どんな奴《やつ》がいるかわかんないだろ」

椎名自身、まったく予想していなかった言葉が口をついて出た。口角を引きあげ、作り笑いをしていた女が、たちまち真顔になった。

「するの？　しないの？　それともチェンジ？　はっきりしてもらえる？」

「質問に答えてくれ」

椎名は強い口調で尋ねた。女は溜息《ためいき》交じりに話し始めた。

「元ダンナがあっちこっちのサラ金やら闇金からカネを摘《つま》んで逃げたの。アタシは、闇金のケツ持ちのヤクザに捕まって、店に沈められたのよ。これで答えになってる？」

女は自身の足元を見つめながら、吐き捨てるように言った。

「多重債務者か……アンタに責任はない」

椎名はそう言って、ジーンズのポケットから財布を取り出した。女は怯えと怒りが入り交じった目で、椎名の手元を見つめた。

「悪いが、帰ってくれ」

椎名は財布から一万円札を二枚取り出し、女の眼前に突き出した。無言で頷《うなず》いた女は、引ったくるようにカネを受け取ると、俯《うつむ》いたまま小走りで玄関に向かった。

女の後ろ姿を見送った椎名は、リビング中央のソファに腰を降ろした。

椎名は髪を掻《か》きむしり、棚から落下した写真立てに目を向けた。フレーム自体は原形をとどめているが、写真を覆っていたガラスが粉々に砕け散っていた。

椎名はゆっくりとフレームを拾い上げた。ローテーブルからこぼれ落ち、床を濡《ぬ》らしていたミネラルウォーターが、フレームの中を浸蝕し始めている。椎名はあわてて掌《てのひら》で写真の水を拭ったが、既に遅かった。乾いた砂地に水が広がるように、古いプリントは皺《しわ》を寄せ始めた。水は写真の中央にまで達し、明るい色調だったプリントがみるみるうちにくすんだ灰色に変わった。

写真立ての中の明るい笑みを守るために、ひたすら働き、生きてきた。椎名は頭を振り、ガラスの破片を拾い始めた。

小さな破片を追っていたとき、砕け散ったガラス片の一つが右の人差し指に突き刺さった。針の先ほどだった赤い点は、次第に人差し指全体を覆うように赤く染まった。

椎名は写真立てを元の棚に伏せ置いた。あの日、あの知らせを聞いた時も、同じような感覚におそわれた。自分のしたことの何が悪かったのか。

椎名は呆然《ぼうぜん》とリビングを見渡した。コンビニ弁当の残骸や夕刊紙が散らかったままだ。

「これじゃ、ゲーマーの城所のことをとやかく言えない」

独りごちた椎名は、自身の精神状態をそっくり映しているゴミの山を見た。

「城所か」

椎名は、自らの生活を一変させた男の丸顔を思い起こした。不思議と城所自身に恨みはない。彼の叔母にもなんら特別の感情は抱いていなかった。ただ、つい六日前、会長室に呼び出される直前に城所が呟いた言葉が、椎名の意識を鋭く刺激した。

〈裏テクで毎月一〇万円は堅い〉

城所は、回収の手間賃として一〇万円分が椎名に転がりこむ、そう言っていた。わずかな退職金で当座の生活はしのげるが、永遠に食べていける金額ではない。怪しいネットの裏ワザかもしれないが、話を聞いてみるだけでもいい。椎名はローテーブルの上、週刊誌と夕刊紙をかき分けて携帯電話を掘り起こし、城所の自宅番号を探し始めた。

2

〈『プライムイブニング』は日本橋テレビ《ウチ》の看板報道番組だ。五分間のミニ企画とはいえ、気を抜いてもらっては困る〉

「しかし、番組のD《ディレクター》にはOKをいただきましたが……」

〈抗議のメールが一〇件、それに苦情電話が二五件も入った。当分、『プライムイブニング』には関わらなくていい〉

「そんな……私、一所懸命やったんですよ」

〈とにかく、当分はBSに専念してくれ〉

「……はい」

倫子は受話器を叩き付けるように置くと、深く溜息をついた。

東証アローズの放送ブースで後場《ごば》の株価急落を手短に伝え終わった直後、日本橋テレビ報道局経済部長からの電話に打ちのめされた。

「ねえ、ひどいと思いません？」

傍らのデスクに足を投げ出し、先ほどからワイン雑誌を読んでいる上原に倫子は顔を向けた。

「ねえ、みのりさん」

「ちょっと待ってよ。相方《ツレ》と飲みに行くワインの解説を読んでいるの」

上原は面倒臭そうにそう言うと、再び誌面に視線を落とした。

「経済部長があんなに理不尽な人だとは思わなかった。ねえ、みのりさん、そう思いませんか？」

倫子は経済部長の嫌味ったらしい声を思い出し、身震いした。同時に、自分の話に耳をかたむけようともしない上原にも苛立《いらだ》ちを覚えた。

「みのりさんからも経済部長に抗議してくれません？」

倫子は苛立ちを抑え切れず、上原の手からワイン雑誌を力いっぱいもぎとった。

「アンタね、いい加減にしなさいよ！」

デスクに足を預けたまま、上原は鋭い声をあげた。

今までに倫子が聞いたことのない上原の怒声、そして見たことのない鋭い視線だった。倫子はその場に立ち尽くし、目を見開いた。上原はデスクから足を降ろして放送ブースの隅に向かい、パイプ椅子の上に置いてあった黒革のダッフルバッグからDVDを取り出した。

「こんなVを流したら、視聴者が怒るのは当たり前よ！」

呆気《あっけ》にとられる倫子の眼前で、上原はディスクを真っ二つにへし折った。

「アンタさ、東証の中継始めて一年近くになるけど、いったい今まで何を勉強してたの？　取材の仕方、素材のまとめ方くらいは覚えたはずじゃなかったの？」

倫子は、上原の足元で真っ二つになったディスクを見つめた。

二日前の夜、倫子が手がけたミニ特集は、スポーツコーナーの前に放映された。元々、食品会社の五度目の会見が予定されていたが、会社側が突然会見を延期したため、スタッフルームは尺を合わせるために戦争状態となった。

ディレクターの指示で、翌日の予定だった倫子のミニ企画を他の企業モノと抱き合わせで放映することが放送直前に決定した。同時刻、編集室で自身のナレーションを入れていた倫子は、編集作業を早々に切り上げ、映像の最終チェックを番組担当のディレクターに委ねた。ディレクターはひと通り映像に目を通し、一発でOKサインを出し、「陸マイラー」企画は晴れて地上波全国放送に乗った。

異変が起こったのは、オンエアの翌日だった。取材を終えて東証の放送ブースに戻った倫子のもとに、映像をチェックしたディレクターから電話が入り、抗議メールと苦情電話が多かったことを告げられた。直後、電話対応オペレーターが記したクレーム報告が放送ブースのファクスに届いた。

〈特定企業のポイントばかり。電子マネーもＧｍｙばかりで面白くなかった。もっと多面的に伝えてほしかった　二五歳会社員〉

〈地元スーパーが昨年つぶれたとき、貯めていたポイントが無効になった。ポイントやマイルについての利便性を強調した主旨はわかるが、リスクもあることを伝えるべき。都市の視点ばかりで地方の実状を一切見ていない　五七歳主婦〉

送りつけられたファクスを一読し、倫子は溜息をついた。五分間の尺では、全てを伝え切れない。元来、視聴者は勝手だ。重大な認識ミスがあったわけではなく、まして誤報をやらかしたわけではなかった。局外の嘱託の立場で『プライムイブニング』の担当をさせてもらっただけでも良しとしなければいけないのか。地方の視聴者にも気をつかわなければならないのは理解できる。しかし、責任を全て押しつけてくる番組ディレクターに倫子は腹が立った。その直後、今度は『プライムイブニング』のプロデューサー経由で倫子を監督する立場の経済部長にクレームが届き、それが先ほどの叱責の電話につながったのだ。

「ねえ、ダージリン、なんでアタシがこんなに怒っているのかわかる？」

「だって、私はそんなにマズイことをしたわけじゃないのに」

倫子は、耳に反響する自分の声がかすれ始めたのを感じ奥歯を嚙《か》んだ。上原は呆《あき》れたように首を傾《かし》げ、倫子の横のデスクを指差した。

「クレームの中に重要なヒントがあるわよ。もう一度読んでごらんなさい」

倫子はこくりと頷き、デスクに体を向け、放送原稿の下に追いやっていたファクス用紙を取り上げた。じっくり見たが、やはり答えは見つからなかった。

「まったく世話の焼ける子ね」

倫子の側《そば》に歩み寄った上原は、倫子の頭を撫《な》でながら、右手の人差し指で「五七歳主婦」からのクレームを指した。

「アンタね、いくらスムーズにアポがとれたからって、この点を見逃しちゃダメよ」

「この点、ですか？」

倫子はあわてて、上原の細い指先を見つめた。

〈リスクもあることを伝えるべき〉

上原は、リスクの文字を叩いた。

「リスク、ですか？」

「そうよ」

倫子は上原に顔を向けた。先ほどまでの怒気は消えたが、依然として真剣な目つきだった。

「ネタをアンタに振るだけ振って、別の事件にかかり切りになっていたアタシも悪いけど、少なくともこの点には気づいてほしかったわ」

「マイラーやポイントを有効的に交換しているユーザーは何も言っていませんでした」

「まだわかんないの？　ダージリン、本当にキャスターになりたいの？　それとも原稿を読み上げるだけ、地方の歌謡ショーの司会をやるような宴会アナになりたい？　どっち？」

「キャスターです」

倫子は、目に涙が浮かんでくるのを感じながらも、キャスターという言葉に力をこめて言った。

「わかった。じゃあ、ついてきて」

「どこに行くんですか？」

上原は倫子に背中を向け、放送ブースの重いドアを押し開けて出ていった。倫子はデスク脇のトートバッグに取材ノートを放りこみ、あわてて上原の後を追った。

3

「相変わらず散らかっていますけど、入ってください」

国道246号線やたまプラ駅前を見渡せる城所邸のインターフォンを押した椎名は、ステンレス製のドアを開けた。

「僕の叔母がバカなことをしてしまったようで、申し訳ありませんでした……」

椎名がドアを開けてから二秒後、玄関脇の階段を城所が駆け下りてきた。ゲームのキャラクターが描かれたTシャツ、だぼだぼのバギーパンツ姿の城所は、額にうっすらと汗を浮かべ、何度も椎名に頭を下げた。

「別に城所さんと叔母さんが悪いわけではありません。私がミスを犯しただけです」

「僕を殴りにきたんじゃ……」

「とんでもない。城所さんを責めるならもっと早いタイミングで押しかけていますよ」

椎名の言葉を聞いた途端、城所は肩の力を抜き、大きく息を吐き出した。

「今日はお話をうかがいにきたんです。これでも食べながら、どうです？」

椎名は、駅前のショッピングセンターで買ったケーキの包みを差し出した。

「チーズケーキですね？　食べましょう。さ、入って」

緊張の糸が一気に弛《ゆる》んだ城所は、玄関脇まで押し寄せた衣類や新聞を足で押しのけながら、二階の「仕事部屋」に通じる道をひらき始めた。

「仕事部屋はもっと散らかっていますけど」

「私の部屋も同じようなもんです」

恐縮する城所に椎名は自嘲気味にそう告げた。

「もしや……」

階段の途中で、城所が振り返った。椎名はわざと肩をすくめてみせた。

「ええ、形式上は依願退職ですがね。だから今日はスーツではなく、私服でうかがったのです」

そう言いながら、椎名はごわごわのラガーシャツを指差した。

「僕がずぼらだったばっかりに。本当にすみませんでした」

城所がもう一度、深く頭を下げた。椎名は城所の広い背中に手を当て階段を上るよう促し、二階の左側の仕事部屋に向かった。

「やはりオレの部屋よりも散らかってる」

城所がドアを開けた瞬間、椎名は声をあげた。前回訪れた時よりも、雑誌やコンビニ弁当の残骸が相当増えている。

「これでも、どこに何があるかは把握しているんですよ」

城所は真面目《まじめ》にそう告げると、ジーンズとチノパンのちらかった辺りを掘り起こした。

「ほらね、ここが冷蔵庫」

城所は中からウーロン茶の小型ボトルを二つ取り出した。

「賞味期限は大丈夫？」

「ええ、おととい叔母《おば》が置いていったものです。楽勝ですよ」

椎名は無言でボトルを受け取った。パソコンのモニターには、ワードの原稿が開いたままとなっている。オンラインゲームの批評原稿でも打ちこんでいたのだろう。

「城所さんは以前はゲーム会社の開発部長だったんですよね？」

「もう、タメ口でいいですから。でも会社はいやな思い出ですよ」

「なぜ」

「はめられたんですよ」

「はめられた？」

浮世離れした城所の口から、生々しい言葉が飛び出したので椎名は面食らった。

「僕が勤めていたのは、オンラインゲームの運営会社。僕は開発部長の肩書で、新型ゲームの開発スタッフを取りまとめる仕事をしていました」

城所はブルーベリージャムののったチーズケーキをつまんだ。

「ある日、社内のサーバーの異常な数値に気づき、調べ始めたのです」

「異常値とは？」

「オンラインゲームは運営会社が常に監視をしているんです。不正なアクセスでゲームを荒らす奴がいるから。それに、ゲームが進行する段階でアイテムのやり取りが出てくるんです」

「荒らし？　アイテム？」

椎名は首を傾げた。

「実際に見てもらった方が早いかな」

城所はそう言うと、ワードの画面をインターネットに切り替えた。

大型のモニターには、大きな刀を携えた近未来の戦士らしきキャラクターが現れた。この戦士がゲームの主人公ということなのか。椎名の眼前で、城所はキーボードのキーをせわしなく叩き始めた。

「この刀を持ったキャラが主人公。これからオンラインのＲＰＧ、つまりロールプレイングゲームを始めるよ」

いつの間にか自分もタメ口となった城所は、キーを押しながらキャラの大きな刀を何度も振ってみせた。次の瞬間、モニターに恐竜とも猛獣ともつかない不気味な怪物が現れた。

「さあ、モンスター登場！ やっつけます」

城所は今までより一層早くキーを叩き、画面を食い入るように見つめた。モニター横の小さなスピーカーから、血が飛び散る擬音が響き、画面の中の巨大な怪物は青い血を撒《ま》き散らしながら画面の奥に倒れこんだ。

「さあ、アイテムゲット！」

城所がそう叫んだ直後、今まで戦士の右手だけに握られていた巨大な刀が、空いていた左手にも現れた。

「ここまでの、流れはわかってもらえた？」

ゲームを一旦停止させた城所が、椅子を回転させながら椎名に体を向けた。

「わかったようなわからないような。要するに、今まで特定のハードでやっていたゲームをオンライン上でやる。得点をあげるとおまけとしてもう一個、強力な武器が得られるようになる、そういうこと？」

椎名は恐るおそる目の前で見た事実を反すうした。

「その通り。僕は、オンライン上で約二万人のユーザー管理もしてたんだ」

「二万人？ そんな大量の人間が同時に？」

「要するにサーバーをデカくすれば可能なわけ」

城所はそう言って、デスク下に置いてあった黒い箱を右手で叩いてみせた。ゲーム運営会社ならば、このような箱が何十、いや何百と設置されているということか。

「では、そのサーバーで異常が出ていたということは、あこぎなユーザーが不正にその大きな刀をゲットしたりして、警告が鳴ったとか？」

「そういうこと」

城所は怪物が倒れたままの画面を、複雑な数字と記号が入り交じった画面に切り替えた。さっぱり理解できなかったが、エンジニアが使う専門のコードらしきことはわかった。椎名が首を傾げたまま乱数表のような画面を見ていると、城所はテンキーを素早く叩き、ファンクションのコードを同時に何度か押した。同じような動作を四、五回繰り返した城所はニヤリと笑い、先ほど停止させた画面に戻した。

「あれ、武器が違う」

先ほど、巨大な怪物を倒した戦士は、報酬としてもう一本の大きな刀を手にしていた。が、いま画面上に現れているのは、両手に巨大なマシンガンを携えた戦士だった。

「これが異常値ってわけ」

椎名は思わず膝を叩いた。

「ははぁ、データを書き換える知識を持った人がいれば、ゲームの結果をコントロールできてしまうわけだ」

「当然、ゲーム運営会社だから、セキュリティーには気を遣うんだけど。最初、異常値を発見したときは外部の人間がやったのかと思っていたけどさ」

「ところが外部ではなかった？」

椎名の問いかけに、城所は大きく頷いた。

「社内のゲームマスターで木俣《きまた》という若く有能な人間が犯人だった。入社半年でゲームマスターに就任するほど知識と才能を持っていたのに、あんなことをするなんて」

また知らない用語が飛び出した。

「ゲームマスターというのは、多数のプレーヤーを監視しながら、ゲームを進行するマネージャーのこと。細かく説明すると五、六時間かかるのでやめるけど、ＲＰＧ審判、レフリーの役割のような人」

「で、そのゲームマスターが何をしたの？」

そう問いかける椎名に対し、城所は首を傾げた。まだわからないか、そう言いたげだ。城所は素早くモニター画面に目を戻し、二つの巨大機関銃を携えたキャラクターの戦士を指差した。

「まさしくコレだよ。ゲームマスターはプログラミングの技術も持ち合わせている。だから、数万のユーザー相手に瞬時にシナリオを提示して楽しませることができる。逆に言えば、シナリオを書き、かつゲームの監視を行う人間が、インチキをやってはならない」

城所は一気にまくしたてた。インチキはダメ。それは椎名にも理解できるが、巨大な刀が機関銃に代わっただけではないのか。

「まだわかってくれないの？　本来ならば、この機関銃を手にするためにはゲームを五時間程度続け、モンスターを一〇〇匹は退治しなければいけないわけ」

「五時間も？」

「でも、プレーヤーの全てが長時間かかりきりになるわけじゃない」

「と言うと？」

「例えば、サラリーマンが帰宅後にゲームに参加したとして、でも仕事があって長時間ゲームはできない。そうすると、アイテムを買いに行く」

「先ほどの機関銃が買える？」

城所は頷くと、キーボードのファンクションキーを押し、戦士キャラクターの横に棚のような絵柄を表示させた。椎名が目を凝らしてみると、棚の中には、現在兵士が携えている巨大な機関銃、さらには対戦車砲のような大きな筒、ボウガンのような弓、刀、手裏剣の類いのイラストが並んだ。

「この機関銃は五万ドーロ、弓は三〇〇ドーロで購入可能です」

「ドーロ？」

「オンライン上の通貨のこと。ドルとユーロを足して二で割ったから『ドーロ』。ゲームのサイトに入会して、月々の使用頻度に応じてクレジットカードで決済するんだ」

「五万ドーロ払えば、いきなりこの機関銃でバッタバッタとモンスターとやらを退治して次のステージに進める、ということ？」

椎名は画面を覗きながら尋ねた。

「そう。だからゲームマスターは公正中立の立場を貫かねばならないのに、木俣という部下は掟《おきて》を破った。自分で大量の高額武器を製造して換金したんだ」

城所はこの日はじめて椎名に暗い表情を見せた。一方、椎名には新たな疑問が湧き始めた。

「今、換金って言った？」

「そう換金。だから僕は社内で非常にシビアな立場に追いこまれたわけ」

椎名は自らの眉間に皺が寄るのを感じながら言葉を継いだ。

「だってオンライン上の通貨はドーロだと、それを換金するって理屈が合わないでしょ」

「椎名さん、もしかしてＲＭＴを知らないの？」

またただ。椎名は顔をしかめた。わからない単語だらけだ。

「ＲＭＴ、リアル・マネー・トレードの略称だよ。つまり、ゲーム内で稼いだポイント、このゲームの場合はドーロという独自の通貨だけで、それを日本円に交換するわけ」

「ゲームの、それもあくまでも仮想通貨にすぎないドーロが実際の日本円と？」

椎名はそう言ったあと、まじまじと城所の丸顔を凝視した。眼前の城所は、肩をすくめながら溜息をついた。次いで、キーボードを叩いてモニターの画面を操作した。

「このサイトを見て」

城所は太い人差し指を画面に向けた。

「ポイ・チェン？」

椎名は、画面を凝視した。

城所は素早くマウスを操作すると、「所持ポイント」と記された欄の下に、「五万ドーロ」、そして「交換先」欄の下に「日本円」と打ちこみ、エンターキーを押した。その直後、「五万ドーロ＝二万三〇〇〇円」との表示が画面に現れた。

「今日は若干レートが悪いなあ」

城所はカーソルを「交換先」に向け、家電量販店やクレジットカードのポイントの下、「現金・電子マネー」の上に合わせた。椎名が覗きこむと、ネット専業銀行の名前がいくつか載っている。ゲームで稼いだポイントが免許を持つ銀行に振りこまれる。こんな機能が発達していたとは予想さえできなかった。

「インターネットの世界で生み出された仮想の通貨が現金に？　そんなバカな」

「バカなことじゃないよ。現に、不正に武器を大量生産して他所《よそ》のサイトで売りさばいた木俣という部下のせいで責任を問われ、僕はこうして一介のゲームオタクに舞い戻っているんだから」

椎名は、ここでようやく城所が〈手間賃として毎月一〇万円〉と言っていたことに合点がいった。

「ゲームで現金を作り出すことができれば、誰かが買収に乗り出すこともあるんじゃないの？」

「理屈の上では可能だよ。中国では、体育館のような場所で数百人のゲーマーを集めて、実質的に金を製造している企業さえあるし。ただ、日本ではまだそこまで市場規模は大きくない。買収まで考えている人はいないかもね」

椎名は頷いた。だが、いずれゲーム会社を買収して実質的な「通貨」を作り出そうと考える向きもあるに違いない。

「手間賃ってのは、このことだったんだ」

「やっとわかってくれたね。ただし、僕の部下がやったようなあこぎな手ではなく、ちょこっと裏のテクを教えて、アイテムの取得を効率良くやる、ということだったんだ」

城所は頭の後ろを掻きながら頷いた。手間賃ということのほかに、ゲームユーザーに対して多少の後ろめたさはあるらしい。

「ところで、その元部下はどれくらいインチキしたの？」

「一五〇〇万円。遊興費に充てたらしいけど、日頃の彼にそんな素振りは見えなかった。ちょっと謎めいた奴だったなあ」

「それでその木俣は詐欺罪か横領罪で捕まったわけだ」

椎名の言葉に、城所は再び首を大きく横に振った。

「詐欺罪にはならないよ。日本ではこの行為は詐欺や横領にはあたらないから」

「審判だかレフリーが不正にアイテムを乱造して勝手に売りさばく。メーカーの幹部が自社の商品をバッタ屋に横流しするようなものだ。立派な詐欺罪、もしくは横領罪が成立するはずだ」

「いや、部下の容疑は、不正アクセス禁止法違反だった」

「不正アクセス？　そんなバカな」

4

「みのりさん、待って！　どこに行くんですか！」

東証アローズを出た上原の後を追い、倫子は兜町《かぶと》の細い小路を早足で歩いた。

「本社よ」

一瞬だけ足を止めた上原は、そう告げると再び歩き出した。本社、すなわち上原が所属する日本橋テレビのことだ。東証からは徒歩で七分たらずだ。上原は一度も振り返ることなく、昭和《しょうわ》通りを横切り、日本橋の中心地に歩を進めた。倫子は懸命に後を追いながらも、ふと、黒い大型セダンが倫子のあとをゆっくりと追走しているのに気づいた。社用車にしては派手な印象がある黒いセダンだ。地味な国産車の多い界隈《かいわい》で、珍しい車種だと思ったが、上原の背中を追うことで精いっぱいだった。

東海道の起点である「日本橋」の近く、中央《ちゅうおう》通りと永代《えいたい》通りが交差する日本橋交差点脇で倫子は、五年前の再開発プロジェクトとともに新築された日本橋テレビ本社ビルを見上げた。九年前、倫子が就職活動で訪れたときは、古びた外壁に蔦《つた》がかかっていたが、現在は強化ガラスと剝《む》き出しの鉄骨が組み合わされたモダンアートのオブジェを思わせるインテリジェントビルに姿を変えている。

地上三〇階、地下四階のビル。地下鉄の改札と同じつくりのチェックポイントに個人情報の入ったICチップ付き入構証をかざし、エレベーターホールに向かった。スーツ姿、あるいはラフなジーンズ姿の日本橋テレビ社員たちに混じり、倫子は上原とともにエレベーターに乗りこんだ。上原は慣れた手つきで一五階のボタンを押した。

「みのりさん、どこに行くんですか？」

「アナウンス室。アタシの同期を紹介するわ」

「どなたですか？」

「会ってからのお楽しみ」

高速エレベーターは目的階に到着した。早足の上原の後ろについて倫子はエレベーターホールを抜け、ビルの北西角に位置する大部屋に足を向けた。

「皆さん、おはよう」

上原が甲高い声をあげた。同時に、ドア付近にいた若手の男性アナウンサーがあわてて頭を下げた。ファッションショーで女性モデルがステップを踏むように、軽やかに歩く上原とその後に続く倫子は、在京のキー局の華やかで広いアナウンス室を見渡した。男女合計五〇人分の局アナ用デスクが用意されているが、夕方の大部屋は閑散としていた。

　日本橋一帯、そして大手町《おおてまち》のビル街を一望できる窓辺に、倫子が目標としている憧れの女性がいた。アナウンス室副部長で、地上波の昼ニュースのキャスター兼アナウンサーの松田喜美子《まつだきみこ》だ。アナウンス技術の高さはもちろんだが、記者以上の取材能力をも持ち合わせたベテランだ。松田の緻密な報道がきっかけとなり、法改正にまで至ったことさえある。倫子の視線の先で、松田は企画書らしき文書を左手に、真剣な表情を浮かべている。その時、上原がぴたりと歩みを止めた。

「喜美子、お久《ひさ》！」

　上原は松田の背後に忍び寄ると、突然声をあげた。

「あら、みのりじゃない。どうしたの？」

「ちょっとウチの番組の子を紹介しようと思って。ダージリン、同期の松田喜美子よ」

　上原の前で松田が立ち上がった。ダークグレーのスーツに身を包んだ松田は背筋を伸ばした。倫子が想像していたより、松田はずっと小さかった。身長一六八センチの倫子に対し、松田は倫子の肩くらいの身長しかない。恐らく一五二～一五三センチだろう。

「どうしたのよ、ご挨拶は？」

目の前の松田の小さな体を見つめ立ち尽くしていた倫子に、呆れた様子で上原が声をかけた。

「この子、アンタに憧れてキャスターになりたいって前から言っていたから連れてきたのよ」

上原は倫子と松田に交互に顔を向けて言った。

「田尻です」

そう言うのがせいいっぱいだった。

「それで田尻さん、何か御用があったんじゃない?」

笑顔を浮かべた松田が倫子の顔を見た。

「はい。経済ネタの調べものがありまして……」

「熱心じゃない」

「この子はキャスター志望だから取材もきちんとやるのよ。喜美子も応援してやって」

「キャスターになりたいと思っていますが、正直なところ、取材する前の段階として、『何がわからないか、それがわからない』っていう状況なんです。先日もポカをやって視聴者から抗議が来まして……」

「『何がわからないかわからない』ことを認識するのは大事よ。何を調べてるの?」

「企業が発行しているマイレージとかポイントなど、仮想通貨とでも言えばいいのでしょうか……」

「報道局経済部の記者は誰か知ってる？」

「兜倶楽部《クラブ》担当の方二、三人を」

松田の問いかけに、倫子は素直に答えた。外部の嘱託にはほとんど知り合いはいない。

「ちょっと変わり者だけど、何度か仕事をした面白い記者を紹介してあげましょうか？　彼はネット関連のニュースに強いし、いろんなところに人脈を広げているから何かヒントをくれるかもしれないわ」

「本当ですか？」

「いろんなこと、知りたいんでしょ？」

「え、ええ。三〇歳になった途端に仕事が減ってきてますし、取材をきちんとこなせるキャスターになりたいんです」

「みのりが目をかけている娘《こ》なら、見所があるってことよ。彼女が目をかけてきた後輩たちは、皆それぞれの分野で成長したの」

倫子は上原と松田の顔を交互に見ながら、小さく頭を下げた。

「じゃあ、ついてきて。この時間帯なら報道局にいるはずよ」

そう言うと、松田は倫子の腕を取り、歩き始めた。

「ねえ、喜美子。いったい誰を紹介するの？」

「冨山勲君《とみやまいさお》よ」

「えっ？　あのオタク？」

倫子と松田の背後から、上原の不安げな声が聞こえた。

「面食いのみのりが好みじゃないのはわかっているわ。でも、冨山君は優秀よ」

「でもさぁ」

「いいから。さ、行きましょう」

松田は上原の声を無視するように倫子の手を強く引いた。

倫子が知らない名前だった。思いのほか強い力で引っ張る松田に合わせ、倫子はアナウンス室を後にした。

5

「アイテムを乱造し、会社を騙《だま》したのだからやっぱり詐欺でしょう」

「法律の解釈がまだ実態に追いついていないのです」

城所は右手で椎名の反論を制した。

「つまり、ネット上のアイテムは、形を成さないものであり、『財産上の利益』という概念が現状では適用できないの」

城所はキーボードを叩き、画面に不正アクセス禁止法に関する解説のページを呼び出した。『他人のＩＤ・パスワードを無断で使用した場合、一年以下の懲役または五〇万円以下の罰金』と書いてある。

「木俣の場合、額が大きかったのと他に不正アクセスの前科もあって、懲役六カ月の実刑判決。でも微罪だよね」

城所がぽつりと呟《つぶや》いたが、椎名は依然として納得がいかない。

「でも、ユーザーはオンラインゲームのサイトに金を払ってアイテムを買うわけだから、いくらネット上の仮想空間とはいえ、財産という概念を適用できるんじゃないの？」

しかし、城所は強く頭を振った。

「もう少し解説を加える必要がありそうだね」

城所は真面目な顔でそう切り出した。

「オンラインゲームは、韓国で二〇〇〇年以降爆発的に発達し、今や中国、東南アジア全域に広がってる。韓国国内だけでも、市場規模は約一二〇〇億円だよ」

椎名は驚いた。その様子を見て、城所は満足げに続けた。

「オンラインゲーム先進国の韓国でも刑法でネット上のアイテムを財産として認めていない。だから、窃盗や詐欺として刑事事件で起訴するのは無理。これは他の国でも同じ。一方、日本の市場規模はまだ韓国の一〇分の一程度。警視庁でオンラインゲームに絡んだ事象に問題意識を持っている捜査官もごく少数いるけど、逮捕しても検事によっては不起訴にするし、裁判官の知識不足で実際の公判維持さえ難しい。だから木俣のケースでは不正アクセス防止法でパクって、アナウンスメント効果を狙ったわけ」

城所は、早口で解説を加えた。

椎名は渋々頷いた。

たしかに銀行マン時代にも同じようなことがあった。金融取引の高度化が進展する中、デリバティブ（金融派生商品）と呼ばれるハイテク商品が導入された。当初、日本の法律の抜け穴をかいくぐるような仕組み債が多数生まれた。経済やＩＴのインフラが急激に進化する中で、金融取引をめぐる法整備は常に後手にまわっていた。

「先ほど、城所さんははめられたと言っていたけど、誰にはめられたの？」

椎名は先ほどからずっと意識の中で引っかかっていたことを口にした。

「美園協立銀行出身の財務担当のオッサン。経営会議の席上、僕がことの次第を説明したら、管理不行き届きだって騒ぎ始めた」

「美園協立銀行出身者？」

「僕をスカウトして開発部長に据えたオーナー社長が一、二年後の株式公開を視野に入れて取引先銀行に頼んで派遣してもらったんだけど、古い銀行マンの典型でなんて言うか、重箱の隅ばかり突つくオッサンだったわけ」

椎名は思わず吹き出した。今度は城所が首を傾げた。

「どうした？」

「俺も銀行出身の人間に追い出されてね。それに、自分も元銀行マンなんだ。なんだか不思議な巡り合わせだね」

「椎名さんって、銀行員だったの？」

椎名は頷いた。椎名自身は、オンラインゲーム会社に派遣された銀行マンの素性や性格を知り得ないが、想像はたやすい。今まで帳簿を唯一の友にして、取引先と上司の機嫌をうかがうことが仕事だと信じてきた人間が、城所のようなゲーマーが数十人、数百人と集まった会社に移ったこと自体が屈辱だろう。

「ヒステリックなオッサンだった」

城所は飄々《ひょうひょう》としたキャラクターを装ってはいるが、繊細な人間に違いない。思い入れのある仕事を失った悔しさは十分理解できる。

「オレも銀行マン時代、そして七海ファイナンス時代と二度、職を奪われた経験があってね」

「二度も？」

「まあね」

「弾《はじ》かれた者同士、ってことかあ」

城所は、椎名の言葉を聞きながら徐々に明るい表情を取り戻した。

「それで、椎名さんは今後の生活をどうするの？」

「例の『手間賃月一〇万円』の詳細を教えてもらおうと思って押しかけてきた」

「ご迷惑をおかけした椎名さんに裏テクを伝授するのはたやすいけど、他人のＩＤを悪用すれば、両手が後ろに回るからね。そこは誤解しないで」

城所は肩をすくめてみせた。椎名自身、法を犯すようなことに手を染めるつもりはない。しかし、ゲームに対する興味はなく、日がな一日、オンラインゲームのポイントを稼ぐのも気が滅入《めい》る。どちらかといえば真っ平だ。

城所の困惑した表情を見ながら、椎名は自身の脳裏にふと浮かんだ言葉、「ポイント」という言葉がひっかかった。

「ゲームで稼いだポイントが現金に交換可能だって言ってたよね」

「ポイ・チェンのこと？」

「そう、そのポイ・チェン」

椎名はモニターを指した。城所は言われた通り、画面を先ほどの交換サイトに切り替えた。

「椎名さん、僕はゲーマーであり、ゲームをこよなく愛している。繰り返すけど、違法行為に手を染めるつもりはないからね」

画面を表示しながら城所が言った。椎名は無言で画面をながめた。交換サイトでは、ゲーム通貨のほか、流通業者やメーカーが販促目的で発行する企業ポイント、信販会社などが発行する電子マネーが一覧表示されている。

「椎名さん、何を考えているの？」

ネット上の仮想通貨に対しては、他人のＩＤを不正に利用しない限り、実質的に取り締まる法律がない。城所が言うように、不正にアイテムとやらを作り出し、ゲーマーの信義を反故《ほご》にするつもりもない。しかし、この交換サイトは、何らかの教示を椎名に与えているような気がしてならなかった。

〈ポーン〉

椎名が無言でモニターを凝視していると、突然画面からチャイムのような音が聞こえた。椎名は我に返り、城所に顔を向けた。

「メールだ。ポイントの振込が実行された連絡だよ」

城所は素早くキーボードを操作し、画面をメール着信のスクリーンに切り替えた。

「やっぱりそうだ。昨日稼いだ五万ドーロがゲーム運営会社から入金されたよ。あとはネット専業銀行に移せば、五万ドーロが約三万円の日本円に替わる」

「それだ！」

入金されたドーロのカーソルをネット上の通帳らしきポケットに動かしていた城所の横で、椎名は鋭い声をあげた。

そうだ。ネット上にカネを貯めればいいのだ。これは使える。まだモヤモヤとしたところはあるが、これは絶対に使える。

「椎名さん、どうしたの？」

「城所さん、俺とビジネスを立ち上げないか？」

ネット上に仮想通貨の通帳を作り上げればいい。今はゲーマーだけのマネーだが、銀行マン時代に作った顧客網を駆使して両者を引き合わせる場所を作れば、ビジネスになる。

「ビジネス？」

「そう。合法的に、かつ、誰も考えなかったビジネスだ。城所さん、あんたの知恵が必要だ」

椎名は両頬が熱を帯び始めたのを感じた。仕事ができる。それも自分の手で新しいビジネスを切り拓《ひら》く一大チャンスだ。

「僕と椎名さんで？」

城所はポカンと口を開け、椎名を見つめた。椎名は城所の両肩を摑《つか》んだまま、もう一度繰り返した。

「あなたとじゃなきゃダメなんだ」

6

「ケニアの民族紛争に日本人ボランティアが巻きこまれ、何人か負傷者が出たみたいで報道フロアは大騒ぎ。でも、彼はきっとあそこにいるわ」

エレベーターを降りた松田は、フロアディレクターが原稿とビデオテープを携えて猛然とダッシュしている大部屋脇をすり抜け、透明な強化ガラスで仕切られた一角に倫子と上原を案内した。強化ガラスの内側には、さらに六畳ほどに区切られたブースが並んでいる。

「地方局よりも機材の数が多くて圧倒されるでしょ。ここでニュース素材の編集作業をやるの。そう、彼がお好みのブースは……」

松田は編集ブースの一番奥に視線を向けた。ニンニクの効いたカップラーメンの匂いが漂っている。

「ラーメンの匂いがするってことは、あそこかな」

松田は編集ブースの奥に進み、一番奥の扉をノックなしで開けた。

「こらぁ、局でそんなV《ブイ》を回すんじゃない！」

モニターには、あどけない表情を浮かべる巨乳のグラビアアイドルがカメラ目線で微笑《ほほえ》んでいた。その前で中年男がカップラーメンをすすりながら、そのアイドルを眺めていた。

「ノックくらいしろよ……何だ、松田さんじゃないですか。それに上原さんまで」

ラーメンのカップを抱えながら、中年男が振り返った。アイロンのかかっていないボタンダウンシャツ、胸のポケットには、青、赤、黒、黄色のボールペンが差してある。ポケットのふちには、赤と青のインクが滲《にじ》んでいる。

今どき、こんなうす汚いテレビマンがいるのかと倫子は思った。髪はくせ毛できついカールがかかっている。銀縁眼鏡のレンズは指紋だらけだ。

「ねえ、冨山クン、ちょっといいかしら」

松田は腰に手を当て、モニターのアイドルと冨山を交互に見た。

「何の用事ですか？　あれ、後ろの綺麗な女性は誰？　ウチの局アナじゃないよね？」

冨山は、体をよじって倫子を見つめた。

「初めまして、『プライムマーケット速報』担当の田尻と申します」

「フリーのアナだけどキャスター志望なの。それで今、企業が販売促進のために行っている『ポイント』にスポットを当てた取材をしているの」

松田は真面目な顔で言った。

「松田さんの頼みを断る勇気はないですよ」

松田は倫子と上原に微笑んで、編集室を後にした。倫子は松田の後ろ姿に深く頭を下げた。

「アンタ相変わらずアイドル・オタなの？　そんなんじゃ一生結婚できないわよ」

上原はつかつかと編集機に歩み寄ると、ＶＴＲのイジェクトボタンを押し、ビデオを取り出した。今まで水着の女が映っていたモニターには、アフリカの民族紛争の様子を伝えるＣＮＮの映像が現れた。すると上原は、ビデオを編集機の上に放り出して食い入るように画面に見入った。ＣＮＮ、しかも紛争モノとなると、上原の頭のスイッチが切りかわるようだ。一方の冨山はもじゃもじゃの髪を掻きながら、口を開いた。

「田尻さんだっけ？　何を手伝えばいいのかな？」

「今、企業が発行するポイントを獲得して、航空会社のマイルや電子マネーに交換したりする『陸マイラー』が急増しているようなのですが、この前の『プライムイブニング』でミニ企画を放映したら、視聴者から抗議がきてしまいまして……」

倫子は、早速本題を切り出した。

「この前のアレ、田尻さんが扱ったんだ」

「はい」

「はっきり言って、あの企画はダメだね」

冨山はボタンダウンシャツのポケットから青いペンを抜き出し、指の上で器用にくるくる回しながら言った。

「あなたが考えている以上にネット上の通貨や企業が発行するポイントは社会に浸透して現実の金融システムを侵蝕《しんしょく》し始めている。単純に考えない方がいい」

冨山は編集機脇の小型ノートパソコンを開くと、キーボードの上で指を動かした。

「この記事を読んでみて」

冨山は、自身のデータベースに入れていた過去の新聞記事を画面に呼び出し、パソコンを倫子に向けた。

「貨幣流通量、統計開始以来のマイナスに……」

倫子は画面上の文字を、アナウンスと同じように声に出しながら追った。

「日銀が四日発表した三月のマネタリーベース（資金供給残高）によると、貨幣

（硬貨）が市中に出回っている量を示す流通残高が四兆四五二一億円と前年同月に比べ一九億円減り、〇・〇％減と七一年の調査開始以来、伸び率が初めてマイナスとなった。

電子マネーの急速な普及でコンビニなどの店頭で釣り銭を受け取る必要がなくなり、硬貨を使う機会が減っていることが背景にある。電子マネーは、貨幣情報を読み込ませた集積回路（ＩＣ）を付けたカードや携帯電話で、現金を使わずに決済する仕組み。電車に乗ったり、コンビニで買い物したりする際に利用されるケースが増えている。日銀では——

二〇〇六年四月四日　帝都通信社」

倫子は画面に表示された小さな文字を懸命に追った。

「侵蝕ですか？」

記事を一読した倫子は富山の顔を見ながら尋ねた。

「そう、侵蝕」

富山はくせ毛にボールペンをからませ、そう言い切った。

「小銭が減ったくらいで侵蝕って言うのは大げさなんじゃないですか？」

「理屈の上ではね。ただね、田尻さん。あなたが見ているのは利便性だけ。僕が侵蝕と敢《あ》えてネガティブなイメージのある言葉を使ったのにはきちんとした理由がある」

「どんな理由ですか？」

「便利ですよって主観だけで企画を組むと、視聴者をミスリードする恐れがあるってコト。ポジティブな要素の裏側には、ネガティブな面がつきものだ。だから、この前のミニ企画はダメだったのさ」

　冨山はキーボードの上で指を動かし、別の記事をモニターに表示した。倫子はモニターに映った活字を先ほどと同じように声に出して読み始めた。アナウンサーになってから、声に出しながら文字を読むことが頭の中にインプットされている。周囲に人がいても、倫子はこの習慣を続けてきた。

「『企業のポイントと電子マネー、後手に回る利用者保護』か……」

　倫子の声に、上原、そして冨山も耳を傾けた。

「発行総額が一兆円規模に達した企業のポイント、そして小額決済が主体の電子マネーが急速に一般消費者の生活に浸透してきた。だが、ポイントを発行していた企業の経営不安や、ポイントと電子マネー間の交換を巡るトラブルが起きるなど、徐々に問題も出始めている。

北関東の地方都市在住の専業主婦、Wさん（五〇）は、地元スーパーの愛用者だった。値段の安さにくわえ、このスーパーが買い物ごとにポイントを発行し、年に数回、貯《た》まったポイント分の商品券と交換可能だったことが理由だ。しかし、大手スーパーの進出により当該地元スーパーの経営状態が悪化。人気のサービスだったポイントとの交換が突如、停止された。Wさんは八カ月間の買い物で一万円分相当のポイントを保有していたが、〝突然の交換停止で実質的に損失を被った〟と憤る。

電子マネーの運営会社についても、同様のクレームが徐々に出始めている」

「利用者保護ですか……」

冨山の言う通り、生活が便利になる裏側では、新たな問題が出始めている。

「たとえ五分間のミニ企画といえども、影響力は大きいよ。流行《はやり》もののファッションやグルメ企画みたいなノリで考えない方がいい」

「そうですね、負の側面に全く焦点を当てていませんでした。あの、読ませていただいた記事ですが……」

「いいよ、メールで送ってあげる」

「ありがとうございます。あの、図々しくて恐縮なのですが、こうした問題について、レクチャーをしてくださる方はいないでしょうか？」

「適任者がいるよ」

倫子の様子から素早く意図を察してくれた冨山は、ノートから一枚紙を引きちぎると青のボールペンで担当者名、そして住所と電話番号を書き入れた。

「国内最大のシンクタンク、日銀の調査統計局は知ってる？　さっきのマネタリーベースの統計を発表している部署だけど」

冨山はノートの切れ端を倫子に手渡しながら訊《き》いた。

「たしか日銀短観もまとめていますよね。紹介してくれるんですか？」

「うん」

松田という仲介者がいることを割り引いても、この風変わりな冨山という記者は、悪い人間ではなさそうだ。

「そのかわりと言っちゃなんだけど」

冨山がもじゃもじゃ頭を掻き始めた。その直後、今までアフリカの民族紛争の映像に見入っていた上原が割りこんだ。

「合コンと引き換えとか、姑息《こそく》なことを言うつもり？」

「ちがいますよ。今度、僕の企画でリポーターをやってもらいたいんですよ」

「もちろんいいですよ」

「アキバの取材なんだ！　僕がマイクを持つと、画にならないからさ」

冨山は満足げにそう言った。倫子は「アキバ」という言葉に顔を引きつらせながら、うなずいた。直後、冷ややかな目で冨山を見ていた上原が口を開いた。

「アタシも行くわ」

上原の言葉を聞いた途端、冨山が表情を曇らせた。

「上原さんも?」

「もちろん」

「上原さん、いや、みのり姐《ねえ》さんみたいなベテランにご出馬いただかなくても……」

「バカ、アキバでダージリンが狙われたらどうすんのよ」

冨山にたたみ掛ける上原のわき腹を、倫子は軽く肘で小突いた。

「では、冨山さん、これからもよろしくお願いします」

倫子は冨山に向き合うと、頭を下げた。その瞬間のことだ。

「ウッ、なんだこの光は!」

「痛い!」

倫子があわてて顔を上げると、上原と冨山が目をこすりながら、編集機横のモニターに顔を向けていた。報道局全体が大騒ぎとなっている根源、ケニアの民族紛争についてのCNNの画面が、さっきと同じようにつけっ放しになっていた。

「今のCNNの画像に映りこんだ光は何？」

「わ、わからないわ。でも、テレビ屋の照明じゃないことは確かよ。突然何かの光が割りこんで、そのまま放映されちゃったみたいね」

目がようやく見えるようになった二人は、画面に見入った。倫子は二人の肩越しにモニターを覗いたが、中継は閉ざされ、アトランタの本社スタジオに切り替えられていた。あわてた男性のアンカーキャスターが現地を懸命に呼び出しているが、応答はない。

「放送事故ですか？」

「わからない……でもアフリカでなぜあんな強烈な青い光が出たのかしら？」

倫子とベテラン報道マン二人は、画面を食い入るように見つめ続けた。

7

「オンラインゲームですよ」

椎名は城所の顔を見ながら確信ありげに言った。

「椎名さん、僕は一応、ゲーム業界では結構名が通った人間だよ。そんな人間が、なぜ全くド素人《しろうと》の椎名さんと組んで今さらゲーム作りをしなくちゃいけないの？」

「素人だから、作れるんだよ」
「なんだか気持ち悪いな、椎名さん」
「ゲーマー中心だったRMTを、他のユーザー層に広げるんだ。法律にひっかから
ないように、新しい仕組みと市場を作ればいい」
「ははあ、なんとなくわかってきましたよ」
「今までいろんな奴や組織に足をすくわれた。今度は、自分で仕組みを作って旨《うま》み
を掠《かす》ってもいい番だ」
「法律がないのを逆手にとって、怪しいカネ儲《もう》け……元銀行マンなのに？」
「元銀行マン？　そんなプライドはとうの昔に無くしたよ。同じ金融だということ
でサラ金にまで行った人間だ。そして、今はそのサラ金にまで見捨てられた」
椎名は吐き捨てるように言った。
「あとは自分でやるしかない。所詮、カネに関わる仕事をしてきた人間は、カネか
ら逃げることはできないんだ」
大都銀行を追われたとき、そして反対を押し切って七海ファイナンスへの移籍を
決めたとき、自分の中で何かが壊れたのだ。この四年半、壊れていた何かが体のど
こかに沈殿していた。それが今、体の外に出ようと蠢《うごめ》き始めたのだ。
今まで、正しいと思っていたことをやってきた。だが、それらはことごとく裏目

に出た。ならば、正しくないことに賭けてみるのも一興だ。もはや失う物はない。

「椎名さん、大丈夫？」

城所が丸い顔を近づけてきた。

「大丈夫だ」

「ところで、肝心のゲームのソフトには何を使うの？」

「ちょっと失礼」

先ほどから城所の手元を見ていた。操作は大体わかる。椎名はマウスを握ると、カーソルを画面右上のグーグルの検索欄に二文字の漢字を入れた。

「データは豊富にそろってる」

「こんなものがオンラインゲームに？　これは昔からあるけど、はっきり言って人気がないよ」

「このゲームはものすごく奥が深い。しかも人の射幸心《しゃこうしん》を煽《あお》るだけあおる怖い要素がある。新しいビジネスにはうってつけだ」

「こんな古くさいゲームが？」

「潜在的なユーザーがたくさんいるよ」

椎名は、画面に現れた小さな枡目《ますめ》をにらんだ。

8

「さっきの光、強かったな」

倫子は右手で瞼《まぶた》をこすりながら、本石町《ほんごく》方向に日本橋の街を歩いた。

編集室でCNNの画像から発せられた青白い光は、その場にいたテレビ関係者の視界を数十秒間遮るほどの強いエネルギーを持っていた。

「まだ目がチカチカする」

倫子は冨山からもらったメモを見ながら、もう一度瞼をこすった。

一〇分前、倫子は編集室の固定電話から日銀に電話を入れた。以前、総裁会見終了後に名刺交換した政策広報課参事役の名刺を手帳から引っぱり出し、調査統計局の担当者に取材したい旨を告げた。

〈短観も終わったばかりだから、恐らくそんなには忙しくはないはずです。それに冨山さんの紹介ですし……少々お待ちください〉――。

電話越しに応対した参事役は、その後わずか五分で返答をくれた。調査統計局の金融統計担当の企画役がすぐに会ってくれるという。

首都高の高架下、日本橋を渡って三越《みつこし》の看板が見え始めた。

今度こそしっかりとした取材を経て、もう一度『プライムイブニング』に出る、倫子はそう念じながら三越に通じる小径《こみち》を進んだ。

変形交差点の中、中州のような一角に「貨幣博物館」の看板が見えた。オカネの歴史と仕組みを総括する博物館が入居するビルに、新しいオカネの仕組みを取材に行く。不思議な因縁だと倫子は思った。

もう一度、取材項目を頭の中で整理したあと、夜間出入口のインターフォンを押した。人なつこそうな笑顔を浮かべる日銀の守衛が現れ、招き入れてくれた。守衛は気をきかせ三階の調査統計局の受付席、担当秘書席まで案内してくれた。倫子が守衛に頭を下げたとき、カウンター越しに恰幅《かっぷく》の良い中年男が現れた。

濃い眉、そして大きな目。薄い頭髪とは対照的に長い睫毛《まつげ》。強面《こわもて》の暴力団幹部といった風情すらある。倫子は身構えて声を出した。

「突然押しかけまして申し訳ありません」

「いえいえ、普段はテレビ局の記者さんはほとんどウチに取材にこないので、珍しさもありまして、お引き受けした次第です」

いかつい印象とは正反対の柔らかな声が返ってきた。中年の男は口元を弛め、歯を見せた。

ベージュ色の壁紙が見える。フロアのあちこちに大量のファイルを保管するスチール製の棚が置かれている。整然と並んだデスクには、白いワイシャツ姿の若手職員の姿がある。調度品に古臭さは感じられるが、職員の大半が忙しく動き回っている姿を通して、静かな熱気が伝わったきた。

〈日本一のシンクタンク〉——。

冨山がそう称していたことが納得できるような気がした。倫子は革製のノートを携えた中年男に案内され、フロア左隅の簡易応接セットに案内された。

「こんなところで申し訳ありませんが」

男は倫子にそう言うと、名刺を差し出してきた。倫子はあわててトートバッグから名刺入れを出した。

〈日本銀行　調査統計局　金融統計担当企画役　桜庭《さくらば》寿三郎《じゅさぶろう》〉

「ポイントや電子マネーが今後どのような進展を遂げるのか、取材させてください」

「そうですか、それはいいところに目を付けられましたね」

桜庭はそう言って笑顔を見せた。

「先般、『プライムイブニング』という報道番組でとりあげたのですが、視聴者から苦情が来まして……お恥ずかしながら、基礎から勉強したいと考えています」

「私も見ていました。短い時間の中で利用者の声まで入れられていましたね」

「ただ、地方都市の主婦から、『ポイントの良い面ばかり扱っている』との苦情が寄せられまして」

「地元スーパーのポイントがいきなり使えなくなったとか?」

桜庭はにこやかに笑みを浮かべ、切り出した。

「現在、地方のスーパーは全国区の大手に押されて大苦戦を強いられています。ポイントというインセンティブ、つまりおまけが通用しなくなったことも一因です」

「通用しなくなった?」

倫子は問い返した。桜庭は無言で頷いた。桜庭は手元に置いていた革ノートをめくると、表紙裏のポケットから大手流通系企業が発行した電子マネーを取り出した。

「大手スーパー系列のクレジット会社が発行した電子マネー『バウ』です」

各種の電子マネーを調べていくうちに、倫子も目にしたカードだった。大手スーパーのシンボルマークであるフレンチブルドッグが吠《ほ》えている可愛《かわい》らしいイラストだ。

「この電子マネーも元々は大手スーパーのおまけ、つまり地場スーパーのスタンプと同じコンセプトから生まれました。ただ、大手スーパーの全国展開が急ピッチで進むと同時に、このおまけが『通貨』的な性格を持ち始めました」

桜庭は、通貨という部分に力をこめた。

「地場スーパーは、そのお店でしかポイントが使えない。一方で、大手は全国に店舗がある。特に最近はショッピングモール化を急いでいます。敷地内にはさまざまな業種の店舗が入居し、それぞれのお店での買い物にもポイントが付加されます」

「地場スーパーは本業だけでなく、おまけの側面でも駆逐されたわけですね」

「その通りです。たしかにクレームを入れてきた視聴者にとっては、地場スーパーのポイントが突然使えなくなることで損をした気持ちになります。今まで数千円分の買い物ができたのに、ある日を境に急に使えなくなるわけですから」

倫子の目を見つめながら、桜庭が話の続きを始めた。

「大手スーパーだけでなく、家電量販店、ドラッグストアなど全国展開する流通業の多くがポイントに目を付けました。そして、消費者もおまけであるポイントを強く意識するようになった。今までは現金で支払って商品を買う。それだけのことでした。しかし、最近はそこにポイントが付与される。しかも、全国展開のお店ならば、どこで買い物をしてもポイントが貯められる」

「現在、日本全国のポイントを総計するとどの程度の価値を持っているのですか？」

「大まかな数字ですが」

そう言って桜庭は用意していたノートからA４の紙を取り出した。

「クレジットカード、携帯電話、航空会社、家電量販店、コンビニ、スーパー……

円に換算すると一兆円程度、会員専用ポイントなどを合算すると年間では二兆円近いでしょうか」

「二兆円！」

「ポイントの有効性に気づいた消費者が一気に利用し始めたら、一、二年の間にこの数字は三、四兆円単位に跳ね上がるはずです」

桜庭はさらりと言ってのけた。

「わずか数年の間に巨大なポイントというマーケットが出来上がり、そこにクレジットカード業界が囲いこみを展開しました」

「なるほど。だからＡＮＬのカードのようにフライトのマイレージが貯まり、クレジットカードとしても使え、Ｇｍｙのような電子マネーをも積みこんだ複合型のカードが出来上がったというわけですね」

「その通りです。おまけだった存在が企業ポイントや電子マネーという共通のプラットフォームに乗ったのです」

桜庭はにっこりと笑った。専門家の話を聞くにつれ日本の企業ポイント、電子マネーの成り立ちがわかってきた。利便性が高まるにつれ市場のパイが広がるであろうことも理解できた。

「桜庭さん、負の側面はないのですか？」

「ありますよ。日本は無法地帯ですから」

「無法地帯？」

「危ないですね。このままの状態で行けば、相当深刻な事態が起こり得ます」

桜庭は口元を引き締めた。今までスラスラと質問に答え、時ににこやかに笑っていた桜庭の表情が一変した。

9

椎名と城所はたまプラーザ駅から東急田園都市線の急行に飛び乗った。電車が東京メトロ半蔵門《はんぞうもん》線に接続し、表参道で銀座線に乗り換えてからも、城所は椎名のアイディアに異を唱え続けた。オンラインゲームの中でも、参加者が限定されている古いゲームに新たな顧客層など見こめないこと、ゲームを管理する人材が見当たらないことなどをゲーム業界の実情を交じえて反論し続けた。椎名は生返事を返すのみで、答えなかった。

「さあ、着いたよ」

「ここは新橋じゃない」

「そう、ゲームマスターに会いに行こう」

「秋葉原《アキバ》ならまだしも、新橋なんてオンラインゲームと一番縁遠そうな場所だなあ」

帰宅するサラリーマンの一団が一斉にホームになだれこむ銀座線の改札を抜けながら、城所はなおも食い下がった。椎名はだんまりを決めこみ、足早に烏森口《からすもり》を抜け、駅前のSL広場を横切った。

椎名は顎をしゃくりながら、城所を急《せ》かした。駅前のニュー新橋ビル横を通り、芝《しば》方面に向かって歩く。線路の反対側の汐留《しおどめ》側は再開発が進み、見違えるように綺麗な街に生まれ変わったが、烏森口側は昔からの風情が色濃く残っている。

椎名は新橋三丁目の飲み屋街の一方通行路を抜け、新橋四丁目に足を踏み入れた。昔ながらの立ち飲み屋、串カツ屋が連なる。

椎名は大きく息を吸いこんだ。歌舞伎町のように若者がたむろすることもなく、怪しげな外国人もいない。城所は、安酒の刺激の強いアルコール臭、モツ焼きの青い煙に顔をしかめながらも、周囲をキョロキョロと見回している。恐らく、生まれて初めて足を踏み入れるのだろう。サラリーマンの大声が遠ざかったとき、椎名は昔から目印にしてきたビジネスホテルを見た。

「あと五〇メートルほどで目的地だ」

椎名は城所にそう言うと角地に建つホテルを左折し、「日比谷《ひびや》神社」横の雑居ビルに足を向けた。

「こんなところに？」

スモッグと飲み屋街の煤《すす》を一身に集めたような六階建てのビルを見上げ、城所が首を傾げた。二人の足元で目的地の看板が申し訳なさそうに黄色の灯《あか》りをつけている。間口一〇メートル程の狭いビルの一階エレベーターの扉には「故障中」の張り紙がある。目的地の五階には、狭い階段を上らなければならない。

「まだ先があるの？」

額に汗を浮かべた城所が泣きを入れたが、椎名は構わず階段の手すりに手をかけ、テンポ良く足を動かした。

「ここ？」

額から玉のような汗を流しながら、城所はようやく五階にたどりついた。

「機嫌が良さそうだね。足取りは軽いし、口笛まで吹いてたし」

荒い息をした城所が上気した顔でそう告げた。

「口笛？」

一瞬、椎名は顔をしかめた。最近、無意識に出る口笛のことだ。椎名は頭を振り、ドアを開けた。目の前に広がる二五畳ほどの部屋を見渡した。簡素な折りたたみ式の会議机にパイプ椅子は合計で五〇名分程は詰めこめそうだ。今は五組一〇名程度の客しかいない。皆真剣に卓上の盤に視線を向けている。

「椎名さん、こんな将棋クラブに本当にゲームマスター候補がいるの？」

肩で息をついた城所が、椎名の肩越しに尋ねた。

「ここは将棋好きのためのスペース。俺達の新しいビジネスの出発点だ」

椎名は入口の左側の壁、「新橋将棋クラブ　会則・会費」と書かれた黄色く変色したポスターに目を向けながら答えた。

「年会費一万円、一時間あたり七〇〇円ねえ。今でもこんな前時代的なところがあるんだ」

ようやく息が落ち着いてきた城所が、小声で呟いた。

「このクラブには、メーカーの営業マン、法律事務所の事務員、出勤前の銀座の黒服とさまざまな人間が息抜きにやってくる」

椎名は入口近くの白髪でスーツ姿のサラリーマンを見ながら答えた。

「だけど、奥の引き戸の向こう側は別世界だよ」

椎名は再び顎をしゃくり、冷蔵庫と小さなテレビが置かれている方向を指した。

「別世界？」

「射幸心を煽るだけあおる勝負所。生身の人間同士がエゴ剝き出しでぶつかる場所がある」

「将棋が？　理詰めで相手を追いこむゲームだから射幸心とは無縁でしょ」

「一目見ればわかるよ」

そう言うと、椎名は机と椅子を器用に避けながら部屋の奥に向かった。城所は立てかけてあるパイプ椅子を倒し、周囲のサラリーマンと作業服姿の男に舌打ちをされていた。

「そっちは素人厳禁だぜ」

引き戸に手をかけた瞬間、背後から作業服姿の男が怒鳴った。

椎名はだまって引き戸を開けた。

「入場料一人一万円、お願いしまーす」

引き戸の側、着座位置の低い風呂屋の番台のようなスペースから、ハスキーな女の声が響いた。

「よう、久しぶり」

「渉さんじゃない。じゃあ、入場料ね」

「はいはい、わかっております」

椎名は財布から二万円取り出し、にこやかに笑う女に手渡した。

「今日もここが終わったらご出勤かい？」

椎名は女の顔を見つめた。化粧気のない顔だが、以前頻繁に出入りしていた時と同じで、顔立ちは整っている。いや、明らかに場違いで綺麗な顔立ちだ。大きな瞳がクルクルと動き、椎名を見つめた。これから出かける商売向けに、明るいブラウンに染めた髪をアップに結っているが、よく見ると目元に小さな皺が二、三本見えた。目の下には、うっすらとクマが出ている。まだ二七、八歳のはずだが、わずかに生活の疲れが滲み出ている。丸顔とは対照的に細身の体。胸元がざっくりとあいたカットソーから覗く鎖骨もどこか痛々しい印象だ。

〈新橋の彼女はどうだ？　あの娘はお前のことを気にしているぞ〉

池本の言葉が頭によみがえった。池本に指摘されるまでもなく、女が自分を強く意識していたのは知っていた。ねだられて二、三回、一緒にバーにくり出したこともあった。しかし、当時は独身ではなかった。ファーストネームで呼ばれることで、女に対しての好意はあったが、愛情を抱けるような対象ではなかった。

椎名を見上げる女の目に、はにかんだような気配が広がった。椎名はわざと女の顔から視線を外した。今は、あくまでもビジネスのために来ている。椎名の様子を推しはかったように、女が口を開いた。

「ご出勤なしではココを維持できませんからね。で、何？　王様のお供じゃないみたいだけど」

「王様か……実は俺、コレだよ」

椎名は喉仏に自らの右手を押し当て、切る真似《まね》をした。

「クビ？　どうすんのよ？」

「ちょっと、話が見えないんだけど」

傍らの城所が、椎名のコットンのジャケットの袖を引いた。

「おい、静かにしてくれよ」

部屋の奥の方にいる、工務店の作業着を着たハゲ頭の中年男が声をあげた。女はペコリと頭を下げると、二人に向けて舌を出した。

椎名は改めて目を凝らした。濃い焦茶色に変色し、象のような脚を備えた重厚なカヤの将棋盤。盤を挟んで、左側には髪をきっちり七三で分けた三〇歳代前半のYシャツ姿の男と、反対側には白い調理服を着た五〇歳前後の男がいる。

周囲には作業着のハゲ頭のほか、紳士服量販店で売っているようなスーツを着た貧相な若手サラリーマン。もう一人は、ひと目で仕立てが良いとわかる細いストライプのスーツ、ノーネクタイの中年男の計三人の見物客だ。ノーネクタイの男は、椎名が部屋に足を踏み入れた時から、チラチラとこちらを見ている。

「どっちが受けなの？」

椎名は見物客に聞こえぬよう小声で女に尋ねた。

「Yシャツの方。あんまり見ない顔だけど、出張で奈良から来たついでにウチに寄ったみたい」

「相手は？」

「築地《つきじ》の某有名割烹《かっぽう》の花板さん」

「何分？」

「一〇分の切れ負け。レートは一〇万円の倍層」

椎名はもう一度目を凝らした。スーツ姿の男は冷ややかな目線で盤を見つめ、一方の調理服姿の男は、忙しげに煙草をふかしている。

「で、花板さんが押しこまれているわけだな」

「そういうことになるわね」

女は椎名から受け取った二万円を手元の小さな持ち運び型の金庫にしまいながら、つまらなそうに答えた。

「ねえ、いったい、何の話ですか？　キレマケだのバイソウだの。さっぱりわかんない」

城所が顔を寄せながら、声を潜めた。

「真剣だよ。各自の持ち時間が一〇分。それを過ぎた瞬間に負けが決まる」

「シンケン？　何のこと？」

「賭け将棋」

女がハスキーな声で短く言った。城所は目を大きく見開いた。

「レートとか言っていましたけど、もしかして一〇万円賭けて対局を？」

「そうよ。花板のおじさんが勝てば一〇万の倍、二〇万円もらえるから倍層って言うの」

城所は右手で口を押さえた。椎名は城所の耳元でささやいた。

「これが将棋の裏の顔。とんでもないギャンブルなんだよ」

その時、椎名は見物客の一人、ノーネクタイの男の視線を感じた。

10

「無法地帯という言い方は刺激が強かったでしょうか？」

桜庭が白い歯を見せた。倫子は桜庭の顔を見つめ、頷いた。

「ポイントや電子マネーは、さまざまな地域のいろいろな業種の店舗で使える機能を持っています。言い換えれば、通貨としての機能を兼ね備えています。しかし、現状はこれらを包括的にカバーする法律が存在しないのです」

「えっ？」

「ですから、無法という刺激の強い言葉を使ったのです」

桜庭はノートからペーパーを一枚はぎ取ると、テーブルに置いた。そしてボールペンでメモを記し始めた。

「まずは先ほどの『おまけ』から説明しましょう」

そう言って桜庭はペーパーに「A」と記し、その下に「企業ポイント＝自社割引券（自社使用のみ）↓独占禁止法」と書いた。

次いで、「B　企業ポイント＝景品（他社でも利用可）↓景品表示法」、「C　電子マネー＝プリペイドカード↓プリペイドカード法」——と記した。

「現状ではABCのそれぞれについて、法律は存在します」

「たとえばANLのクレジットカード一枚に複雑な機能が付加されているのに、法律はバラバラということですか」

倫子の問いかけに、桜庭は頷いた。

「なるほど……」

倫子は思わず手を叩いた。ANLのクレジットカードでは、「ポイント」「電子マネー」が交互に行き来できるシステムが整っている。ネット上でも同様だ。しかし、法律上では三者は明確に分類されている。しかし、どこか一つの部門で不具合が生じた場合、あるいは、それぞれの部門を仮想通貨が行き来する際にトラブルが起きた場合、どの法律を適用するかが曖昧なわけだ。

「一枚のカード上で実質的なマネーが移動するのに、法律がついていっていないという理屈はご指摘の通りです。それに政府内でも対応がバラバラなのです」

「どういうことですか?」

「具体的には、経済産業省と金融庁の考え方が収れんしていないのです。経済産業省はポイントや電子マネーの発行体、ネット業者を審議会に集め、新しい商取引を有効的に発展させていくことを主眼に議論を進めています」

　桜庭は一回言葉を区切り、倫子の目を見つめた。

「一方の金融庁ですが、私達との非公式な意見交換では、彼らは企業ポイントと電子マネーの換金性の高さに注目しています。実質的なマネー、通貨に準ずるという捉え方です」

「換金性ですか」

　桜庭は大きく頷いた。

「金融庁は新ビジネスにつきまとうリスクを懸念しています」

「リスク?」

「ここから先は、いよいよ無法地帯に踏みこむことになります」

　倫子は思わず唾を飲みこみ、身を乗り出した。それを制すように桜庭は、突然椅子から立ち上がった。

「ここだと話しづらい。私のデスクまでご足労いただけますか？」

「ええ、もちろん」

「実際に無法地帯をその目で見ていただいた方が早いものですから」

「見ることができるのですか？」

桜庭が立ち上がったのに合わせ、倫子も反射的にソファから尻を浮かせた。無法地帯とは何か。

11

「椎名さんって、こんなに強引な人だったっけ？」

将棋クラブの奥の院、賭け将棋の鉄火場を仕切っていた女が、生ビールをぐいぐいと呷《あお》りながら口を開いた。まだ六時前だから、新橋の飲み屋でも客は多くない。

「昔とはちがうかもな。当欠《とうけつ》の罰金は持つ。ゆっくり飲んでくれよ」

安い焼酎に大量のレモン果汁を加えながら、椎名が言った。

「出勤するつもりだったから、夕方前に髪をセットしたのに。その分も持ってね」

椎名が無言で頷くと、女は空のジョッキを右手で高く掲げ、おかわりと叫んだ。

椎名の一行は、新橋駅前、ニュー新橋ビルの向かいの大衆割烹、三州屋《さんしゅうや》に入った。

若いサラリーマンと高級割烹花板との賭け将棋が終わったあと、椎名は強引に将棋クラブの営業終了を要求し、鉄火場を仕切っていた女を誘い出した。ナイロンのクロスがかかったテーブルで、椎名の横には女、その対面には城所が陣取った。

「ねえ、椎名さん。この女性は何者？　まさか、ゲームマスター候補とか言わないよね？」

鯵《あじ》フライと海老《えび》フライの盛り合わせに大盛りライスを頼んだばかりの城所が、小声で尋ねた。

「残念ながらその通り。彼女をスカウトしにきたんだ」

「はぁ？　ゲームを知ってるの？」

城所はレモン入りの焼酎を飲みながら、眉根を寄せた。椎名が無言で頷いた時、二杯目のビールを受け取ったばかりの女が口を挟んだ。

「渉さん、いったい何を企《たくら》んでるの？　それに、このアキバ系のもっさい人は誰？」

女も城所と同様に顔をしかめ、椎名の横顔を睨《にら》んだ。椎名は酸味が強まった焼酎を舐《な》めながら、二人の顔を交互に見た。

「香子《きょうこ》ちゃん、この人は城所さん。ゲームの天才だ」

「やっぱりオタ？　だと思ったんだ」

「オタで悪かったね。そういうあなたは何者？」

「オタに偉そうに言われる筋合いないんだけど」

椎名はもう一口、焼酎を舐めた。ちょうどその時、三角巾を付けた割烹着姿の老婆が城所ご所望のフライ盛り合わせ、女がオーダーしたマグロの中落ち、椎名が頼んだしめ鯖《さば》をテーブルに並べ始めた。

「城所さん、彼女は先ほどの新橋将棋クラブの二代目オーナー、雨宮《あまみや》香子さん」

「将棋クラブっていっても、違法なギャンブルでしょ。警察もくるんじゃないの?」

「今警察って言った?」

香子は城所の顔をまじまじと見たあと、弾けたように笑い出した。椎名も口元を弛めた。

「なんだよ、二人してバカにして。だってあんなに大っぴらに賭け将棋やっていたら、いつ刑事が踏みこんできてもおかしくないでしょ」

城所は口を尖《とが》らせ、香子に食ってかかった。

「あの将棋クラブは、伝統あるところでね。古くは与党の大物政治家が贔屓《ひいき》にしていたし、場所柄、霞《かすみ》が関《せき》のお役人が集う場所でもある。有力な顧客の中には、司法関係のお偉いさんも少なくない」

「だからって……」

城所はそう言ったあと、箸立てから割り箸を取り上げ、不服そうな表情のまま鯵フライを食べ始めた。

「香子ちゃんも、相変わらず気が強いな。名は体を表すっていうけど、その通りだ」

「好きで気が強くなったわけじゃないわよ。爺《じい》ちゃんが変な名前をつけるからこうなったの」

香子は再びビールを流しこんだ。

「どういう意味なの？」

大ぶりな海老フライを頬張りながら、城所が首を傾げた。

「キョウコの香は将棋の駒、『香車』から取った名前なんだ」

「香車って、どんな動き方をする駒だっけ？」

「アタシみたいにまっすぐ進むのよ。気が強くてごめんあそばせ」

ジョッキをテーブルに置きながら、香子が口を挟んだ。

「『香車』は成ると『金』になる。気が強い上に、『金』のように自在に動ける素養もある。非常に有能な人材だよ」

「だから、ゲームマスター？」

「それだけじゃない」

椎名はしめ鯖を一切れ口に放りこむと、焼酎で流しこんだ。

「ちょっと待ってよ。さっきからゲームマスターとか訳のわかんないこと言ってるけど、渉さんの狙いは何よ？」

「将棋クラブの経営状態はどうだい？」

「さっき見てもらった通りガラガラよ。将棋人口は減るばかりで経営はカツカツ。でも、爺ちゃんが遺《のこ》したクラブを勝手に処分するわけにもいかないし。だから、前よりも営業時間を縮めて、夜はアタシが六本木のクラブに出て運営費の足しにしているんじゃない」

「やはり、そうか」

「だからって、あのクラブを閉めるつもりはないし、第一、常連さん達の行き場を無くすようなことはできませんから」

「閉めなくていいさ。それに夜のバイトは、もうしなくていい」

「はあ？　クビになってからおかしくなったんじゃない？」

「その気配はあるよ」

丼の白米を半分程平らげた城所が合いの手を入れた。

「やっぱり？　王様のお供で来たときは、こんな思わせぶりな口はきかなかったもの。ずい分変わったわね」

「そうかもな。これからは、やりたいことだけをやっていく」

「渉さん、無理して悪ぶってない？」

香子が椎名をにらんだ。

椎名はタンブラーに入った焼酎を一気に飲み干し、おかわりと声をあげた。

「城所さん、さっきの奥の部屋、鉄火場に光ケーブルを引っ張って、サーバーを付けることは可能かい？」

「はっ？　あそこに？」

「ねえ、渉さんは何をしようっての？」

「可能かい？」

椎名は香子の言葉を無視し、城所に尋ねた。

「まあ、光回線は二、三日で業者が敷設するから。サーバーもバカでかいシロモノでなければ、十分置ける」

「じゃあ、香子ちゃんはゲームマスターに適任だ」

椎名は唇を舐めたあと、城所と香子の顔を交互に見た。

「香子ちゃん、実は俺はこの城所さんと新しいビジネスを始める。ネット上で将棋ゲームをやるんだ。香子ちゃんには、ゲームマスター、つまりレフリー兼プレーヤー役になってほしい」

「どういうことなの？」

「ちょっと、椎名さん。彼女はそんなにすごい人なの？」

　椎名は大きく頷いた。

「城所さん、新橋に来る前、あなたの部屋で将棋のデータベースを検索したよね」

「それが何か？」

「彼女の頭には、将棋連盟が持つ過去四十年分の棋譜《きふ》がインプットされている」

「将棋連盟の棋譜って？」

　丼を空にした城所が尋ねた。

「棋譜ってのは、スコアだね。棋士が指した手口が一手ごとに一覧表になっている」

「このことよ」

　香子がエルメスのポーチから一枚の紙を取り出し、城所に手渡した。

「指し手を記号で表したものが棋譜。☗は先手、☖は後手。『☖7六歩』とあるのは、アラビア数字の『7』は縦の筋、『六』は横の段。縦9、横九、合計八一マスの中を駒がどう動いたかを記録したもの」

　香子はすらすらと答えた。城所は手渡された一覧表を凝視している。レモンの果汁をタンブラーに差しながら、椎名は口を開いた。

「一枚の棋譜には、一五五手まで記録できる。でも勝負によっては棋譜が二枚に到達する場合もある。香子ちゃんは、過去四〇年分の主だったタイトル戦の棋譜をほぼ全て記憶しているんだ。大山康晴《おおやまやすはる》、中原誠《なかはらまこと》、加藤一二三《かとうひふみ》、谷川浩司《たにがわこうじ》……歴代名人のほか、リーグ戦上位のA、B級プロ達の棋譜もね。香子ちゃんは誰が好きだっけ?」

「アタシは断然、升田《ますだ》幸三《こうぞう》ね。あの人の将棋は何とも言えない色気がある。昭和三二年の名人戦、升田が勝った時の棋譜は特に艶《つや》っぽいのよ」

香子はタンブラーを右手に持ったまま、視線を宙に泳がせた。一方、城所は冷静に切り返した。

「記憶するだけなら、プロ棋士やらアマチュアの棋士でもいるでしょ?」

「そうね、多分ゴロゴロいるはずよ」

それがどうした、とでも言いたげに、香子はビールを飲み干した。焼酎を一口舐めた椎名はタンブラーを置き、城所の手から棋譜を取り上げた。

「棋譜だけじゃない。『穴熊』『雁木《がんぎ》囲い』『早石田《はやいしだ》流三間飛車《さんげんびしゃ》』などの戦術と対策も頭に入っている」

「戦術も使えなければゲームは成り立たないからね」

当然だろうという顔つきで、城所が答えた。

「そして、彼女はもう一つの将棋、『真剣』を知り尽くしている。プロ棋士が英知の限りをぶつける勝負とは全く別の世界。切った張った、博打《ばくち》の要素が前面に出た裏の将棋だ」

「そんなにプロと真剣師の指し手は違うの？」

「全く違う。将棋の世界で天才と呼ばれるプロ達が人生を賭けて対局するのに対し、真剣師たちはカネと己の生活を賭ける。奇手や妙手、ハッタリが勝負の行方を左右する。彼女はあのクラブの奥の院で、真剣師の頂点と言われた雨宮良二《りょうじ》の孫として、将棋のあらゆる面を見て育った」

「そんなすごい人なら、プロになればよかったじゃない」

「オタが嫌いなの。プロ棋士養成所の奨励会には全国から神童だの天才だのと言われた人材が集まってくるでしょ。将棋のことしか知らない、オタばっかりの世界は無理。それより、いろんな人が出入りするウチのクラブの方が性に合ってるの。両親も交通事故で死んじゃったし」

椎名は城所の目を見た。この辺りでダメを押す。

「彼女は、指し手の実力を見抜く目を持っている。それも瞬時にだ」

「なるほど、かつて僕がやっていたゲームマスターと一緒だな。僕はありとあらゆる顔の見えないユーザーの実力を、ゲームの進め方でほとんど量ることができたんだ」

「わかってもらえたかな」

「なるほどね」

そう言ったあと、城所は空になった丼を左手に持ち、椎名や香子と同じように高く掲げておかわり、と叫んだ。椎名は一切れしめ鯖を口に放りこんだ。

「それで、アタシはいくら貰《もら》えるの？」

「それはビジネスが始まってからだ。でも、一日一〇万、二〇万円は楽勝で稼げる」

「ウチはひと月二五日営業するから、単純計算でも五〇〇万円か。まあ、スケベオヤジどもの相手をして三〇〇万円稼ぐよりも割が良さそうね。引き受けるわ」

「水商売ってすごいんだなあ」

城所がまじまじと香子の顔を見つめた。一方の香子は、マグロの中落ちをつまみ始めた。椎名は二人を交互に見比べた。性格も見てくれも正反対だが、とんでもないスキルと実績を持ち合わせた者同士だ。互いの能力を知ることになれば、自然と打ち解けるはずだ。

「ところで、肝心のオンライン将棋は、誰がターゲット？」

城所が口を開いた。

「裕福な老人や新興企業オーナーたちだ」

「でもどうやってオンライン将棋に連れてくるの？」

「七海ファイナンスの前、大都銀行に勤務していたんだ……」

椎名が言いかけた時、突然三人のテーブル脇に人影が現れた。椎名が顔を上げると、細いストライプのスーツを着た中年の男が笑顔で立っていた。

「香子ちゃん、珍しい所で会ったね。ここにはよく来るの？」

「あら、五味《ごみ》さん。ちょっと古い知り合いにあったんで、ゴハンしてるところ」

椎名は五味という男の顔を凝視した。

白髪混じりの髪をへアジェルで立たせた今風のスタイルの男だ。広めの額の下には、薄い眉毛と切れ長の目が光っていた。口元こそ笑っているが、目は笑っておらず、どこか淀《よど》んだ印象がある。悪役も刑事役もこなせる昔の俳優のような目つきだ。細身のスーツに、白いドレスシャツを嫌味なく着こなしている。横文字系の職業の人間か。

「何か仕事の話でもしていたの？」

五味という男は香子の肩に手を置き、優男《やさおとこ》風に切り出した。椎名は横目で男の様子を探った。どこかで会ったかもしれないと思っていたが、香子の将棋クラブの奥の院で真剣を見物していた男だ。

「まあね。この人は古い知り合いで、椎名さんって言うの」

香子が椎名に顔を向けたとき、五味という男は香子の肩から手を離した。上衣の内側に手を入れた五味は、名刺を取り出し、椎名に差し出した。

「こういう者です。以後、お見知りおきを」

「現在失業中で名刺を持っておりません。椎名と言います」

椎名は男の名刺を受け取った。

〈経営コンサルタント　五味修《おさむ》〉

事務所や会社の名前が記されていない名刺で、住所は港区《みなと》の南麻布《あざぶ》となっている。

「一応コンサルタントと今風に名乗っていますが、よろず屋みたいなことをしております」

椎名が名刺を見ていると、五味は勝手に自己紹介を始めた。

「申し訳ありませんが、ちょっと打ち合わせ中でして」

「そうですか。また近いうちにお会いしましょう。その時は混ぜてください。じゃあね、香子ちゃん」

五味はそう言うと、店の奥、カウンター席方向に去った。

「何者？」

椎名は声を潜めて香子に尋ねた。

「週に二、三度奥の院に顔を出す人。たまに指していくけど、はっきり言って下手《へた》。

具体的な仕事はよくわからない。どうしたの？」

「いや、奥の院で俺のことを見ていたような気がしたからさ」

椎名は遠ざかる五味の背中を目で追った。

「椎名さん、それよりお客の誘導方法を教えてよ」

城所が椎名を急かした。

「ああ、そうだった」

そう言って椎名は二人に顔を向けた。

12

「こちらにどうぞ、田尻さん」

パーティションで仕切られた席が約三〇ほどある。倫子は桜庭に導かれ、液晶モニターが二台据えられているデスクにたどりついた。

「田尻さん、このサイトはご存知ですか？」

マウスを動かしながら、桜庭が二台のうちの右側のモニターに視線を向けた。桜庭の背後に回った倫子は画面を見つめた。赤い丸印、そしてシャーロック・ホームズを模したイラスト。「ポイ・チェン」だった。

「はい、もちろんです。でも、このサイトが無法地帯なのですか？」

「違います。このサイトは、大手商社とポイントを発行している企業数社、そして電子マネー発行会社が共同出資して作った合法的なビジネスです」

桜庭はそう言うとマウスを操作し、左側のモニターに別のサイトを表示した。

「こちらの画面をご覧ください」

倫子は指示通りに視線を向けた。海外のリゾート、アルプスやビーチの写真が見える。それらの写真の中では、男女のモデルが作り笑いを浮かべ、楽しげに戯れている。画面中のタイトルを探すと、「Point Network.com」のロゴ文字があった。

「海外の仲介企業ですか？」

「カナダのリゾート企業とスイスのエアラインが折半出資して作った企業です」

「異業種で大西洋をまたいで新企業を興《おこ》したってコトですか？」

「いずれもポイントの有効性に気づいた企業でした。ホテル利用者におまけとしてポイントを付与していたカナダの企業、利用客にマイレージを提供していた航空会社が互いのポイントを交換できるように提携したのがきっかけです」

「つまり、さまざまな業種のポイントや電子マネーを交換できるサイト、ということですね」

「その通りです」

桜庭は左側の画面を凝視したままだ。桜庭はサイト内で交換できるアイテムやポイント、電子マネーの項目を見比べている。

「桜庭さん、無法地帯を見せてください」

「田尻さん、今あなたの目の前にあるのが無法地帯そのものです。わかりませんか？」

桜庭は真顔でそう言った。

「あの、桜庭さん」

倫子がそう言った直後、桜庭が右手をかざし、言葉を遮った。

「田尻さん、無法地帯というのは、何も怪しげなサイトということではないのです。強いて言えば、この辺りが無法地帯、ということになるのでしょうか」

そう言って、桜庭はボールペンを取り出すと、左右のモニター、「ポイ・チェン」と「Point Network.com」の間の隙間を指差した。

「ポイ・チェンは数カ月前から、新たなサービスを開始しました」

「新たなサービス？」

「ポイ・チェンは、ポイントネットワーク社と業務提携しました。つまり、日本国内で貯めたポイントはポイントネットワーク社に参加している海外企業でサービスを受けることが可能になったのです」

「ANLのマイレージを使ってアメリカの提携エアラインを使うことと同じですよね？」

倫子は思わずそう尋ねた。桜庭は大きく頷いた。

「原理はエアラインのグローバル・マイレージサービスと同じです。ただ、今度の提携は意味合いが全く違う。この提携は歴史的です。革命と言っても過言ではありません」

無法地帯の次は、革命という言葉が飛び出した。倫子は頭を振った。

「田尻さん、もう一度このペンの先を見てください」

桜庭は、モニターとモニターの隙間にペンを差し入れ、上下に動かした。

「このペン先が国境です。右のモニターが日本、左は海外です」

「そうですね」

倫子は気の抜けた返事をした。一方の桜庭は強い視線を送ってくる。

「ポイントや電子マネーに姿を変えたお金が自由に国境をまたいでいるのです」

「日本は金融自由化措置がとられ、個人でも自由に海外の金融商品を買ったり、海外に口座を持つことができるようになったことは知っています」

「その通りです。しかし、この状態は全く別の意味を持っています」

「え？」

「田尻さんが言った通り、日本人が海外の投資商品を買ったりするのは自由です。しかし、それは全て金融のフォーマット、つまり法律に則《のっと》っています」

未だに桜庭の狙いが分からない。倫子がだまっていると桜庭が言葉を継いだ。

「例えば、田尻さんが海外に送金する際は、日本の銀行から海外の銀行に向けて電子的な信号が送られます。この間、日本銀行から海外の中央銀行に特殊な暗号が送られ、民間銀行同士の決済を仲介するのです」

「以前、日銀のレクチャーに出た時、その話は聞きました」

「悪事を企んでいる人間がいて、違法な収益を海外に隠す目的で資金を移動させたとしても、結果的には金融システムの中での追跡が可能です。国際的なテロ組織や、テロ支援国家と呼ばれる国がカネを移動させても、たちまち追跡されてしまうのはこのためです」

倫子は髭面《ひげづら》のテロ組織のリーダーや、銀縁眼鏡《めがね》をかけた独裁者の顔を思い浮かべた。テレビの特集番組で、アメリカの財務省、中央銀行であるFRB、捜査機関のFBIなどが連携し、膨大な金融のデータを調べあげ、テロ資金の洗い出しを行っている、という企画があった。桜庭の言うように、金融のフォーマット、ドルという国際基軸通貨を中心に世界のアングラマネーが流通している以上、決済情報は米国の金融当局の目にとまる。９・11の同時多発テロ以降、米国は緊急措置としてスウィフト（SWIFT）という送金の特殊コードを一括管理している国際組織からデータを吸い上げ、怪しい取引の洗い出しを行っている、とも伝えていた。倫子はもう一度、上下動を繰り返しているペン先を見つめた。直後、桜庭の言う無法地帯がどこなのかを、悟った。

「わかりました！　そのペンが動いているところが無法地帯です‼」

桜庭は笑みを浮かべ、頷いた。

「ポイ・チェンとポイントネットワーク社の提携により、銀行口座に一度も情報を乗せることなく、実質的な海外送金が可能になったのです。これは革命です。経済の仕組みを根本から変えるポテンシャルを内包した大革命です」

倫子は桜庭の興奮した表情を見ながら頷いた。

「お金に準ずる電子マネーやポイントが世界中を駆け回る。悪意を持った人がこの仕組みを使うとなると……」

「それが無法地帯です。先ほど、金融庁が気にしているフシがある、そう申し上げたのもこの点です。彼らは、ポイントや電子マネーが持つ高い換金性に注目しています。田尻さんがおっしゃったように、悪意を持った人間がこの仕組みを悪用すると、何でもできてしまう」

「日本では、外国為替なんとかって言う法律がありましたよね？」

「『外国為替及び外国貿易法』、通称・外為法《がいためほう》です。これは銀行の送金記録で洗い出しや追跡が可能です。海外に送金、あるいは入ってくるカネは、銀行の記録として蓄積されています」

「しかし、この無法地帯を使えば……」

「そもそも、ポイントや電子マネーについての法律根拠が希薄な状態です。無法地帯に悪い輩《やから》がいても、捕捉は絶対に無理です」

倫子の眼前で、桜庭はきっぱり言い切った。

「既にこの仕組みを悪用している人間がいるんですか？」

「その下地は十分にあると思わねばなりません。日本版ビッグバンの大号令の下、金融自由化が一気に動き出した時もそうでした」

桜庭はそう告げた。

「当時、法律的な根拠が希薄な段階で新商品が日々作られ、飛ぶように売れたことがありました。銀行の不良債権を海外に移転させ、帳簿を掃除する商品でした。ところが取り締まる法律がなかった。限りなく怪しいけれども、適用する法律がない。グレーな取引が暗躍し、一部の外資系金融機関が莫大《ばくだい》な利益を得ました。今後も同じようなことが起こらないという保証は一つもありません」

倫子はトートバッグからメモ帳を取り出すと、「無法地帯」と大きく書きこんだ。

13

「椎名さん、ここなら邪魔は入らないから、ビジネスの詳細を教えてよ」

「たしかに、ここなら安全だろうけど……」

「やっぱりオタ。何よ、この店」

　新橋の三州屋で腹ごしらえを済ませた三人はタクシーで秋葉原に移動した。神田《かんだ》明神の交差点近く、城所の先導で椎名と香子は雑居ビル三階のカラオケボックスに入った。

「カラオケボックスなら、完全な個室で防音設備を施してあるしね」

　城所は得意気に言った。城所のチョイスはたしかに妥当だ。カラオケボックスは他に邪魔をされることはない。しかし、薄いピンク色の壁、それにメイド服の女達が店内に何人もいる。まったく足を踏み入れたことのない世界にとまどいながら、椎名は周囲を見回した。

「仕事の話が終わってから、メイドさんを指名してアニソンをデュエットしてもいい？　オンラインゲームに勝つと、ドリンク代も割引になるし。ビジネスの話がつまらなかったら、僕はすぐに楽しみの世界にひたれる」

城所は、ドリンクをトレイにのせたまま微笑む一〇代とおぼしきメイドを見ながら言った。

「勝手にしたら」

メイドがウーロン茶とオレンジジュースを配り、丁寧にお辞儀をして出ていった。

「なんか調子狂うなあ」

椎名は苦笑いした。

「まあ、いいか。さあ、肝心のビジネスだ。将棋ゲームに誘導する客は、富裕な老人、それに新興企業のオーナー達だ」

「ウチの将棋クラブがあのガラガラさ加減よ。新規でゲームに参加する酔狂な人なんているかしら？　それに私も将棋サイトをいくつも覗きにいったことがあるけど、あまり活動は活発じゃなかったけど」

「俺が思いついたビジネスは、ちょっと違う。別にオンラインゲームのように何万人も会員を募るつもりはないんだよ。七海ファイナンスの王様、池本会長みたいな金持ちを誘導するだけで十分ビジネスとして成り立つ」

「サラ金の王様は、そんなに将棋が好きなの？」

けげんな顔で城所が訊いた。

「戦後の混乱期を経て育った人の何割かはとてつもない将棋好きだ。娯楽が少ない時代だ。プロ棋士達が今のプロ野球選手みたいなヒーローだった時期があったんだよ」

「それは事実よ。だからウチみたいな将棋クラブが全国に何千とあったんだから。テレビ中継や新聞の将棋面に夢中になった人は少なくない」

椎名の言葉に香子が力強く頷いた。

「香子ちゃんのクラブは年会費が一万円。今度始めるサイトは月に三万円程に設定するつもりだ」

「高すぎない？」

すかさず城所が反論した。

「だから、金持ちの客を集めるのさ」

「アテはあるの？」

「俺は七海ファイナンスに転職する前、大都銀行という都銀で営業マンをしていた」

「それで？」

「俺のお得意様は、資産額一〇億円以上の金持ちだった。彼ら相手に、海外から持ってきたヘッジファンド商品や節税のアドバイス、美術品売買の仲介なんかをしていたんだ。スイスのプライベートバンクをモデルに作った部隊だった」

「ヘッジファンド商品？」

「海外の商品先物や通貨先物なんかを組み合わせた金融工学の化け物みたいな商品だよ。生保や年金なんかの機関投資家向けに設計されたものが大半だが、アラブの石油成金やら中国の怪しげな貿易商相手にも最低投資額五〇億円くらいのロットで販売された。俺は、百貨店の金持ち相手の外商と同じように、全国の金持ち相手に営業で飛び回った」

「だから池本のお爺ちゃんにも気に入られたってことね」

合点がいったという表情で、香子が椎名の顔を見た。

「金持ちのリストは五〇〇〇人分ある。王様のように、将棋ジャンキーの爺さまも五〇人は知っている。将棋の相手をして販路を広げたからな」

椎名はグラスを口に運び、唇を湿らせた。

「しかし、仮にその将棋ジャンキー五〇人がサイトの客になるとして、月に一五〇万円だよ。ペイするの？」

オレンジジュースを舐めながら、城所が口を開いた。

「一五〇万ぽっちの話で終わらせるつもりはないよ」

「相当な悪だくみしようとしてるでしょ？」

「一五〇万円から飛躍的にカネを増やすのが、城所さんの役目だ」

「僕の役目？」

「今までの将棋ゲームは、ネット上に将棋クラブを設けてオンラインで対戦するだけだった。だから流行《はや》らない。では、ゲームの天才ならどうテコ入れする？」

椎名は「ゲームの天才」という部分に力をこめた。

「そうか、アイテムだ」

城所が右手で膝を勢いよく叩いた。

「アイテム？」

今度は香子が首を傾げた。

「将棋の戦術、その、穴熊とかナントカ戦法をアイテムとして売りつける！」

「その通りだ。射幸心を煽るんだよ」

「なるほど、その手はあるね」

「で、アタシが強欲な爺さま達のお相手をすればいいわけ？」

「そうだ。香子ちゃんは一度に一〇人の相手と同時に『早指し』もできるし、将棋盤と駒なしでの『目隠し将棋』だって楽々こなせる。会員サマの技量を見極めたうえで対局の相手をして、アイテムを上手に売りつければいい」

「なるほど、お安いご用よ。で、そのネット上での対局のシステムをこのもっさいお兄さんが作ってくれるって寸法ね」

「やってくれるか？」

「ウチのクラブは最近ヒマだから、画面を睨《にら》む時間はたっぷりあるわ」

「アイテムは何個くらい作るの？」

「逆に、どの程度作れる？」

城所の言葉を受け取った椎名は、香子に顔を向けた。

「相手のレベル、勝負事へのこだわりを量らないとわからないけど、戦法の種類は何百、何千とあるわよ。ウチのクラブの奥の院で、ハンデを切っているのもアタシ。三、四日考えれば十や二十はすぐに思いつくわ」

「そのアイディア、いいね」

今まで半信半疑だった城所の態度が、明らかに変わり始めた。

「ただ、俺としてはこのサイトはあくまでも入口だと考えている。もう少し大きな額を目指したい」

「チェスや囲碁、麻雀《マージャン》でもやるの？」

城所が口をとがらせた。

「アタシ、チェスも囲碁もわかんないよ」

香子が肩をすくめた。

「もちろん、将棋一本でいく。しかも、将棋を知らない連中もサイトに呼びこめる」

「ちょっと待ってよ渉さん。アタシは駒を動かせないような連中に一から教えるような手間はゴメンだわ」

「初歩の初歩は、他のサイトで勉強してもらった方がいい」

香子と城所が口々に不満を並べた。

「そんな手間はいらないさ。このサイトの本当の仕組み、いや旨みを理解した客は、実は将棋なんか指さないのさ」

「はぁ？」

城所と香子が同時に言った。

「城所さん、それに香子ちゃん。俺たちはグレーな領域で先行者利益をかっさらうのさ」

「グレーな領域？」

今度は香子が口を挟んだ。

「そう、違法ではなく、限りなくグレーなエリアで強欲な金持ちどものカネを転がしてやるのさ」

椎名は城所と香子の顔を交互にみつめ、ウーロン茶を一気に飲み干した。気をきかせた城所が壁にかかった電話をとり、おかわりを注文した。直後、先ほどのメイドが現れ、鼻にかかった声で言った。

「ご主人さま、追加のご注文ですか？」

14

「このまま無法地帯が現実の仕組みを侵蝕し続けたら大変なことになりますね」

倫子は桜庭の顔を見つめた。

「侵蝕かあ。現実問題として、既に市中の硬貨流通量が減っていますからね」

「日銀として問題視している、ということでしょうか？」

「問題視は言いすぎです。注視している、というところでしょうか」

「注視、ですか」

「気にしている、と取っていただいて結構です。民間企業の努力でポイントや電子マネーが普及し、国民生活の利便性が上がることを否定しているわけではありません。ただ、仮想通貨と現実の通貨、つまりリアルな金融の世界は別物です」

「どういうことですか？」

「田尻さんの財布の中にあるお札、つまり日銀券は、莫大なコストを費やしているのです。国立印刷局が紙幣を印刷し、日銀がこれを全て買い取る。そして日銀の信用のもとに市中に流通させる。民間の銀行は預金保険というコストを支払い、年間で数千億円単位のシステム投資を行い、利便性の向上に努めています。日銀や財務省、金融庁はお札の信用力が落ちないよう、監視作業や円滑な流通を促すための業務を担っています」

桜庭は理解度を探ろうと、倫子の目を見つめてきた。倫子は即座に頷いた。

「しかし、発行企業が引当金を積んでいる電子マネーやクレジットカードは別としても、企業の発行するポイントの大半は、守られていません。極端な言い方をすれば、大停電でサーバーが落ちた瞬間に、消費者が現金に準ずると位置づけていた資産が消えてなくなるリスクさえあるのです」

「えっ？」

「日銀は大災害や万が一の事態に備え、二重、三重どころか、もっとたくさんのバックアップ機能を用意しています」

「地震で本店が壊滅的な被害にあっても、たしか大阪とか別の所にもバックアップデータがあると聞きました」

「その通りです。だからこそ、国民が現金、日銀券を信用してくれるのです」

「テレビの取材だって？　珍しいな」

突然、倫子の背後から太い男の声が響いた。倫子が振り返ると同時に、今まで腕組みしていた桜庭が声を発した。

「局長」

倫子はあわてて立ち上がると、テーブルの上に置いていた名刺入れから自身のカードを取り出した。

「日本橋テレビ、プライムマーケット速報担当か。どこかでお聞きした声だと思ったのですよ。株式市況担当の方ですよね。毎日見ていますよ」

倫子は局長の名刺に見入った。

〈日本銀行　調査統計局　局長　市田庄三《いちだしょうぞう》〉

野太い声の割に、眉毛の端が下がった柔和な顔。桜庭とは正反対に、背が低く、体の線も細い。

「桜庭、もったいぶらずにあの話をレクしてあげたらどうだ？」

「しかし、政策広報がうるさく言ってきそうな……」

「俺が言い返してやるよ。こんなに熱心に取材してもらっているんだ。ウチからもメッセージを出してよい頃だろう」

「何のお話ですか？」

倫子は小さな局長、大きな企画役の顔を交互に見比べた。

「桜庭さん、先ほど『注視している』『気にしている』とおっしゃっていましたけど」

「ええ、たしかにそう申し上げました」

「田尻さん、コイツが思わせぶりなことを言ったようですがね、実は……」

「ちょっと待ってください」

市田が何か重大なヒントを告げようとした直後、倫子は右手で制した。お情けでネタを貰おうとは思わない。せっかくここまで取材をしたのだ。自分の力で突き止めたかった。

「桜庭さんはマネタリーベースの統計取りまとめのご担当でしたよね?」

倫子は体を桜庭に向けた。桜庭は無言で頷いた。

「マネタリーベースの担当企画役で、電子マネーや企業ポイントの動向を『注視』『気にしている』ということは……」

倫子はもう一度腕を組んだ。

「桜庭さん、それに市田局長、もしかして、日銀として電子マネーに関する新たな統計を作る、ということですか?」

倫子は桜庭、市田の順に体を向けた。

「その通りです。まったくもう、局長、勘弁してくださいよ」

「いいじゃないか。熱心な方に扱ってもらってこそ、我々も仕事のしがいがある。

桜庭との話を聞いていましたが、あなたはよく下調べをしている。うかつな原稿を書くような方でもなさそうだし」

「ありがとうございます！」

「ただし、この案件はまだ総裁に報告を入れていない。少しだけ待ってほしい」

市田はそう言って親指を立てた。

「公共放送や新聞はまだ誰も取材していません。局長のお許しも出たので、ゆっくり資料を見ながらご説明させていただきましょうか」

桜庭はいたずらっぽく笑うと、舌を出した。

「ありがとうございます！」

倫子は頭を下げたあと、テーブル脇のトートバッグからメモ帳とペンを取り出した。

「あとは頼んだぞ」

市田はそう言ったあと、大量の資料が詰まったキャビネットの脇を器用に通り抜け、大部屋の奥に消えた。倫子は市田の後ろ姿に頭を下げたあと、桜庭と向き合った。

「硬貨流通量減や無法地帯の出現という事情はわかりました。新しい統計を作る動機はそこなんですね？」

倫子はメモ帳に日付と時間、そして桜庭の名前を書きこみながら尋ねた。

「たしかに硬貨減少という側面もあります」

「『もある』ということは別に動機があるのですか？」

メモを取る手を止め、倫子は桜庭の顔を見た。

「くだらないと思われるかもしれませんが、私が新たな統計作りを真剣に考え始めたのは、このカードが登場したからなのです。これが直接の動機です」

「クレジットカードですか？」

「違います。まずはご覧になってください」

桜庭はカードを倫子に差し出した。

「これ、イタリアの有名ブランドのロゴが入っていますけど」

倫子はカードを左手に持ち、馴染《なじ》みのあるロゴを凝視した。

〈Gersomina《ジェルソミナ》〉——。

金色のカードの上に、黒く縁取りされたオレンジのロゴ文字が浮かんでいる。

「このカードが何か？」

倫子が首を傾げたとき、桜庭がおもむろに口を開いた。

「究極の電子マネーです」

15

「強欲な金持ちって……だんだん危ない気配が濃くなってきたよ、椎名さん」

グラスを交換するメイドの太ももに視線を向けたまま、城所が口を開いた。

「ご指摘の通り、危ないかもしれない。ただ、俺達は将棋ゲームのサイトを作るだけだ。奴らがどんな種類のカネを持ちこもうが知ったことじゃない」

「強欲な金持ちって池本のお爺ちゃんみたいな人のこと?」

香子が尋ねた。

「王様のような途方もない大金持ちでなくとも、資産一〇億円以上の金持ちは首都圏にたくさんいてね。彼らの共通点は、貰うものは一銭でも多く、出すものは一銭たりとも無駄にしたくない、ということだ」

「その理屈ならばカネは貯まるよね」

城所が頷きながら言った。

「だから、強欲な金持ち連中は必死にカネを貯め、隠そうとする」

椎名はそう吐き捨てるように言ったあと、かつて池本個人の土地取引に絡み、七海ファイナンスと警視庁の間で暗闘があったこと、案件処理にあたって椎名が主導する形で池本と会社を救ったことをかいつまんで二人に告げた。

「私財で買った土地、いくら評価損が出たからって会社に押しつけたらまずいよね。本当にわがまま。まあ、そのわがままをうまくコントロールしてたから渉さんは王様にかわいがられていたんでしょう」

香子が椎名の顔を覗きこんだ。

「警視庁ともめた時、ある重要なことに気づいたんだよ」

「何を？」

「カネを銀行口座に入れたのがまずかった」

「銀行口座？　だって何億、いや何十億という現金をそのまま保管するわけにはいかないじゃないか」

口を尖らせながら城所が言った。

「誰でもそう考える。だから、普段利用しない縁もゆかりもない遠隔地の信用金庫や信用組合に口座を作ったり、仮名口座を闇で買ってきたりして隠そうとする」

「そんな手間をかけてまで隠したいものなのかな？」

香子が首を傾げた。

「苦労して隠すからこそ、たんまり貯まるのさ。俺が得た教訓は、裏金は現金で持っていてもダメ。まして銀行に入れちゃ絶対にダメだってことだ。必ずバレる」

「現金《ゲンナマ》もダメ、銀行も無理なら山奥か竹やぶにでも隠すしかないじゃない」

口を尖らせながら香子が言った。

「香子ちゃんは、どうしてそう真っすぐにしか考えられないのかな？　そろそろ『香車』から『金』に成るタイミングだぜ。銀行口座に情報を残すから追跡される。じゃあどうしたらいいのか。香子ちゃん、なぜこんな一体感のない俺達が一緒にいるんだい？」

「あ、そうか」

香子が膝を叩いた。同時に城所も口を開いた。

「そこで我々のサイトに彼ら強欲な人を吸い寄せる……そういうことでしょう」

「そうだ」

椎名は城所に顔を向けた。

「池本会長のような将棋マニアはゲームを存分に楽しめばいい。だが、あの爺さんならばすぐに俺達が考えたゲームの本来の仕組み、そして本当の旨みを理解する」

「隠したい金の分だけアイテム購入金に充てればいいわけですね」

城所が興奮気味に言った。

「隠したい金かどうか、どんな種類の金かは俺達の知ったことじゃない。強欲なお客さんたちはあくまでも将棋ゲームを楽しみたいだけだ。俺達はゲームの場所、アイテムという素材を提供するだけ。警察や税務署にとやかく言われる筋合いはない。割高な手数料を抜いても、喜ばれるビジネスに成長するはずだ」

「元警察キャリアを銀座に沈めたり、怪しいサイトを考えたり、本当に悪い人ね」

狭いテーブル席の中で、香子が腕を伸ばして思い切り椎名の膝頭を叩いた。悪い人、と言いながらも、香子の表情は華やかだ。椎名は苦笑した。

「俺は自分に正直に生きることにしたんだ。怪しいサイトだろうが、法にふれなければ、それでいい」

「本当に無理してない？　ねえ、渉さん？」

香子が椎名の顔をのぞきこんで言った時、城所が口を開いた。

「我々の興《おこ》す将棋サイトだけど、一つ疑問があるんだ」

「何？」

「金を入れる入口、つまり玄関はアイテムの購入料で確保できる。でも、強欲な人達が金を引き出す手段はどうするの？　解約に応じたり配当を支払う？　配当を払うことになれば、『賭博』の嫌疑がかかってくる恐れがあるよ」

「ご指摘の通り、配当を出せば摘発される恐れがある。それに、不特定多数の人間から金を集めたと睨まれれば、出資法違反の恐れが出てくる。捜査当局や税務当局は、別件逮捕や別件調査で見せしめ的に血祭りにあげる人間を作るからな」

「じゃあ、どうすんのよ？　たしかに金を入れっ放しにしておくだけじゃ、強欲な連中は満足しないわ。どうやってウチのサイトに入れた金を使うのよ」

「ちゃんと考えてあるよ」

「だからどうすんのさ？」

香子がぴしゃりと椎名の膝を叩いた。

「銀行口座にカネの情報をのせたらアウトなんだ。だったらのせなきゃいい。そのためにネット上にサイトを作り、カネを入れさせてやるんだ。今はサイト上で企業のポイントやら電子マネーが現金に替えられる。その逆もまたありきだ。最新の決済機能をフル活用させてもらう」

「椎名さん、もしかして、ポイ・チェンの発想？」

城所が尋ねた。

「その通り。銀行の口座に情報をのせず、しかも日本で換金しなければ絶対に捕捉されない。強欲な金持ち達のニーズを満たしてやって、俺達はそのショバ代と手数料をごっそりいただけばいい」

「でも、具体的にはどうやるの？」

城所が不安げな顔で尋ねた。

16

「究極の電子マネー？」

ジェルソミナ――。イタリア・ミラノのドゥオーモ近くに本店を構える一大ブランドの名前だ。光沢のある革製品が人気で、バッグや靴が一番の売れ筋で、最近はブランドのロゴを冠した高価な時計や食器の販売も始めている。表参道に本店を上回る規模の自社ビルを建設したばかりで、世間の注目度は高い。

唐突に大げさな単語が桜庭の口から飛び出したことで、倫子はあわてた。手元にあるカードは、ロゴの横にＩＣチップが埋めこまれているのみだ。

「Ｇｍｙと大して違わないですよね？」

「原理は一緒です。ＩＣチップにオカネをチャージするのですから。これはジェルソミナがお得意様の囲いこみのために開発したモノで、ギフトカードという体裁となっています」

そう言ったあと、桜庭は息を継いだ。

「ジェルソミナは、お得意様のためにこのギフトカードを作りました。例えば、優良顧客が大切な人のためにジェルソミナの商品をプレゼントしたい。そして、相手の好みがわからないような時はこのカードで買い物をしてください、という具合です」

「デパートの商品券のようなものですね」

倫子が合いの手を入れると、桜庭は大きく頷いた。

「原理はその通りです。ただ、ご存知のようにジェルソミナの商品は大変高額です」

倫子は、ファッション雑誌のページを思い浮かべた。最新のコレクションは、小さなアクセサリーがどれも一〇万円以上、小ぶりのショルダーでさえ、四五万円程度だった。

「Ｇｍｙのチャージ限度額をご存知ですか?」

桜庭が倫子の目を見ながら尋ねてきた。

「たしか、五万円でしたよね」

桜庭が頷いた時、倫子は閃《ひらめ》いた。

「このカード、いくらまでチャージ可能なのですか?」

「一〇万円以上一万円刻みで一〇〇万円までチャージ可能です」

「一〇〇万円!」

「バッグで五〇万円、靴で二〇万円は当たり前のブランドですからね」

倫子はもう一度、カードの表面に刻印されたロゴを見つめ、溜息をついた。

「ただし、です」

桜庭が声を潜めた。倫子は視線を桜庭に向けた。

「このギフトカードを使うのが、リッチな女性だけとは限りません」

「他に誰がこんな高価なカードを使うのですか？」

「ジェルソミナは世界中の主要都市の目抜き通りのほか、モナコなどリゾート地にショップを展開しています。ですから、このカードを何枚も所有していれば、世界中で最新の商品を自由に購入可能です。そこが従来のデパートの商品券とはちがいます」

「そうでしょうね。ギフトカード特典として、ディスカウントのサービスを受けられたりしたら、使い勝手としては最強ですよね」

「それが普通の発想です。ところで田尻さんは外為法第一九条第三項、外国為替令第八条の二、外国為替に関する省令第一〇条をご存知ですか？」

桜庭はすらすらと長い条文を告げた。

「海外に出る際、あるいは戻ってきた時に税関で一〇〇万円相当の現金があるときは申告せよ、という条文です」

「あっ、そうか！」

「外為法で規定しているのは、一〇〇万円相当の日本円、あるいは外貨。その他にトラベラーズ・チェックなどの小切手、約束手形の類い。あとは株券や国債など有価証券です。しかし、このギフトカードは今のところ対象になっていません」

「内緒で海外にオカネを移したいと考えている人がこのカード一〇枚に一〇〇万円ずつチャージしていたら……」

倫子は頭の中で、口のまわりに髭をたくわえたいかつい男がジェルソミナのカードを握っている姿を想像した。

「例えばです。裏金をこのカードにチャージして、海外に出かける。その逆で、海外から不正な資金をカードに内蔵する形で日本に持ちこんだらどうでしょうか」

「既にそのような事例があるのですか？」

「わかりません。ただ、便利な財布代わりに使おうと考える人が出てきても不思議ではありません」

「仮に税関でこのカードを職員に見つかったらどうなりますか？」

「私が税関職員ならばどうすることもできませんね。第一、このカードにいくら分のチャージがされているかを測定するカードリーダーがない。ジェルソミナのギフトカード戦略が成功し、他の有名ブランドが同じような商品を発売したら、目も当てられないことになるでしょう。それに、このギフトカードは無記名で購入できます。脱税、あるいは資金洗浄、マネーロンダリングの温床となり得ます」

「無記名ですか……昔の割引金融債のように賄賂のやり取りをする悪徳政治家、あるいは反社会的勢力が使うこともできるわけですね？」

倫子の問いかけに、桜庭は一枚の紙を取り出し、丸いテーブルの上に広げた。

「これは一〇年前に私が参加したＯＥＣＤ、経済協力開発機構の会議で発表されたリポートです」

倫子は紙を凝視した。ＯＥＣＤの丸いロゴの横下に、小さなフォントでリポートが記されている。

「最近の典型的なマネーロンダリング犯は、もはやスーツケースに現金をいっぱい詰め込んで運ぶ怪しい顔つきの者ではない。しかし、その仕事の目的は変わっていない。それは今でも、不法に取得した資産に合法的存在を与え、利益をカモフラージュし、その出所を隠すことである。唯一目新しいことといえば、その目的を達成するために、より手の込んだ複雑な手段が用いられるようになってきたということである」――。

倫子はリポートのリード部分を一読したあと、テーブルの上、ジェルソミナのギフトカードを見つめた。

「これは一〇年も昔の話です。『より手の込んだ複雑な手段』という部分、特にここ数年はその手段が飛躍的に増えているのです」

「ここにも無法地帯があったのか……」

倫子は、桜庭がパソコンモニターの境目をペンで指したことを思い出しながら呟いた。そして、顔をしかめ始めた桜庭を見ながら口を開いた。

「早いところ法的な枠組みを整備しなければならない、ということですね」

「ええ。日銀マンは電子マネーという換金可能な仮想通貨がどの程度の規模になっているのか、実態把握だけでも始めなければなりません」

桜庭はそう言ったあと、唇を嚙んだ。

「きちんと報道させていただきます」

倫子は桜庭に頭を下げた。

17

日銀を出た倫子は、足早に日本橋テレビに向かった。

元来口が堅いとされる日銀から真新しいニュース素材を引き出した。報道局の大部屋に戻り、冨山をつかまえて放映に向けての段取りを相談しなければならない。

三越を越え、本社のビルが見えたとき、倫子は赤信号で足止めされた。倫子は、交差点脇の小さな旅行代理店のガラス窓に目を向けた。窓にはケバケバしいポスターが張り付けられ、格安パック旅行のポップ文字が躍っていた。その中に倫子は「プーケット・ピピの旅　五万九八〇〇円」という文字を見つけた。

ここ九カ月、ピピに行けていない。

ポスターを見つめながら、倫子は我に返った。

タイの一大リゾート地、プーケットの沖合に浮かぶ小島、ピピ島。この島を訪れたのは八年前だった。女子大生時代、サークル仲間の友人五人とともに、島のローダラム湾に面した小さなコテージに泊まった。コントラストが微妙に異なる青色で彩られた海。人間を恐れず、足元に寄ってくる小さな魚達、そして珊瑚礁。ハリウッド・スター、レオナルド・ディカプリオ主演の映画『ザ・ビーチ』のロケ地というだけで旅行先を決めた倫子は、小舟から島に足を踏み入れた瞬間からとりこになった。

社会人となり、新潟の地方テレビ局のアナウンサーとして勤務を始めてからも三回、この絶海の孤島を訪れた。コテージ従業員、ボーイ長のシンワンチャーとその妻、二人の幼い子供とは何度も食事をともにする友人になった。

しかし、二〇〇四年一二月二六日、新潟県民テレビの昼ニュースのリハーサルを始めた直後、倫子は眼前のモニターに映し出されたピピの変わり果てた姿に言葉を失った。

スマトラ沖大地震が発生した。

マグニチュード9の特大地震が生み出した大津波が、インド洋の周辺地域を呑みこんだ。昼のニュースのオンエア直前まで、リゾートのコテージに電話を入れ続けたが、一切通じなかった。シンワンチャーとその一家の安否確認は果たせなかった。その日の夜のニュースで、インド洋周辺のリゾート地の惨状が映し出された。ピピ島からは、倫子が宿泊したコテージが高さ九メートルの大津波に呑みこまれ、次いで発生した強力な引き波によってローダラム湾からインド洋の沖合に流されていく映像が飛びこんできた。

災害から三カ月後だった。

連休に有給休暇を一週間とり、倫子はピピに飛んだ。リゾートは海岸近くにあったことが災いし、コンクリートの土台だけを残して跡形もなくなっていた。倫子がトロピカル・カクテルを飲み、疲れを癒したビーチには、流されなかった数本の椰《や》子《し》の木がぽつんと取り残されているだけだった。

椰子の周辺には、木製の小舟の破片、プラスチック容器などが文字通り瓦礫《がれき》の山となっていた。リゾートの跡地で二時間、呆然と立ち尽くした倫子は、そのあと従業員を探しにトンサイ湾近くのメインストリートに足を向け、公民館で丸二日かけてシンワンチャー一家の行方を探した。二日目の深夜近くになり、ようやく一家の親戚だという老人と接触できた。老人の背後には一家の六歳の長女、シンチャイがいた。

老人の話によれば、シンチャイは幼稚園の遠足で海岸を離れていたことで難を免れたという。その時目の前にいたのは倫子が知っているシンチャイではなかった。幼い少女はどこか遠くを見つめ、一回も視線を合わせてくれなかった。倫子が膝を折り、少女の目線に向き合っても、様子は変わらなかった。少女は津波が襲来したローダラム湾を見つめ、ぼんやりと口を開けているのみだった。二歳年下の幼い弟、そして両親を連れ去った海の方向を見続けていた。

熱心にボランティア活動に身を投じる母の背中を見て育った倫子は、有給休暇が切れる直前まで島でフランスのＮＧＯが取り組んでいた復興事業に参加した。親を失った子供達の食事の世話、瓦礫の撤去作業などだ。日に数度、シンチャイのもとを訪れたが、以前は倫子にまとわりついて離れようとしなかったシンチャイはひと言も言葉を発しなかった。

ポイントをいっぱい貯めて、一回でも多くシンチャイに会いに行く……。

そう自らに言い聞かせながら倫子は歩き出した。

18

「冨山さん、やりました！」

日本橋テレビ本社五階の報道局で、倫子は局の大部屋を横切り、強化ガラスで仕切られた編集室に戻った。

「何かつかんだの？」

液晶モニターを凝視したまま、冨山が呟いた。

「何の映像ですか？」

倫子は、冨山の肩越しにモニターを覗きこんだ。その瞬間、青白い閃光が倫子の両目を鋭く刺激した。

「あっ、痛い。これ、今日の午後に見ていたCNNの映像《え》ですよね？」

倫子は顔をしかめながら冨山の横顔に視線を向けた。冨山は銀縁眼鏡の上からサングラスをかけ、映像を睨んでいた。

「この映像なんだけど、CNNのデータベースから突然削除されたんだ」

「削除？」

「ああ。僕らが最初にこの青白い映像を見た時は生中継だった。それが何の断りもなしに削られた。今見ているのはとっさに録画しておいた分」

「どういうことですか？」

依然として冨山は画像を食い入るように見つめ続けている。

「外報部の連中に聞いたら、画像の削除は年に四、五回程度あるそうだ。特に当局の思惑が絡んでいるときはね」

「当局の思惑？」

「当局にとって都合の悪い映像は、別の材料と引き換えにお蔵入りになるってことさ」

そう言って、冨山は編集機のストップボタンを押し、映像をモニターから消した。

「たしか、ケニアの民族紛争の中継途中にあの青白い光が割りこんだんですよね？いったいこの映像のどの部分が都合悪かったんですか？」

「わからない。ただ、外報部の兵器マニアに聞いたら、あれは表沙汰にできない兵器から発せられたモノらしい」

「兵器？」

「詳細はこれから調べるけど、米陸軍が極秘裏に開発した光を使った兵器じゃないかと言ってたけどね」

「米軍が極秘に開発した兵器がケニアの民族紛争に使われたとしたら、こりゃ一大事だ。現在米軍はケニアに駐留もしていないし、紛争に介入しているわけでもない」

「光？」

「では、いったい誰が？」

「わからない。テロ組織が持ちこんでいたとしたら大変なことになる」

「テロ組織？」

「背後にイスラム原理主義者の過激派組織や半島のあの国が絡んでいるとなると、映像が削除されたとしても不思議じゃない」

冨山はそう呟くと、編集機のイジェクトボタンを押し、ＶＴＲを取り出した。

「そりゃそうと、何かをつかんだとか言っていたね？　どうしたの？」

「そう、新規のネタ、独自のネタをつかんだんです。冨山さんに相談しようと戻ってきたんです」

倫子はトートバッグからメモ帳を取り出した。日銀が電子マネーや企業のポイントの動向を注視していることをかいつまんで伝えた。

「日銀が何かアクションを起こすってこと？」

冨山が鋭い視線で倫子を見た。倫子は大きく頷いたあと、切り出した。

「日銀の調査統計局が新たな電子マネーの統計データを公表するそうです」

「へえ、そりゃニュースだ」

倫子は調査統計局の担当企画役の桜庭、そして局長の市田と会ったと冨山に告げた。そして調査統計局が電子マネー発行会社四社と接触し、既に過去一年分の電子マネー発行額と決済の動向を把握し、紙幣や硬貨の流通量を計測しているマネタリーベースの他に、電子マネーの動向を定期的に発表する準備を進めていると報告した。

「マネタリーベースを発表した時、あえて電子マネーの普及に触れていたのは、統計に関するデータがあったということか。田尻さんはどうしたいの？」

「もちろん、記事と映像をセットにして放映したいんです。ですが市田局長に、総裁に報告前だからすこしの間待ってほしいと言われまして」

「その間、日本実業新聞に書かせるのかな？」

「いえ、そうではないようです」

倫子は、市田と桜庭が熱心に取材する倫子に押される形で、自主的な取材を受けたというスタイルで報道されることを望んだ、と付け加えた。

「わかった。ゴーサインが出たらいつでもオンエアできるように準備しなきゃね」

「手伝ってもらえますか？」

「もちろんだよ。あとで上原さんを呼び出して、市田局長の短いインタビューを撮りに行く段取りをつけたほうがいいよ」

「わかりました」

倫子はメモ帳をめくると、仮の見出しをつけ、放送用の絵コンテを描き始めた。

「あ、そうだ！」

パソコンのキーボードを叩いていた冨山がいきなり素っ頓狂な声をあげた。

「週末のニュース素材、まだ画を撮りに行ってなかったんだ」

「何の素材ですか？」

「アキバ特集。新しいビジネスが出てきたから、週末のニュース番組向けに企画を通していたんだ。まずいな」

「例の、私に立ちレポをやって欲しいっておっしゃっていた企画ですか？」

「そう。どうだろう、田尻さん。これから付き合ってもらえないかな。上原さんも今晩は暇そうだったし」

「ええ、いいですよ。でも、アキバで立ちレポって？」

「なに、ちょっと着替えてもらうだけだから。ね、お願い」

冨山は倫子に頭を下げ、拝むような手つきをした。倫子は肩をすくめながらも頷いた。

「独自ネタのお礼ですものね」

倫子は冨山を見た。ベテラン記者は、鋭い目つきの切れ者から一介の中年男の表情に戻っていた。

19

「ヤッターマンにど根性ガエル、どうしてそんなにアニソンが好きなの？」

「せっかくアキバに来たんだから、これくらいは歌わせてもらわないと」

メイドカラオケの個室で、ミニスカートのメイドの手拍子とともに城所がアニメソングを熱唱したあと、香子が溜息をついた。椎名は苦笑いしながら城所と香子を見た。この場所に到着してから既に一時間半が経過した。そろそろアレを二人に見せてもいい頃合いだと椎名は思った。

「城所さんも満足したようだし、ここいらで『カネの出口』を見にいかないか？」

「カネの出口？　さっきのカードのこと？」

「そう。この近所に、その出口がたくさんあるからさ」

「また訳のわからないこと言って」

「ビジネスの肝心な出口だ。二人に実際に見てもらおうと思ってね」

そう言って椎名は会計伝票を手に取り、立ち上がった。そのとき、ガラス製の個室ドアの向こう側、廊下に強烈なライトが光った。

「この光、何？」

薄暗い個室に差しこんだ強い光に、香子が目を細めた。

「テレビの取材です」

今まで城所の子守りをしていたメイドが、鼻にかかった声で告げた。

「テレビ？」

「ええ。なんでも日本橋テレビのニュース番組らしいですよ」

椎名は、煌々《こうこう》と明るくなったガラス製のドアを開けた。城所と香子も続いて廊下に顔を出した。

〈以上、秋葉原《あきはばら》に登場した新ビジネス、『メイドカラオケ』についてのリポート、田尻がお伝えしました〉

椎名の視線の先、カラオケボックスの受付付近に、背の高いメイドがマイクを握っていた。その傍らには、ハンディカメラを抱えた金髪頭の男、そしてライトとケーブルを携えたくせ毛の中年男がいた。リポーター役のメイドに向け、城所のオタクの目が一段と光っている。

「はい、ＯＫ！　田尻さん、メイド姿似合うじゃないですか」

中年男がそう言った直後、田尻と呼ばれた女が恥ずかしそうに下を向いた。

「あれ、冨山さんだ！」

椎名の背後から、城所が突然声をあげた。そして椎名の横をすり抜けると、ライトを持った中年男に駆け寄った。

「キドちゃん！　こんなところで何してるんだ？」

もじゃもじゃ頭の、冨山と呼ばれた男が近づいてきた。

「椎名さん、この人は僕の大学のアニメ同好会の先輩で冨山さん。今は日本橋テレビの経済部の記者さんです」

「はあ、どうも」

椎名は軽く頭を下げた。

「週末のニュース番組でオンエアする素材を撮りに来てたんだよ。お前はアニソンをうたいに？　それにしちゃ、らしくない人達と一緒のようだけど」

冨山が椎名と香子に視線を向けながら言った。

「田尻さんでしたっけ？　メイド服とクールなアナウンスがアンバランスで〝もえ〟ですね。お仕事は終わりでしょ？　冨山さんも、よかったら合流しませんか？」

城所は冨山にそう告げると、残る二人を手招きした。

「画も撮り終えたし、お言葉に甘えましょうか」

右肩にハンディカメラを構えていた金髪の男がそう言うと、

「私は早く着替えたいです」

メイド服の女が言った。いかにも嫌そうだ。しかし、カメラマンは椎名の方を見ながら言った。

「いいから、入りましょう」

椎名はその強引さに一瞬とまどったが、思い直して薄いピンク色のソファに座った。今日ぐらいは城所の好きなようにさせてやる方がいい。城所なしでビジネスは成立しない。

すると早速、城所と冨山が交互にメンバーを紹介し始めた。隣では香子が不機嫌そうにしていた。金髪の男が椎名を見つめているのに気づいた。

「椎名さん、お仕事は何を？」

乾杯の直後、対面に座った田尻というメイド姿の女が話しかけてきた。

「まだ開業準備中なのですが、ネット上でのビジネスを少々……」

椎名は、小声で応じた。

「ネット上でどんなビジネスを？」

「彼女はネット上の新しい動きを調べ始めてるの。ネットのビジネスには私も興味があるわ。具体的にはどんなことをなさるの？」

おネエ言葉とともに、上原という金髪の男が口を挟んできた。椎名は渋々切り出した。

「ネット上でちょっとしたオンラインゲームのサイトを立ち上げる予定です」

「会員を募って、ポイントを稼いでもらうスタイルですか？」

田尻という女がすかさず反応した。

「ね、ダージリン、興味あるわよね」

間髪容れず、上原も口を挟んできた。椎名は小さな声で答えた。

「ええ、まあそんなところです」

椎名は横に座る香子のきつい視線を感じながら、田尻と上原を交互に見た。

「私なんかまだビジネスを興す前の段階でバタバタし通しです」

うまく話を逸《そ》らした。椎名がそう思った途端、冨山という記者が口を開いた。

「キドちゃん、ゲームって具体的には何をやるの？」

椎名は耳を傾けた。

「まあ、簡単なゲームですよ」

「オンラインゲーム会社の開発部長だったキドちゃんが簡単なゲーム？　コアなRPGじゃないの？　ね、教えてよ」

「うーん、日本古来のゲーム、将棋です」

「将棋？」

冨山だけでなく田尻と上原も問い返してきた。口を開きかけた城所を制し、香子が話し始めた。

「実は私、新橋で将棋クラブを経営しておりまして」

香子は、将棋クラブの内情を話し始めた。祖父がクラブを開き、その後経営を引き継いだこと。そして霞が関界隈の役人や銀座、築地の水商売の人間が主な顧客層であることなどを、さまざまな指し手のクセを交じえながら面白おかしく説明した。

「へえ、それでクラブの顧客減少を補うためにオンラインゲームを思いついた、そういうことですか。なるほど、面白いなあ。今度取材させてくださいよ」

香子の説明を聞いた田尻が感心したように言った。椎名も香子に感心した。座の関心を巧みに逸らす手法だ。クラブでの酔客相手のやり取りに加え、将棋で培った柔軟な対応の賜物《たまもの》だ。

「最近はクラブのメンバーの高齢化が進んで、新橋まで来られないお客さんが多いんです。幸い、将棋好きのお爺ちゃん達は頭が柔らかい人が多いので、パソコンの操作さえ覚えてもらえば、あとはクラブにいる時と同じように対局していただけそうです。城所さんがシステムを考えてくれたおかげです」

香子はそう言うと、城所に顔を向けた。香子は冨山というプロの記者の追及をかわした。

「田尻さんはアナウンサーですよね？」

話題を切り替えようと、今度は椎名が田尻に声をかけた。

「ええ、今はフリーですが、昔は日本橋テレビ系列の新潟県民テレビにおりました」

「新潟……ですか」

いきなり飛び出した地名に、椎名は一瞬言葉を失った。あまり触れたくない地名だった。椎名が躊躇していると、田尻に興味津々の城所が口を開いた。

「東京のキー局は受けたんですか？」

「私は東京生まれ、東京育ちなのですが、キー局は数千倍の倍率でして……九州から北海道まで地方局の就活行脚をしました。最後のさいごで拾ってくれたのが新潟県民テレビでした」

田尻はそう言って肩をすくめた。座の話題が地方局アナウンサーの悲哀に移ったことを確認した椎名は、グラスをテーブルに置き部屋を出た。

20

パステルカラーに彩られたトイレで用を足した椎名は、手洗い場の鏡で自らの顔を覗き、酔いが回っていないことを確認した。

椎名が手についた水を切り、籐《とう》製のバスケットに入ったハンドタオルに手をかけたとき、背後から唐突に上原が現れた。

「随分とご機嫌ですわね」

「えっ？　ご機嫌？　私がですか？」

椎名は手を拭きながら振り返った。

「ずっと口笛を吹いていましたよ。メロディーはちょっと哀愁がこもっていましたけど」

「はあ、クセなものですから」

「それはそうと、気になっていたんですけど……」

「何でしょうか？」

上原が左頬に手をかけながら尋ねた。おネエキャラの人間にトイレで間合いを詰められるのは勘弁だ。椎名は一歩、足を出口方向に向けた。

「車はアルファに乗っていらっしゃいますか？」

「ええ、そうですが、どうして？」

「だって、いま着ていらっしゃるラガーシャツ、アルファのエンブレムが入っているんですもの」

椎名は自身の胸元を見下ろした。たしかに、蛇が人を飲みこむ図柄が付いている。

椎名は作り笑いを浮かべ、トイレを後にした。また無意識のうちに口笛で、あの曲を吹いていた。気のせいだ。そう自分に言い聞かせた椎名は部屋に戻った。

田尻を中心に、冨山と城所が顔を寄せていた。座の話題は、地方局時代のＮＧ話や、現在のフリーアナウンサーの待遇面の悪さ、そして一部の傲慢な局アナの話題に終始していた。椎名が隣席の香子に顔を向けると、香子が小声でささやいた。

「キドちゃんも、あの記者も、何だか単純」

香子は作り笑いを振りまきつつ、そう言った。

「香子ちゃんは夜のバイトやってるから、こういう席の構図を深読みしすぎるんだよ」

椎名が言った時、トイレから戻ってきた上原が話しかけてきた。

「オタク二人がにぎやかに盛り上がっていますね」

椎名は調子を合わせ、相槌《あいづち》を打った。このおネエ言葉のカメラマンは、先ほどからこちらの目の奥を探るような視線を向けてくる。ボロが出ないうちに帰った方がよさそうだ。

「そろそろお開きにしませんか？」

椎名の考えを見透かしたように、上原が口を開いた。

「また業界の話をお聞かせください。今日は楽しく過ごさせていただきました」

椎名は上原に深く頭を下げた。

「とんでもない、椎名さん。いきなり割りこんじゃって。こちらこそありがとうございました」

上原が丁寧に返答したのを見計らって、椎名は田尻を見つめている城所の肩を叩いた。

「城所さん、そろそろ出よう」

「もうですか？」

城所は不服そうに口を尖らせた。

「ダージリン、私たちもそろそろ」

「えっ、もう少し飲んで、うたいましょうよ」

「ダメよ、ちょっとはお肌のことを考えなさい」

「はい、わかりました」

田尻が肩を落としながら答えた。

「椎名さん、サイトが出来上がったらぜひ見せてください」

「はい。でも地味なサイトですから、お眼鏡にかなうかどうか自信がありません」

そう言って椎名はもう一度頭を下げ、部屋を出た。

21

メイドカラオケを後にした三人は、閉店間際の秋葉原駅前の家電量販店、ヤマモト電機ビルの二階フロアにすべりこんだ。

「そんなLANケーブルなんて、コンビニで買えばいいじゃないですか」

「そうよ。こんなに混んでる店でどうして?」

ヤマモト電機のテレビ用CMソングが大音量でかかる店内には、大声でしゃべる中国人旅行客の一団がいた。

「邪魔が入ったけど、俺達のビジネスの大事な出口を見せてあげようと思ってさ」

椎名はレジ近くのケーブル売場から八〇〇円のケーブルを取ると、会計待ちの長い列に並んだ。

「出口?　答えになっていませんよ」

列に並んで既に五分経った。デジカメやデジタルビデオを大量に買い付ける中国人観光客が相変わらず大声で会話している。

「もったいぶらずに教えてよ」

列に割りこもうとした中国人の中年女性を睨み付けながら、香子が言った。

「これが答えだ」

椎名は財布からパンダの絵柄が付いたプラスチックのカードを取り出した。

「このカードがどうかしたの？」

「だから、これが将棋サイトの出口だよ」

「全然わかんない」

香子が椎名の手からカードを取り上げ、しげしげと見つめながら言った。

「これは中国最大のカード会社『銀峰《ぎんぽう》』。デビットカードだ」

「デビットカード？　何それ？」

「ああ、最近日本や欧米ではすたれてるけど、銀行の普通預金の口座から瞬時に代金を引き落とす形式のカードだよ」

「なぜそんなカードで支払いを？」

「新宿や池袋、秋葉原の家電量販店、百貨店のレジには、このクレジットカードネットワーク社のカードリーダーが急速な勢いで普及している」

　椎名は列の前で客の応対をしている、青いベストを着た店員の方向を顎で指した。

「カードリーダーって何？」

「駅の改札口に置いてある、あのピッてやる非接触型の機械のことです。ほら、レジスターの横に小さなボックスがあるでしょ」

　城所が解説を加えた。香子は中国人男性の肩越しにレジを覗いた。

「パンダ印のリーダーが急速に普及しているのは、急増する中国人観光客対応の必須アイテムだからだ」

「なぜ必須なの？」

「中国のカネの仕組みさ。彼らには厳しい外貨持ち出し制限があるからな」

「そうか、それでこのカードを使って買い物をするわけだ」

　会計待ちの列が少しずつ動き始めたのに合わせ、三人は四、五歩前に進んだ。

「中国は急激な経済成長とともに海外旅行ブームが起こっている。新宿やら銀座、最近はスキー場にも中国人の団体が押しかけてきているだろ」

　椎名は二人の顔を見た。

「だが、中国政府は海外への現金持ち出しを五〇〇〇ドル、日本円で約五〇万円に制限している。そこでこのカードの出番だ。見てみなよ。この列に並んでいる連中は全員このカードを持ってるよ」

椎名は香子の手からカードを取ると、右手の人差し指でパンダの顔をパチンと弾いた。香子と城所は列の前方に目を向け、頷いている。

「ご覧の通り、彼らは非常に買い物好きだ。だが、カネの持ち出しは制限がある。同時に、中国ではクレジットカードが普及していない。そこでこのパンダカードの出番だ」

椎名は、香港《ホンコン》出身のベンチャー企業家が中国の大手銀行の多くと「銀峰」のシステムをつないだ、と告げた。銀行の残高の範囲内ならば、パンダのカードを使って即時決済できる使い勝手の良さが、この長蛇の列のミソだとも言った。

「では、中国人の観光客は、自国の銀行口座に多額の現金を積んでおけば、一〇〇万、二〇〇万円分の買い物でもバンバン可能なわけですね」

城所が、椎名に顔を寄せながら言った。

「奴らはにわか成金だ。一回で三〇〇万円分の土産《みやげ》物を買う人も珍しくない。だから、彼らの観光コースにある店舗では、パンダ印のカードリーダーが必須アイテムになっているんだ。財布のヒモが固い日本人相手より、バンバン金を使ってくれる中国人の方がありがたいからな」

椎名はそう言って、もう一度カードの中のパンダを人差し指で弾いた。

「中国人観光客の必須カードだっていうのはわかったわよ。でも、なぜ椎名さんがそのカードを持ってるの？」

　口を尖らせた香子が訊いた。

「一年前、池本会長が上海《シャンハイ》にお忍び旅行する時にこれを作ったのさ。上海みたいな大都会でも裏町の飲み屋では一般的なクレジットカードが使えない。会長がわがままを言い出して、どんな店に行くか予想できないから、中国で一番使い勝手がいいと評判だったこのカードを作ったんだ」

「ははあ、答えがわかってきましたよ」

　もう一度、城所が顔を近づけてきた。

「香子ちゃんはどうだ？　わかったかな」

「今ひとつ」

「だから、このパンダカードが出口なんだ。いいかい、俺達が作る将棋サイトに強欲な金持ちを集める。奴らはアイテムを買う。アイテムはポイントに姿を変える。換金したいときは、このパンダカードにポイントを移せばいい」

「移せるの？」

「だからこそ、このビジネスを閃いたんだ」

　椎名はそう言って、香子の目を見た。

「いいか、今ネット上では電子マネーやヤマモト電機のポイントが現金に替えられるんだ。ポイント交換サービスってやつだ。同じ要領で業者同士が国境をまたいでつながっている。ウチのサイトに入れた強欲な金持ちの現金が、将棋ゲームのポイントになり、交換サイトを通って海外に渡る」

香子が何度も頷いたのを確認し、椎名は言葉を継いだ。

「日本の銀行口座に入れた金は警察やら税務署に追いかけられるが、海外の口座はそう簡単にはいかない」

「じゃあ、ウチのサイトのお客さん達に、あらかじめ中国で銀行口座を作らせ、パンダカードも用意させるわけね。そうか、そういうことね」

香子は唾を飲みこんだ。

「まず、池本会長に『雁木《がんぎ》囲い』のアイテムを一億円分、新橋将棋道場のサイトの中で買わせる。この時、一億円の日本円が一億円分のポイントに替わる。俺たちのサイトがポイ・チェンと提携する。次にポイ・チェンとつながっている海外の専門交換サイトにポイントを移管させる」

椎名が言うと、納得したように香子が口を開いた。

「池本のお爺ちゃんはパンダカードを使って、日本国内で思う存分、足跡が付いていないおカネで愛人に高級バッグを買ってあげたりできるわけね」

「そういうこと。パンダカードは日本だけでなく、いまや世界中に決済網を広げている。使い方はお客さんたちの自由だ」

「とんでもない悪党ね。でも、違法じゃないわけだ。やろうよ、このビジネスでガッツリ儲けようよ」

香子はそう言いながら、何度も頷いた。

「椎名さん、ちょっと確かめてみようよ」

城所が突然、声をあげた。

「何か探し物？」

「ああ、ついて来て」

城所はそう言うと、会計待ちの列を離れ、椎名と香子を手招きした。

椎名は香子の腕を取り、城所の丸い背中を追いかけた。城所は、二階フロアの奥、パソコン売場に進んだあと、一台のノートパソコンのキーボードを猛烈なスピードで叩き始めた。

「ありましたよ。例のポイ・チェンが海外の大手ポイント交換サイトと提携しています」

そう言って、城所はモニターを向けた。椎名が目を凝らすと、ポイ・チェンのサイト中に新規サービスの案内画面が表示されている。

「『Point Network.com』……カナダとスイスの大手企業が合弁で興した会社です

ね。ここのサイトとの間で、日本で貯めたポイ・チェンのポイントとポイントネットワーク社のポイントが国境をまたいで交互に行き来できるようになっている。やれる。やれるよ、椎名さん」

興奮気味の城所がポイントネットワーク・ドットコムのロゴをクリックすると、画面には海辺や山間のリゾート地の写真が現れた。

「城所さんの仕事部屋でポイ・チェンのサイトを覗いたとき、この画面も表示されていたんでね。あの時、いろんなことが一気に閃いたのさ」

「じゃあ、早いところ将棋サイトのフレームを作り、ポイ・チェンにつなぎましょう」

「そんな簡単につなげるの？」

と香子が訊いた。

「以前在籍していたオンラインゲームの運営会社がポイ・チェンと業務提携してたんだ。その提携を仕切ったのは俺。要領はわかっていますよ。ポイ・チェンは提携先を増やしたがっているから楽勝ですよ」

城所が得意げに顎をしゃくりあげた。

「ここに強欲な金持ちのデータがある。さあ、たんまり先行者利益をかっさらおうか」

椎名はジーンズから携帯電話を取り出し、強い調子で言った。

第3章 軋《きし》み

1

「営業に行かなくてもいいの?」

椎名がソファで目をさますと、キッチンのカウンターから香子が顔を出した。椎名はソファの上に起き上がるとこめかみを強く押した。

前夜は新橋、秋葉原とあちこち歩き回ったせいで、ぐっすりと寝た。ソファの前のローテーブルに視線を向けると、タオルケットを抱き枕にしながら城所が高鼾《いびき》をかいている。放置されていた古い週刊誌や夕刊紙、コンビニ弁当の残骸、ビールの空き缶は全て綺麗《きれい》に取り除かれている。

「掃除してくれたのか。悪いな」

「それだけじゃないわよ」

香子はキッチン横のカウンターにほうれん草のおひたし、キュウリの浅漬け、丸干し鰯《いわし》の炙《あぶ》りをのせていた。

「ゆうべ二四時間営業のスーパーに行ってきたの。弁当ばかりだと体を壊すわよ。私は死んだ爺《じい》ちゃん仕込みで、意外と古風な女なんだから」

香子はてきぱきとローテーブルを布巾で拭くと、朝食の小皿と箸を並べ始めた。香子の髪は前夜のようなお水風のアップではなく、ポニーテールだ。椎名がぼんやり見つめていると、香子が肩をすくめた。

「ごめんね、夏だから汗かいちゃった。勝手にシャワー使わせてもらったの。それにTシャツとパンツもタンスから出して借りちゃったから」

椎名は寝起きでぼやける目をこすった。たしかに、香子は自動車ディーラーからもらった販促用のアルファロメオのTシャツを着ている。下半身はナイキのショートパンツ。裾からは細く長い脚がのぞいている。

「メシを食べたら、早速営業に行くよ。まずは王様のところだ。キドちゃんはもうちょっと寝させてやってくれ」

椎名は、ローテーブルの端の狭いスペースで鼾をかき続ける城所を見ながら言った。

「池本のお爺ちゃんは今どこに？」

「信濃町《しなのまち》の大学病院だ。あそこの特別病室は会長ご用達だからな」

香子はウーロン茶をタンブラーに注《つ》いだ。椎名は一気にグラスを空けた。食卓に並んだ手料理を見た瞬間、椎名は猛烈な食欲に襲われた。ご飯に丸干し鰯をのせると白米に箸をつけた。

「渉さん、さっき掃除したときに見ちゃったんだけど……」

「何を？」

椎名はほうれん草のおひたしを口に入れながら、小声で答えた。香子は茶碗《ちゃわん》を持ちながら、上目遣いで言った。

「写真立て」

香子はソファの横、ノートパソコンが置いてある棚に視線を向けながら言った。

「ああ、あれか。別にどうってことはない。昔のことだ」

椎名は、テーブルに視線を固定させたまま答えた。

「ならいいの。ところで、池本のお爺ちゃんは病院でしょ。営業に行っても大丈夫なの？」

「間違いなく仮病だ」

椎名はキュウリの浅漬けを口に放りこんだ。

「あの大学病院は、患者のプライバシーに関する意識の高さでも定評がある。王様は駄々っ子と同じだから、都合が悪くなるといつも特別病室に逃げこむのさ」

「もう復帰は無理なの？」

「サラ金業界は青息吐息だ。大資本の銀行が本気になって寝技をしかけてきたから、彼といえども今度こそ復帰は難しい」

茶碗の白米を平らげた椎名はキュウリをもう一切れ口に放りこみ、立ち上がった。城所はまだ寝ている。

「適当な時間に彼を起こしてやってくれ。無理に付き合わせて悪かったな。でも、本当にやってくれるのか？」

茶碗と小皿を流しに運びながら、椎名は香子の後ろ姿に言った。

「やるわよ。爺ちゃんが残してくれた将棋クラブをずっと維持できる分を稼げるなら、喜んで」

「よろしくな。ついでに悪いけど、香子ちゃんと彼の分の合鍵を作っておいてくれ。実質的に事務所はこの部屋になるから」

「わかったわ」

いつの間にか食事を終えた香子が、流しに並び、笑みを浮かべた。

「じゃ、シャワーを浴びてから行ってくるよ」

「なんだか、こういうの悪くないわね」

笑みをうかべ、かいがいしく食器を片づけながら香子が言った。椎名はその横を無言ですり抜けた。椎名は玄関脇のバスルームに入り、熱いシャワーをたっぷり浴びた。出かける時、下駄箱の上には綺麗にたたまれたハンカチと、携帯電話が置かれていた。椎名は二つの小物をつかむと、無言で部屋を出た。

マンション敷地内の立体駐車場。ここ三カ月間、一回も乗っていなかった愛車はうっすらと埃《ほこり》を被《かぶ》っていた。これまで自らの欲求を押し殺してきた自分の姿を見るようだった。

椎名は、リモコンキーでロックを開け、厚みのある黒い革シートに体を沈めた。イグニッションを捻《ひね》るとV6三〇〇〇ccの重低音が運転席に響いた。

2

「おう、エリートじゃないか」

信濃町駅前の大学病院に着いた。椎名が正面玄関脇のレストランを通り過ぎようとした時、花壇横の鉄柵の奥から聞き覚えのある声が響いた。強い日差しを手で遮りながら、椎名は声の方向に顔を向けた。

「こっちだ、エリート。喫煙所の奥だよ」

椎名は声の方向に目を向けた。薄いパジャマ姿の老婆、点滴のスタンドを携えた若者がベンチに座り、親の敵とばかりに紫煙をあげている。ベンチの一番奥の線路に近い席で酒で灼《や》けた声の持ち主、池本大吉がいつものようにハイライトを吸っていた。薄手の紺の作務衣《さむえ》を着た池本の袖口からは、藍色の刺青《いれずみ》が見えている。

「会長」

池本の姿を見つけた時、椎名は反射的に声をあげた。

「その肩書はやめてくれ。さっき臨時の取締役会が開かれて、俺は代表権のない相談役になった」

「相談役……ですか」

「手回しが良すぎるよ。で、この有り様だ」

池本は吐き捨てるようにそう言い、懐からもう一本ハイライトを取り出し、火を継いだ。

「煙草《たばこ》は……」

「体はどこも悪くない。だが、この病院も杓子定規《しゃくしじょうぎ》になったもんでな。特別室はおろか、病棟内部は完全禁煙だ」

池本は精気のない目を何度も動かした。

「連絡してないのによく私が来るとわかりましたね」

椎名は、診察に向かう患者、そして見舞客で混み合う玄関前に目を向けながら言った。

「あんなデカい音を立てるクルマは珍しいからな。どんなバカが乗っているかと思って見ていたら、お前だった」

池本は駐車場の隅、緊急外来入口近くに停《と》めたアルファ166に視線を向けながらそう言った。

「とりあえず、どこかで冷たいものでも」

「ああ、それがいい。お前には悪いことをした。好きなだけ飲ませてやる」

「いいえ、私はクルマですから」

「堅いことを言うな」

刺青を入れた柄の悪い老人、そしてラガーシャツにジーンズ姿の中年男の姿を、老婆が不思議そうな目で見つめ続けた。

「建物に入る前に吸えるだけ吸ってやる」

池本は頰を窪《くぼ》ませながらハイライトをふかした。

「お前ももとは吸っていたんだろ?」

懐から青いパッケージを取り出した池本が、ニヤリと笑みを浮かべた。

「頂戴してもよろしいですか?」

「ああ、吸え。煙草は大人の大切な嗜《たしな》みだ」

椎名はちょこんと頭を下げ、池本の手から一本ハイライトを受け取った。鼻の下に近づける。うっすらと葉の香りが漂う。

「ほらよ」

池本が百円ライターをともし、椎名の眼前にかざした。椎名は一口、煙を吸いこんだ。四年半ぶりの煙草だ。ニコチンが肺の毛細血管の隅々に行き渡る。椎名は顔をしかめながらも煙を空に向かって吐き出した。

「今日は仕事のお話に参りました」

「俺相手に仕事？　もう俺は追い出された身だ。役に立てるようなことはないぞ」

「いえ、今だからこそ、お伝えしたい話があるんです」

「今だからこそ？　なんだいそりゃ」

「ヒマを持て余しているお金持ちの方に、絶好の案件ですよ」

椎名はハイライトの強い刺激に顔をしかめながら、言葉を継いだ。

〈絶好の案件〉――。

椎名がそう言った途端、池本の目つきが変わった。

「儲《もう》かるのか？」

「退屈しのぎをしながら、確実に儲かります。しかも、足跡を残さずに」

「捜査二課と渡り合ったお前が何を考えついたのか、楽しみだ。ビールでも飲もう」

椎名と池本はフィルター近くまで減ったハイライトを揉《も》み消すと、連れだって病院の正面玄関をくぐり、新棟高層階行きのエレベーターに乗りこんだ。

「新しいビジネスとは何だ？」

「まあ、レストランについてからお話しさせていただきます」

「いつもそうやってもったいつけながら年寄りを焦《じ》らす。そこにはまった俺も俺だがな」

池本は嬉《うれ》しそうにそう言うとスタスタとエレベーターを降り、一一階のレストラン「オゾン」に入った。

「おう、こっちにするぞ」

ウエイターを無視するように、池本は神宮外苑《がいえん》を一望できる窓際席に突進した。

椎名はボーイに会釈しながら、生ビールを二つオーダーし、二人がけのテーブルに着いた。

「で、何をやるんだ？」

「では、お話ししましょう」

椎名がそう言った直後、ボーイが大振りなタンブラーをテーブルに置いた。

「まずは乾杯といきましょうか」

椎名はグラスを目の高さに持ち上げた。池本はせわしなくグラスを持ち上げ、ぐいと一口ビールを飲んだ。椎名も一口、苦い液体を口に入れた。ハイライトで刺激されたばかりの喉に、ホップの苦みが突き刺さった。

「将棋ですよ」

「将棋？」

椎名は池本の目を見据えながら答えた。大都銀行時代、池本の個人資産を管理する会社の設立スキームをプレゼンした時もこうだった。一度信用した相手の話には、とことん乗ってくる。ヒマを持て余した駄々っ子は、テーブル越しに一段と目を輝かせた。

「将棋でどうやって儲けるんだ？」

「病室にパソコンは持ちこんでいますか？」

「ああ、いつものようにあちこちのサイトを覗《のぞ》きに行って世相を読んでいる」

「ネット上に将棋サイトを作ります」

「将棋サイト？　あんなものはくだらん」

池本はあっという間にビールを飲み干し、タンブラーをテーブルに音をたてて置いた。

「俺が好きなホンモノの将棋とは違う」

「そうおっしゃると思っていました。ですが、ウチのサイトはひと味もふた味も違います」

「何が違うんだ？」

「まず、サイトの顧問は新橋の香子ちゃんが務めます」

「香子が？　ほんとか？」

椎名は無言で頷《うなず》いた。

「真剣《かけ》はどうなんだ？」

「それは無理です」

「それでは面白みがない」

池本が空いたタンブラーを掲げた時、気をきかせたボーイが新しいビールを運んできた。池本はビールを受け取りながら、鶏の唐揚げとハムサラダをオーダーした。

「ネット上とはいえ、賭博をやると警視庁に揚げ足をとられる可能性があります。彼らの執念深さはご存知のはずでしょう」

「では、どうやって将棋本来の面白みを再現するんだ？」

「香子ちゃんが何人かのユーザーと早指しをやります」

「それだけでは面白みがない。この病院を抜け出して新橋に出かければよい」

「その通りですが、サイトのウリは、さまざまなアイテムを購入できることにあるのです」

「アイテム？」

「そうです。例えば、大好きな棋士の棋譜《きふ》、指し手を勝負の局面ごとに買うことができます」

「そんなことができるのか？」

「ええ。以前私が回収に出向いた城所という客ですが、彼はゲーム業界では有名な人物です。いま彼にゲームの設計を任せておりまして、将棋好きの会長のような方を心底楽しませる仕組みを構築中です」

「それで、棋譜やら戦法のアイテムを戦局次第で買えるというのだな」

椎名はビールを半分ほど一気に飲みながら頷いた。眼前の池本の目が次第に光を帯び始めた。

「課金はどうするんだ？」

「クレジットカードで支払っていただきます。ネット上で購入したアイテムは、別途ご案内するサービスで換金が可能となります」

「ネット上でアイテムをカネに交換してもらえる、ということだな」

「はい」

ボーイが揚げたての唐揚げを運んできた。池本は右手でじかに肉をつかんで、頬張った。

「ネットで貯めた資産は、ポイントという形のまま交換サイトを通り、海外に出ます」

椎名は、紙ナプキンを取るとテーブルに広げた。ジーンズの尻ポケットからボールペンを抜き出し、サイトとカネの流れを簡単な図にして池本に示した。

「なるほど、銀峰のカードを使うわけだな。一億でも二億円でも、好きな将棋につぎこんだことにすれば、文句を言われる筋合いはないわけか。わかった。じゃあ俺もユーザーになってやる」

「ありがとうございます。現在、設備を整えております。サービスのメドが立ち次第、デモ画面でプレーしていただきます」

「知り合いを混ぜてやってもいいか？」

「もちろんです。新しいサイトは、お金持ち専用にするつもりです。思う存分ゲームを楽しんでいただくもよし、五億円でアイテムを一括購入して他のプレーヤーの対局を観戦するもよし」

椎名はそう話すと、グラスに口をつけ、ビールを飲み干した。

「バカなオーナーだとなじられようが、俺は七海ファイナンスがかわいい。端金《はしたがね》の退職金しかもらえないのが悔しくてしょうがない」

　池本は吐き捨てるように言った。端金とはいうが、実質的に七海を支配した美園協立銀行は数百億円の退職金を手切れ金として池本に渡すのだ。

「退職金は有効に、そして綺麗に海外へと移動させますよ」

　椎名はそう呟いた。

「設備投資にはどの程度の金額がかかるんだ？」

「サーバーを何台か、それにパソコンを数台購入するだけですから、三〇〇〇万円程度かと」

「わかった」

　池本は懐に手を入れ、小切手帳を取り出した。団地金融ビジネスを始めた頃から付き合っている池袋地盤の信用金庫のものだ。池本の個人資産管理会社は、現在もこの信金と取引している。ボールペンを握った池本は、さらさらと金額を書き入れた。

「三億円ある。設備投資の分は一〇〇〇万でも二〇〇〇万でも構わん。お前をかばい切れなかった俺からの詫《わ》びだ。残りは、安全かつきれいに中国に移してくれ」

「ありがとうございます。過分なお気持ち、ありがたく頂戴いたします」

　椎名は小切手を両手で受け取ると、恭しく頭を下げた。

「最初からこれが狙いで、真っ先に俺のところに来たんだろう?」

「やはり見抜かれていましたか」

「お前がきれいに金を動かしたあかつきには、追加で『アイテム』を買って手数料を落としてやる。それに、俺の知り合い五、六人は確実に紹介してやろう」

「ありがとうございます。なにとぞよろしくお願いします」

「お前のことだ。きっとうまくビジネスを軌道に乗せるだろう」

池本はそう言って、笑った。

「この手のビジネスは臭いを嗅ぎつけていろんな連中が近づいてくる。せいぜい注意しながらやるんだな」

「その辺は万全を期す所存ですが」

「そうか?　だが、もうお前は誰かに監視されているようだぞ」

「監視?」

池本はナプキンに何かを書きこんだ。椎名は池本の手元を見た。池本は薄い紙が切れそうな力強い文字で、「入口近くの男」と記した。

椎名はボーイを探すフリをしながら、首を回した。上品そうな婦人達の後ろのテーブルに、見覚えのある男が座っていた。

「たしか、五味とか言ったな……」

実業之日本社文庫

12月の新刊

定価（本体741円＋税）978-4-408-55263-7

相場英雄
偽金《フェイクマネー》

リストラ男とアラサー女
史上最強の大逆転劇！

一攫千金を狙う男、特ダネを探す女。〈偽金〉を追いかけるふたりの陰で、現代ヤクザが暗躍。『震える牛』の著者が放つ極上エンタメ小説！

今野敏
叛撃《はんげき》

定価（本体593円＋税）978-4-408-55267-5

男たちは体を張って闘う
誰かを、何かを守るため――

空手、柔術、スタントマン……闘う男たちの静かな熱情と、迫力満点のアクションが胸に迫る、重厚かつ、切れ味抜群の傑作短編集。

風野真知雄
江戸城仰天
大奥同心・村雨広の純心3

定価（本体556円＋税）978-4-408-55256-9

大奥、戦場と化す！
将軍VS御三家、最終決戦!!

将軍・徳川家継の跡目を争う、紀州藩吉宗ら御三家の陰謀に大奥同心・村雨広は必殺の剣「月光」で立ち向かうが……好評シリーズ、いよいよ完結！

書き下ろし

今野敏　警察小説の原点

「潜入捜査」シリーズ＜累計40万部！＞

潜入捜査	978-4-408-55026-8	定価（本体600円＋税）
排除　潜入捜査	978-4-408-55044-2	定価（本体600円＋税）
処断　潜入捜査	978-4-408-55059-6	定価（本体600円＋税）
罪責　潜入捜査	978-4-408-55074-9	定価（本体600円＋税）
臨界　潜入捜査	978-4-408-55092-3	定価（本体600円＋税）
終極　潜入捜査	978-4-408-55112-8	定価（本体600円＋税）
デビュー	978-4-408-55135-7	定価（本体600円＋税）
殺人ライセンス	978-4-408-55157-9	定価（本体648円＋税）

全国書店でフェア開催！

実業之日本社文庫

面白さ、ぶっ飛び!!

実業之日本社　☎03-3535-4441（販売本部）　☎048-478-0203（小社受注センター）
【ご購入について】お近くの書店でお求めください。書店でご注文いただくことも可能です。
※定価はすべて税抜本体価格です（2015年12月現在）13桁の数字はISBNコードです。ご注文の際にご利用ください。

新橋の将棋クラブ、そのあと駅前の三州屋で会った男が、アイスコーヒーをすすりながら、メニュー表を眺めていた。

3

〈日本銀行としては、電子マネー統計の精度をさらに向上させ、統計の発表頻度も月次ベースにしていくよう準備を進めます。今後、さまざまな法整備に対応できるよう、万全を期す考えです〉――。

「このお父さん、顔は落語家さんみたいだけど、声はバリトン歌手ね。アンバランスなところがかわいいじゃない」

東証からの中継を終えた倫子と上原は日銀に向かい、調査統計局長の市田の短いインタビューを収録して日本橋テレビの編集室に駆けこんだ。

「今のインタビューの尺で一五秒。ナレーションと解説を入れれば、編集は終わりです」

「オンエアの予定は決まったの？　日銀の局長さんが早速総裁に根回ししてくれたみたいだし、早いところ流したいわよね」

「近く『プライムイブニング』で政治関連のニュースのあとに入れてくれるそうで

す。なんでも経済部長のところに市田さんが直接電話を入れてくださったみたいで……」

「日銀としても、アピールしておきたいんでしょうね。金融庁やら他の政府関係者に釘《くぎ》を刺す意味合いもありそうだし」

「宣伝媒体として利用されているっていう意味ですか？」

「そういう面もたしかにあるわね。でもね、今回のネタは、ダージリン、あなた自身が取材を重ねてつかんだもの。れっきとしたスクープよ」

「ありがとうございます。では、あとは仕上げの作業に入ります」

「わかったぞ！」

倫子が上原に頭を下げた瞬間、隣の編集ブースから突拍子もない声があがった。

「いったい何よ！」

上原が眉根を寄せ、声の方向に強い視線を送った。

「そうか、これだったんだ！」

依然として甲高い男の声がこだました。

「ちょっとぉ、こっちも作業してんだから、静かにしてよね」

上原がパーティションに向かって、声をあげた。

「その声は上原さん？」

パーティション越しに、聞き覚えのある声が響いた。

「冨山さん」

「田尻さんもいるのか。やっとわかったんだよ。ちょっとこっちに来てみなよ」

「まったく、何をやってるんだか……この前みたいにグラドルのV流してたら承知しないからね」

上原が舌打ちしながら呟いた。

「こちらの仕事はひとまずメドがつきましたから、行ってみましょうよ」

倫子は編集機からＤＶＤを取り出しながら上原に言った。

渋る上原の手を引き、倫子は編集室の薄いドアを開け、隣のブースに足を向けた。

「まったく、何してんのよ？」

部屋に一歩足を踏み入れるなり、上原が毒づき始めた。上原と一緒に部屋に入った倫子も足を止めた。暗がりの中、冨山らしき人影は見えるものの、あとはモニターの薄明かりだけでほとんど何も見えない。

「アンタねえ、またさぼってると……」

上原が編集機前の冨山の肩をつかもうとした瞬間、モニターが刺激の強い青白い光を発した。倫子は反射的に右手で光を遮ったが、目頭にジンジンとした刺激が突き刺さった。

「ごめんごめん、いまリワインドするから」

暗がりの中で、冨山は器用に編集機を操作した。倫子の眼前で、暗い画面がすさまじい速さで巻き戻されていく。冨山の手元では、丸いジョグダイヤルが勢いよく逆回転している。

「実は、光の正体がわかったのさ」

「正体？」

上原が怪訝な声をあげた。

「この前、一緒に見たＣＮＮの映像ですよ。突然、ＣＮＮのデータベースから削除されたシロモノです」

「今見た光は、冨山さんが個人として録画した分でしたよね」

「妙に気になって調べていたんだ」

「正体は何だったの？」

「とんでもないシロモノでしたよ」

冨山はそう言うと、編集機横の壁に手をかけ、電灯をつけた。

「これです」

冨山は、編集機脇のデスクの上に置いたノートパソコンに視線を向けた。倫子も小さなモニターを見た。

「THELが正体です」

「何よそれ？」

「戦術高エネルギーレーザー、『Tactical High Energy Laser』の略語です」

冨山はそう言うと、ノートパソコンの脇に積まれたVTRの山を指差した。

「資料室から借りてきた映像ですけど、これは三年前にアメリカのケーブルテレビ、軍事専門のチャンネルがリポートした映像です」

「それで？」

「まあ、見てください」

冨山は「PBS・資料室1」と書かれたパッケージを開け、β《ベータ》のビデオカセットを手際よく編集機のデッキに差しこんだ。

倫子がモニターに目を転じた直後、画面の中に巨大なロボット、いや要塞のような物体が映し出された。

「これは兵器ですか？」

「まあ、もう少し見てくださいよ」

「『スター・ウォーズ』のR2‐D2みたいな形ね」

上原がぽつりと呟いた。画面の中では、倫子が今までに見たことがない映像が映し出されていた。砂漠の中に設けられたやぐらの上に丸い寸胴型の物体が設置されている。たしかにやぐらの上に設置されたドームのような物体は、上原の言う通り、R2-D2、丸いゴミ箱のようなロボットの頭に似ていた。R2-D2との明確な違いは、頭部のほとんどを大きなレンズが占めている点だ。レンズは、大きな和太鼓を三つほどつなげた長さか。そして、台座が自在に回転するとともに、レンズがあらゆる方向に向く。周辺には、迷彩服を着た兵士の姿が映っている。

「この化け物みたいな物体が、とんでもないことをします」

冨山はそう言うと、編集機のジョグダイヤルに中指を入れ、画面のフォワードを始めた。画面には、砂漠の映像が映し出された。今度は、装甲車のような移動車両の荷台、そして四角い箱が映し出された。そして荷台の上の箱は、真っ青な空に向けて角度をつけて持ち上がり始めた。ダンプカーの荷台のようだと倫子は思った。次の瞬間、空に向けて何かが火花をあげて飛び出していった。

「多連装ロケットってやつね。イラク戦争で米軍がさかんに使っていた」

画面を食い入るように見ていた上原が呟いた。やがて映像は、発射されたロケットが猛烈な勢いで上空高くに達する画面に切り替わった。

「ここからです」

声を潜めながら、冨山が言った。次の瞬間、順調に高度を上げていたロケットが白煙とともに粉々に砕け散った。

「何が起こったの？」

倫子が冨山に顔を向けて訊《き》いた。

「まあ、見ていてよ」

冨山は画面を見つめたままだ。倫子はわけがわからず、再びモニターに顔を向けた。その直後、画面が突然白黒の映像に切り替わった。

「なるほどね。噂《うわさ》には聞いていたけどこれだったのね」

モニターの中では、円錐《えんすい》形のミサイルの周囲がぼんやり白く光っていた。

「みのりさん、どういうこと？」

「ちょっと静かにして」

画面に異変が起こった。左下方向から右上の角に進んでいたミサイルに対し、画面の右下から画面の中央にかけ、真っすぐな光の線が急激な速度で上っていった。

「当たった！」

ミサイルの影に猛然と襲いかかった地上からの直線。

「今の映像は、さっきのオバケみたいな物体から？」

「そう、これがレーザー兵器です」

冨山がもじゃもじゃの髪を掻《か》きながら言った。

「この戦術高エネルギーレーザーというシロモノは実在するのです」

冨山は一旦編集機のビデオ再生を停め、ノートパソコンを膝の上にのせた。

「八〇年代初頭以降、イスラエルはアラブ陣営が発射するロケット弾に苦慮していたそうです。そこで、九〇年代に米軍と共同でロケット弾を効率的に撃ち落とすレーザー兵器の開発に着手しました」

「その共同研究の結果があのオバケみたいな物体ね？」

「そうです」

「イラクの取材に行った時、仲良くなったイギリス人の記者がそんな兵器があるらしいって教えてくれたの。でも、こうして実際にあるなんて……」

上原は編集室の天井を見ながら呟いた。

「で、武器の仕様はこんな感じです」

冨山はそう言うと、ノートパソコンに視線を落とした。

「射撃用のレーダーは、撃墜目標を継続的に監視しながら、探知と弾道算定を自動で行い、追尾を行う。レーザー砲は高エネルギーのフッ化重水素を燃料に用い、光速で目標に達する……」

冨山はノートパソコンに視線を落とし、解説を続けた。

「これはこの前のＣＮＮの映像です。強い光の部分は飛ばしますので安心して」

冨山はジョグダイヤルに手をかけ、素早く映像を早送りした。今度は米国の公共放送の資料映像と同じように、白黒の画面が現れた。スワヒリ語と思われる怒声が飛び交い、数十人の人々がもみ合うシルエットだけが映っている。突然、画面の奥から、強く白い光の筋が、画面手前でもみ合っていた群衆に向かった。光の筋は、その後二度、三度と光ったあと、これまで聞こえていた怒声が止《や》んだ。冨山が編集機の黄色いボタンを押し、画面を止めた。

「ウチの技術スタッフに頼んで赤外線のフィルター処理を施してもらったんです」

「さっきの画面も赤外線処理してあったわよね」

食い入るように画面を見つめたまま、上原が言った。編集機のキーボードを睨《にら》んだまま、冨山が頷いた。

「もう一回、リワインドしてくれる？」

「了解」

倫子の眼前で、二人の報道マンがあうんの呼吸で画面を巻き戻し、映像をチェックしていく。さっきと同様、光の筋が二度、三度画面の中をすさまじい速度で走った。

「もしかして……あの砲台の上に設置されていたレーザー砲が、ポータブルになったってこと？」

「赤外線処理されたＣＮＮの映像を見た直後、僕もそう感じました。上原さんもそう思いますか」

冨山はそう言って、画像を停め室内のライトを灯《とも》した。上原が無言で頷いた。

「つまり、アフリカのケニアの内戦でレーザー兵器が持ちこまれた?」

倫子は恐るおそる尋ねた。

「その可能性は極めて高いと思う」

「冨山君は、ディープな人達と結構付き合いが深いのよね? アナウンス室の喜美子が言っていたけど……誰かにこの光を正確に鑑定してもらう術《すべ》はないの?」

倫子は二人の顔を交互に見た。依然、この二人の考えていること、狙いが読めない。

「一人、詳しい人間がいます。上原さんにもネタ元は明かせませんが、市ヶ谷方面の人間です」

「市ヶ谷……はは あ、その筋の人ね」

そう呟いたあと、上原は頷いた。

「市ヶ谷?」

倫子が尋ねたが、冨山は口元を歪《ゆが》めただけで答えてくれない。上原に顔を向けても首を振るのみだ。

「どうしてこの映像にこだわるんですか?」

「病気みたいなもんだよ。将来、とんでもないニュースになりそうなネタが転がっていたら、時間がかかってもとことん調べる。たとえ畑違いのネタであってもね。だから、報道なんてバカな商売を続けていられるんだよ」

編集機のイジェクトボタンを押し、ビデオカセットを取り出した冨山が呟いた。

「ダージリンだって、今回の電子マネーの一件で感じたんじゃない？　取材に熱中すると、アドレナリンが出まくる感じがしない？」

「たしかに今回は食事も忘れて取材に駆け回りました。しかし、アフリカの奥地で起こった内戦を調べるなんて」

「こういう積み重ねが後になって大スクープにつながったりするの」

「はい」

倫子はひとまず頷いた。上原の指摘通り、今回の取材では我を忘れて動き回った。

「キャスター志望だったら、そんな顔はしないわよ。アタシ達みたいな報道バカになるには、まだまだ場数を踏まなきゃね」

倫子の心中を素早く察知した上原が、手入れの行き届いた人差し指で倫子の額を軽く弾《はじ》いた。

「『プライムイブニング』の制作デスクに行って、最終的な打ち合わせをしましょ」

「はい」

編集室のドアを上原が押し開けた。倫子もあとに続いた。

4

「早いところ病室に戻ってください。それから、これが私のクルマのキーと連絡先です。業者が着いたら渡してください」

「気をつけろ」

信濃町駅前の大学病院の一一階レストランで運転代行業者に予約した椎名は、紙ナプキンに自宅住所と電話番号、そして駐車場のナンバーを記し、池本に手渡した。

「どういう意味です」

「とにかく、気をつけるんだ」

池本はそう言うと会計伝票をつかんでさっさとレジに向かった。レジの向こう側の通路に見覚えのある顔があった。

下がり眉で時代劇に登場する公家《くげ》のような風貌の男だ。七海ファイナンスの社長、日下だった。日下はいつものように通路でしきりに池本に頭を下げている。臨時取締役会の決定事項を、直接池本に伝えに来たに違いなかった。

美園協立銀行主導の池本追い落とし策を誰が主導したかは知る由もないが、日下はこれまで通り、池本に従順な素振りを見せている。もう日下に自分の姿が見えても構わない。椎名は席を立って、池本の後ろ姿に深く頭を下げた。そしてアイスコーヒーをすすり、新聞に目を通している五味を観察した。五味の側《そば》を池本ががに股で通りすぎた。新聞に視線を落としたままで時折、思い出したようにアイスコーヒーをすすっている。

椎名はテーブルの上に視線を向けた。メモを記した紙ナプキンをビリビリに破り、池本が平らげた鶏の手羽先の骨の横に突っこんだ。そして、何事もなかったようにテーブルの間をすり抜け、レストランの出口を目指した。真っすぐ歩くそぶりをしながら、五味に視線を向けた。新聞を熱心に読んだままだ。ならば、このまま何食わぬ顔でレストランを出てしまえばいい。椎名がエレベーターに向けて足を踏み出した瞬間、背後から声がかかった。

「椎名さん」

椎名はギクリと肩をすくめ、振り返った。五味が椅子から腰を浮かし、にこやかに微笑《ほほえ》んでいる。

「……たしか新橋で昨夜お会いした……」

「そうです、将棋クラブ、それから三州屋でお会いした五味です」

椎名は大げさに頭を下げた。

「すみません、この前は仲間うちで込み入った話をしていたタイミングでしたので、失礼いたしました」

椎名は銀行員時代に培った当たり障りのない口調で五味をやり過ごそうと考えた。互いの共通点は香子の将棋クラブだけだ。

「七海ファイナンス池本会長とご一緒でしたね。お知り合いですか？」

五味が池本の名を持ち出した。

「元の上司でしてね。入院されたと聞いて見舞いにきたんです」

「池本氏の飲みっぷりは随分豪快でしたね」

〈気をつけろ〉――。

池本の言葉が脳裏をよぎった。

「五味さんはお見舞いか何かで？　それとも診察ですか」

「友人と一緒に知り合いの見舞いに来たんです。ちょっと時間ができたので、ここでコーヒーを飲んでいました」

「そうですか」

椎名が生返事を返した瞬間、五味が顔を椎名の耳元に近づけてきた。体をかわす間もなく、五味がささやいた。

「ここのコーヒーまずいんですよ。どうか、一時間ほどおつき合いください」

そう言うと、レジに足を向け、会計を済ませた。椎名がレストラン入口で立ちつくしていると、五味は椎名の背中に手を回してきた。

「お手間はとらせません。私のクルマで行きましょう」

促されるまま、椎名はエレベーターに乗り、正面玄関を抜けて緊急外来入口近くの駐車スペースに足を向けた。メルセデスのEクラス、Cクラスの横に、椎名のアルファロメオが見える。

「渋いアルファだな」

五味が声をあげた。ビール三杯、酔いが回る量ではない。病院に着いた時とは違い、強い日差しは薄い雲に遮られている。アスファルトからの照り返しもさほどではないが、椎名は立ちくらみに似た不思議な感覚に襲われた。これから、五味にどこに連れて行かれるのか。コーヒーを飲むだけで済むのか。いや、ここで強引に申し出を断るのか。池本の警告が頭を駆け巡る。五味が発する不思議な雰囲気、強いて言えばオーラのようなものが椎名の体を強く後ろ側から押し続けている気がした。

「五味さんのお仕事は？」

「昨夜も申し上げましたが、よろず屋みたいな気ままな個人業です。今日は見舞いの他に特段用事もありません。さ、うまいコーヒーを飲みに行きましょう」

椎名は無言で愛車166の前を通り過ぎた。レクサスLS460、ポルシェ・カイエンの横を通ったとき五味が歩みを止め、スーツのポケットからキーを取り出した。ロックの外れる音がしたあと、椎名の眼前の黒いセダンのウインカーが点滅した。五味は素早く車体の右側、助手席に回りこむと分厚いドアを開けた。

「乗ってください」

椎名は言われるまま、真っ赤な革シートに身を沈めた。助手席と運転席の中間点、ダッシュボードの中央に楕円形のアナログ時計がある。時計の真下にはカーナビ用の専用液晶画面が埋めこまれ、周囲は本物のウッド、そして座席と同じ色の革がふんだんに使われている。イタリアのマセラティ・クアトロポルテだ。椎名は記憶をたどった。たしか、一〇〇〇万円以上する高級セダンだ。

「エンジンの音がうるさいですが、我慢してください」

ステアリング裏のパドルシフトを引き寄せ、ギアをローに入れた五味が言った。大柄な黒いスポーツセダンがゆっくりと駐車場を走り始めた。

「これといった趣味はないのですが、クルマ道楽だけはやめられないのです」

五味はそう言って革巻きのステアリングを二度叩《たた》いてみせた。椎名は甲高いエンジンの音色に耳を傾けながら、頷いた。

「どちらのコーヒーショップに?」

「青山《あおやま》です。カプチーノが特にうまい」

間合いが測れないと椎名は思った。柔らかな口調でやや目つきが鋭いこと以外、五味は穏やかな風貌だ。

「運転は多少荒っぽいのですが、ご容赦ください」

五味は駐車場ゲートの職員に千円札を差し出し、ノーズを外苑東通りに向けた。

「ちょっとだけ、踏みます」

五味は外苑東通りに出た途端に小声で言った。直後、椎名はシートに自身の背中が強く押しこまれる感覚を覚えた。五味が右手でステアリング裏のパドルシフトをリズミカルに引き寄せるたびにエンジンが甲高い咆哮《ほうこう》をあげた。

「燃費は極めて悪いのですが、この加速を味わうと病み付きになります」

クアトロポルテは信濃町駅横、客待ちのタクシーの列をすり抜けたあと、たちまち首都高の出口を過ぎ、明治記念館の入口近くに達した。椎名はメーターを覗きこんだ。タコメーターが五〇〇〇回転近くまで上がっている。速度計は一三〇キロ。

椎名が前方に視線を向けると、信号が青から黄色に変わったばかりだった。

「この音は好きな人間にはたまらんのですよ。椎名さんはどうですか？」

「もちろん好きです」

この押しの強い男への警戒心を緩めたつもりはない。だが、甲高いエンジン音は別だ。椎名は、自然と頬が弛《ゆる》んでいくのを感じた。

「この音、レクサスやメルセデスを愛用している方々には不評でしてね。その点、椎名さんは違う」

「ええ、私もクルマ好きですから」

「何に乗っていらっしゃいますか？」

「アルファロメオです」

「ほお、モデルは何ですか？」

「１６６です。古いＶ６の音が好きでしてね」

「先ほど駐車場に停まっていたあの、１６６ですか？」

「ええ、飲まされたもので、業者が代行運転していきますが」

「趣味が一緒だなんて、嬉しいな」

まずい、と椎名は思った。

〈気をつけろ〉――。

病院のレストランで池本が発した言葉が再び脳裏をよぎった。

新規ビジネスの旨《うま》みをかぎつけてすり寄ってくるとしたら、まず真っ先に考えられるのがヤクザだ。椎名はこっそり五味の手元を見た。ステアリング裏のパドルを器用に操作する手つきに不自然なところはない。両手の小指もある。相手のペースで話が進む前に、こちら側からも探りを入れなければならない。

「具体的にどんなお仕事をされているんですか？」

「一言では難しいですね。雑貨の輸出入やらベンチャー企業のアドバイザーやらです」

「雑貨ですか」

「例えば、クルマ好きのお金持ちのために、程度の良い中古車を海外から持ってきたり、海外のマニアのために日本でしか売っていないモデルを輸出したり。クルマ関係のパーツも扱っています。まあ、広義な意味では雑貨商ですよ」

「ベンチャー企業のアドバイザーとは？」

「ベンチャー向けの証券市場、例えばジャスダックなどが整備されてきましたが、まだまだ敷居が高い。優秀な頭脳を持った若者達に資金を融通したりしています」

「なるほど。五味さんご自身の豊富な自己資金を貸し付ける、というわけですね」

「いえいえ、私個人は裕福でもなんでもありません。池本さんのような超がつくお金持ちのオカネを円滑に若手起業家に紹介するのが仕事です」

五味は両手で頻繁にパドルシフトを操作しながら言った。

「椎名さんもビジネスを立ち上げられる、そうですよね」

クアトロポルテが青山一丁目交差点の右折レーンに入ったとき、五味が切り出した。

「まあそんなところです」

「よろしければ、詳しくお話を聞かせていただけませんか。何か私にお手伝いできることがあるかもしれない」

「いえ、私はそんな大掛かりなことをやるつもりはないのです」

「金主《きんしゅ》は池本さん？」

「いやいや、違います」

五味の目的は、池本の莫大《ばくだい》な資産か。椎名はわざと間の抜けた声を出した。

「そうですか」

五味はあっさりと引き下がった。

「近況報告を兼ねたお見舞いです」

「なるほど、律儀な方だ」

青山通りに入ったクアトロポルテは、Ｖ８の甲高いエキゾーストノートを奏で続けた。

「香子さんをお仕事に起用されるのですか？」

「ちょっとしたアドバイザーでして。将棋クラブの経営は続けてもらいます」

「なるほど、それで安心しました。私は下手《へた》な将棋指しですが、あのクラブがなくなると息抜きの場が無くなります。でも、本当にファイナンスの必要があればいつでもお声を掛けてください。池本さんほどではありませんが、私にもお金持ちのアテがありますので」

五味はそう言ったあと、突っこんだ話をすることはなかった。

5

「現在、このブランドが展開させている高額のギフトカード、ICチップ付きの電子マネーも急速に普及しています。今のところ犯罪に悪用されたという報告はありませんが、その下地は十分にあります。このブランドも、『プライムイブニング』の取材後、カード購入時には身分証明書の提示を求めることを決めました。日銀の新統計発表以降、政府が具体的な措置を講じる必要が出てきそうです——」

「若手スタッフ、田尻のスクープでした。政府の対応が後手に回れば、思わぬ被害者が出てくる可能性もありそうです」

番組アンカーキャスターの小森祐吉《こもりゆうきち》が企画に対するコメントを発したあと、画面は経営危機に直面する地方ゼネコンの特集に切り替わった。

「お疲れさま。良かったわよ」

副調整室で若手ディレクターとともにオンエアを見つめていた上原が、倫子の横に歩み寄って掌《てのひら》で頭を撫《な》でた。

「テレビで抜きネタをやる機会は滅多にないわ。これからも頑張ってね」

上原はそう言うと、黒い麻のジャケットをつかんだ。

「ちょっとだけ、ビールを飲みに行かない？」

「お供します」

上原は重いドアを開けた。倫子もトートバッグをつかみ、ディレクターやプロデューサーらスタッフに一礼して上原の後を追った。

「あ、オタクの冨山君がいる」

報道の大部屋に下りる螺旋《らせん》階段の途中で、上原が編集室から出てきた冨山の姿を見つけた。

「誘いましょうよ」

「えっ？　どうして？」

「そんなに嫌わなくてもいいじゃないですか」

倫子は、出口に足を向けている冨山に駆け寄った。

「冨山さん、お疲れさまです」

「おお、田尻さんか。オンエア見たよ。見事なスクープだった」

「上原さんとビール飲みに行きますけど、ご一緒しませんか?」

「ちょうどいい。僕も報告することがある」

「何かわかったの?」

近づいてきた上原が、冨山の肩をつかみながら言った。冨山は、鼻先にずり落ちた銀縁眼鏡《めがね》を引き上げながら頷いた。

「ちょっとここじゃ話しづらいです」

「わかったわ。じゃ、軽く飲めるところに行くわよ」

「どこですか? みのりさん」

「二丁目よ」

「新宿二丁目は勘弁してくださいよ」

「だから、内緒の話をするにはちょうどいいでしょ。アンタもディープなソースからネタを引っ張ってきたようだから、ネタ元に迷惑がかからないところでこっそり話しなさい」

「あ、あの……新宿二丁目のお店って私みたいな女性客が入ってもいいんですか?」

「女性客も入れるミックス・バーがあるのよ。大丈夫」

「女性も来るの?」

女性という言葉に冨山が反応した。

「バカ、あんたみたいなキャラは絶対にもてないから。変な期待はしないでね」

「決めつけないでくださいよ」

「バカね。来るのはLの子が大半だから」

「みのりさん、Lって何ですか」

「L、レズビアンの子。ダージリン、あんたは油断してると口説かれるからね」

ぶっきらぼうに言うと、上原はさっさと歩き始めた。

6

「あとはテストを重ねなきゃいけないけど、体裁だけはなんとか整ったよ」

サーバーとブレードをつなぎ終えた城所が、一・五リットル入りのコーラをがぶ飲みしながら言った。

「棋譜と戦術の組み合わせも少しずつだけど二人でチェックしているわ」

スーパードライのロング缶のプルトップを勢いよく開けた香子も笑った。

「すまんね、手狭な俺の自宅が事務所だなんて」

香子からビールを受け取りながら、椎名が頭を下げた。

椎名が顧客リストの客への営業から自宅マンションに帰宅すると、もう日が暮れていた。

その間、城所がサーバーの黒い箱を運びこみ、リビングの片隅に置いていた。城所はゲームキャラが描かれたTシャツに汗の染みを浮かべながら、懸命に動き回っていた。香子の服装は、セミロングの髪をポニーテールに結い、体のラインがくっきりと出るサマーニット、サブリナパンツだ。動きやすい恰好《かっこう》で、傍目《はため》からみても気合いが入っているのがわかる。つい先日までいがみ合っていた二人の特殊なプロは、機材のセッティングが済むと早速将棋ゲームの基本設計に取りかかった。ゲームの機微を知り尽くした城所、そして将棋の裏表を熟知している香子は、時に声を荒らげながらもルールやアイテム作りに没頭していた。

その傍らで、帰宅した椎名は引き続き携帯電話を使って古い顧客リストに載っている「優良顧客」に営業をかけ続けた。

七海ファイナンスの元会長の池本に会ってから三日がたっていた。

医療法人の三代目理事長、六本木《ろっぽんぎ》のキャバクラ王、中堅出版社のオーナー社長……。将棋に関心のない顧客もいたが、かつて大都銀行で担当した「強欲」な金持ち達は、アイテム購入後の出口を説明し始めた途端、椎名が考えついたビジネスモデルの全容をたちまち理解した。医療法人の理事長、キャバクラ王の二人は、一週間以内にアイテムの購入料としてそれぞれ五〇〇〇万円をポケットマネーで出してくれると快諾した。

「そろそろ一休みしない？」

香子は二人に言って、テーブルにそうめんの器を並べた。

「王様から三億円、その他で計一億円。あとの客はサイトが実際に立ち上がってから順次カネを入れてくれるそうだ。概算だが、サイトが走り出した瞬間から七、八億円のカネが動く」

「そんな大金をポンと入れてくれるお金持ちって、実際にいるんだなあ」

さっそくそうめんを勢いよくすすり始めた城所が目を丸くしながら言った。

「渉さん、七、八億円って簡単に言うけど、大丈夫かな」

薬味の生姜《しょうが》とネギを箸で集めながら、香子が不安げな声を出した。

「大丈夫だよ。小分けにしてきちんとポイントに替えていけばいい。手間はかかるけど、その分だけ割高な手数料を取れる。小分けにする手間仕事は、俺がきっちりやるさ。性に合ってるからな」

「手数料はどのくらいになるの？」

「一割だ」

「七、八億の一割っていったら七〇〇〇万～八〇〇〇万円。三人で頭割りしたとして二六〇〇万円！」

「そんなに貰《もら》っても大丈夫？　お客さんたちは強欲な人ばっかりでしょ？」

「大丈夫だよ。本来なら税務署につつかれるカネだ。割高でもこっちが得だと考えたようだな。ま、所詮奴らにとっては端金《はしたがね》だ」

　椎名は冷静に説明した。城所はそうめんを手繰りながらも目を丸くしている。香子も納得したようで、そうめんを食べ始めた。

「ビジネスは一年もてば上出来だ。派手に稼ぐと俺達が税務署やら警察に睨まれる。サクッと儲けて、あとは解散しようと思っている」

「えっ？　一年でやめちゃうの？」

　城所が口いっぱいに入れたそうめんを吹き出した。

「そうさ。金持ち向けにデリバティブの商品を売りつけてきたけど、コピー商品が続々と生まれるからね。将棋ゲームにしても、原理をパクったサイトが出てきたら商売の旨みがなくなる。お上に目を付けられる前に先行者利益をいただき、撤退するのが得策だ。邦銀の不良債権を海外に飛ばすビジネスも、最後のさいごまで欲をかいた銀行が見せしめとして免許取り消し処分になったことがある。俺は奴らの轍《てつ》は踏まない」

「なるほどね。アタシもあのクラブをずっと維持できるお金があれば十分だわ」

ビールを飲んだ香子が頷いた。

「ビジネスの期限は一年以内。目標の手数料収入は三〇億円。三等分で一人あたり一〇億円。好きなことをやって残りの人生食っていける額だろう」

椎名はそう言って香子、城所の顔を見た。

「一〇億円かあ。十分すぎるわ」

香子が頷いた。

「賛成だね。それだけあれば、ゲーム業界で再起するきっかけを作れる。それに、あの問題もすっきりするし」

ガラスボウルに入った残りのそうめんを目ではかりながら城所が呟いた。

「あの問題?」

「まだ何か課題があったの?」

椎名と香子が同時に城所に顔を向けた。

「保守の問題」

「保守?」

「我々のビジネスは、預かったお金をポイントに置き換えて海外に逃がしてあげるのが本業だけど、海外に移転するまでの間、預かったポイントは誰にも保護されないからさ」

「保護されないってどういうこと？　だってサーバーとかのセキュリティーは万全だって言っていたじゃない」

　香子が強い口調で城所に尋ねた。

「ポイントは現金と違って保険に入っていない、ということ」

「あ、そうか」

　椎名がテーブルに置いた箸がパチンと音をたてた。

「何よ、渉さん」

　香子が口を尖《とが》らせたまま、強い視線を送ってきた。

「その点を見落としていた。絶対に一年以内でやめるべきだな」

「ねえ、どういうことよ？」

　香子が椎名と城所を交互に見つめ、不満げな表情を浮かべた。

「香子ちゃん、現金、つまりお札は国ががっちり守ってくれるけど、ポイントは誰も守ってくれないんだよ」

「国が守ってくれる？　どういうこと？」

「例えば、銀行のシステムトラブル。それに銀行が倒産したとしても、預金は一〇〇〇万円までは原則保護される」

「そんなの当たり前じゃない。そうじゃなかったら、安心してお金を使えないし、銀行にお金を預けることなんてできないもの」

「だが、我々のサイトは違う」

「そうだよ」

　城所が頷いた。

「セキュリティーを強化しても、ネット上では何が起こるかわからない。例えば停電。考えにくいけど、東京が一週間停電してサーバーが長時間起動できなくなったり、破壊されたら、中に入れていたデータが消えてしまうかもしれない。それに、中国にポイントを移す際に、向こう側の事情でポイントが越境できなくても誰も保証してくれない」

「グレーな領域で旨みを吸おうと考える以上、その辺りはリスクを取らなきゃいけないわけだな」

　椎名はロング缶のスーパードライを一気に飲み干した。やはり、短期決戦でやらなければならない。当局に睨まれる前に、そして他の業者がコピーサイトを作る前に。城所というプロがいるにしても、大きなシステムトラブルやその他の想定外の出来事が絶対起こらないという保証はない。

「二人に言っておきたいんだが、このサイトはなるべく世間に存在を知られたくない。こっそり、そして限られた人間にしか教えない」

「それが渉さんの顧客リストということね」

「そうだ。なるべく迅速に現金をポイントに交換して中国に移動させるつもりだが、俺ひとりじゃ事務量に限界があるし、事故対応という要素もある」

「ネット検索で入ってきた普通の人はどうする？」

「アイテムの購入費が高ければ自然に出ていくだろう」

「たしかに。ダミーとしてごくごく普通の指し手を自動表示させる機能を作っておこう」

城所が頷いた。無難な指し手、対局のモニターは香子が二、三分で考えてくれる。あとはソフトとして組みこむだけでよい。

「ねえ、もうそろそろ仕事の話は終わりにしない？」

キッチンの冷蔵庫に移動した香子が、新しいロング缶を手にしながら言った。

「二人とも、いつも飲んでるよね」

ボウルの中にあった最後のそうめんを手繰った城所が呆《あき》れ声をあげた。

「ちょっとだけニュースを見てもいいかな？　プロ野球の結果が気になるの」

香子がテーブル上のリモコンを取ってチャンネルをかえてボリュームを上げる。

「いいよ。ご贔屓《ひいき》チームは？」

「ジャイアンツが負けていれば気が済むの。死んだ爺ちゃん譲りのアンチ巨人だから」

「この時間なら、日本橋テレビの『プライムイブニング』やってるよ」

城所が腕時計を見ながら合いの手を入れた。

「では、次のニュースです。番組スタッフの田尻がスクープをお伝えします」――。

番組アンカーの小森祐吉が乾いた声で告げたあと、椎名の眼前のモニターにテロップが流れた。

「日銀、電子マネー統計を発表へ」――。

椎名は食い入るように画面を見つめた。下がり眉の日銀局長が短いインタビューに答えたあと、目の大きな細身の女性キャスターが日銀の旧館前でコメントを始めた。メイドカラオケで会ったばかりの田尻だった。

「日銀はこのほど、急速に普及する電子マネーの動向を把握するため、決済額や残高、カード発行枚数など諸データを集計し、定期的に公表する方針を固めました。電子マネーの普及が実体経済へどう影響するかを量る狙いがあります。

　ここ数年、電子マネーの普及とともに市中で流通する硬貨の数が減少していることから、換金性の高い電子マネーを実質的な通貨と位置づけ、統計の整備に乗り出す構えです。

　対象は電子マネーを発行する主要五社の前払い方式の電子マネー。個別の決済額や決済件数、発行枚数は月次で、残高は半期ごとに集計する予定です。日銀は主要な発行元五社からデータの提供を受けており、現在は集計を急いでいます」

「あ、田尻さんだ。メイド服の方が絶対に似合ってるよ」

　城所が画面を見ながら声を出した。香子も画面を睨んでいる。

「ブランド名は伏せますが、最近は一〇〇万円までチャージ可能な電子マネーがギフトカードとして登場しました」

　秋葉原のカラオケ店でメイド服を着てリポートしていた田尻が、黒いスーツ姿でカメラを見ながらコメントしている。椎名は黙って画面の中のモザイク加工が施されたカードを見つめた。

「一〇〇万円のギフトカードだとさ。いったいどこの誰が使うのかね」

ぽかんと口を開けて田尻の顔を見ていた城所が、「一〇〇万円」という言葉で我に返ったように言った。

「たくさんいると思うわよ。銀座のブランド街にはひっきりなしに客が集まっているもの」

「そんなもんかな」

不服そうな顔で、城所が答えた。

「……プライムイブニングの取材後、このブランドはカード購入時に身分証明書の提示を求めることを決めました」――。

「よし、いいぞ！」

黙ってリポートに聞き入っていた椎名は、思わず大声をあげた。

「どうしたの？」

「これで、このギフトカードが使えなくなったお客さんたちが、ウチを頼ってくる。ビジネスチャンスだよ。最高のリポートだ」

「彼女が最高なの？　センスないな、渉さん」

口を尖らせた香子が思い切り椎名の膝を叩いた。

「違うよ、このカードの実質的な旨みは、たった今、このリポートで全部なくなったのさ」

「旨みがなくなった？　どういうこと？」

城所が眉根を寄せながら言った。

「実は、七海ファイナンス時代にこのギフトカードを買わされたことがあるんだよ」

「画面ではモザイクが入っていたけど、どこのブランド？」

「イタリア・ミラノのジェルソミナだ」

「渉さん、ブランド物なんて縁遠いじゃない。サラリーマン時代は百貨店のお買い得スーツで、普段は今みたいにジーンズだし。どうして？」

「王様用に買ったんだよ」

「池本さんがジェルソミナ？」

香子が首を傾げた。椎名は思わず吹き出した。

「池本会長自身は無縁だよ。彼の仲の良い女性達がしきりに使っていたのさ」

「愛人ね？」

「そういうことだ。会長自身もフルに一〇〇万円チャージしたカードを五〇枚ばかり、海外旅行の時に持ち出していた」

「五〇〇〇万円分かあ。でも税関で引っかかるでしょう?」

「税関はフリーパスだ。ひっかかるのは一〇〇万円相当の現金や小切手、有価証券の類いだ。電子マネーは含まれていない。そもそも税関にジェルソミナの電子マネー残高を計測するカードリーダーなんかない」

「頭いいわね。渉さんが考えたの?」

「会長のお供をして銀座で飲んだ時、クラブのチーママがギフトカードをしきりにねだっていたから、調べてみたんだ。今の日本にはジェルソミナのカードを縛る法律がない」

「もしかして顧客リストの人達は皆持っている?」

「ああ、それぞれが二〇から三〇枚は持っているはずだ。お得意様達は海外、特に香港《ホンコン》に合法的に持ち出していたよ。香港はいろんな種類の換金業者の数が多いからね」

「本人確認なんてされたら、最終的に税務署にバレバレだから、本来のギフトカードで使う人しか買わなくなる。足跡を残したくない人たちがウチのサイトにくる、そういうことね?」

「ご明察だ、ゲームマスター様」

椎名は笑みを浮かべ、香子の顔を見つめた。やや頬を赤らめながら、香子が頷いた。

7

新宿二丁目、新宿通りと靖国《やすくに》通りをつなぐ仲通りに面したバーに着いた倫子ら三人は、それぞれカウンターでビールのタンブラーを受け取った。

「冨山君、何がわかったの？」

小さな丸テーブルの中央に顔を寄せながら、上原が小さな声で言った。

「まず、あのケニアの映像です」

上原と同じように、冨山も声を潜めた。

「僕のネタ元に聞いてみたところ、間違いなくＴＨＥＬ、戦術高エネルギーレーザー兵器でした」

「たしか市ヶ谷系のネタ元だったわね？」

「ええ」

倫子は市ヶ谷に何があるのか依然として理解できず首を傾げた。

「まったく察しの悪い子ね。桜田門《さくらだもん》には何があるの？」

上原が眉根を寄せながら言った。

「警視庁です」

「霞が関は？」

「財務省、外務省、経済産業省など主要官庁があります」

「で、市ヶ谷には何があるの？」

「あっ、防衛……」

「冨山君、話を続けて」

上原が促すと、冨山はビールを一口飲んだ。倫子は冨山の顔を凝視した。

「ケニアの民族紛争で使われたTHELについて、米国防総省《ペンタゴン》が必死で圧力をかけてCNNのデータベースから削除させたそうです」

「なぜペンタゴンが？　ケニアのごたごたにアメリカは関知していないはずよね」

「その通りです。関知していないからこそ、ペンタゴンが焦っているんです」

「どういうことですか？　アメリカが関わっていなければ、他人事《ひとごと》じゃないんですか。そもそもイラクの戦後処理でごたついているアメリカがアフリカの内戦に口出しする余裕はありませんよね？」

ビールを一口飲んだ倫子が口を挟んだ。上原も同じ考えを持っていたようで、二人は同時に冨山に顔を向けた。

「あの兵器は米陸軍とイスラエル軍が共同開発した最新兵器です。正確に言えば、アメリカの軍事専門企業がライセンスを保有して独占生産している」

「そんな兵器がなぜアフリカに？」

倫子は突き出しのスナック菓子を口に放りこみ、尋ねた。

「だからペンタゴンがあわてているんだよ。本来なら米軍とイスラエル軍の特殊部隊にしか配備されていない兵器が、アメリカが一切関わっていないケニアで使われたんだ」

「あの青白い光、見る人が見たら冨山君のように気づいてしまうから、圧力をかけてデータベースから削除させた、ということね」

上原の言葉に、冨山が無言で頷いた。

「続きがあります。僕のネタ元によれば、米軍は既にあの固定式のレーザー兵器を改良し、トルネードランチャー程度の大きさに小型化させたそうです」

「トルネードランチャーって何ですか？」

倫子が小声で尋ねた。上原が右肩の前で筒状の物を担ぐ仕草をした。

「肩に乗せることができるロケット砲よ。昔はバズーカ砲とか言っていた。アクションと映画や戦争映画で見たことあるでしょ？」

倫子は記憶をたどった。戦争映画好きの父親が繰り返し観《み》ていた古いイギリス映画「ワイルドギース」で傭兵《ようへい》達が使っていた武器だ。

「あの巨大レンズのレーザー砲がそんなサイズになったら、戦術が革命的に変わってしまうかもね。レーダーで相手をロックオンした瞬間に無反動で相手に高圧力のレーザーが当たるわけでしょ？」

「その通りです」

冨山はそう言うと、携えてきた古いブリーフケースから一枚の書類を取り出した。

「これはネタ元が内部資料として保管していたものの一部です」

倫子は、「内部資料」という響きに反応し、丸テーブルに置かれた紙を凝視した。

「五〇〇メートル先にある鋼鉄の板を溶かす破壊力、一つのカートリッジで一〇〇回のレーザー発射可能、一回あたりの撃破所要経費は約二五万円と極めて安価……最新のP型のコストについても配備が進めばさらに下がる予定……P型って何？」

小声で資料を読み上げた倫子は、冨山の顔を見た。

「P、すなわちPortable の略で移動型ということだ」

「それがトルネードランチャーサイズにという意味ですね」

冨山は無言で頷いた。

「もしかしたらその最新のP型の兵器がコピーされたの？　だからペンタゴンがあ

わてた？」

「ネタ元はそこまでは認めませんでしたが、否定はしませんでした」

「その気配が濃厚ですね。製造企業、あるいは軍の内部からデータが流出すれば、コピーは十分に可能です」

「レーザーを使った最新兵器でしょう？ そんな簡単にいくんですか？」

「小さな機械商社などに注文をかければ個別のパーツ自体の調達はさほど難しいことではないらしい。市ヶ谷の情報畑の連中は、現在日本企業が関わっていないかどうか、確認作業の真っ最中だそうです」

「そうか、昔中国や北朝鮮向けに、工作機械や部品が正規に輸出され、結果的に兵器に転用されて大問題になったことがあったわね」

「そんなことがあったんですか？」

上原と冨山が同時に頷いた。

倫子は息を呑んだ。もじゃもじゃ頭で、パッとしない風貌の冨山が「国際的な大スクープ」を狙っている。指紋だらけのレンズの奥の瞳は、獲物を追う狩猟者のように鈍く光っている。上原の表情もいつになく真剣だ。長年、紛争や災害、あるいは企業が絡んだスキャンダルの映像を撮り続けてきたプロの顔だった。

「上原さん、それに田尻さん。今回のネタは、くれぐれも他言無用でお願いします。

万が一、僕の推測が的中したら……」

「大スクープですよね」

「そりゃ、そうなんだけど」

丸いテーブルを見下ろしながら、冨山が口ごもった。

「まだ何か？」

「身の安全も考えなきゃいけないかもしれない。田尻さんはあまり関わらない方が無難かもしれないよ」

冨山がもじゃもじゃの髪を掻きながらそう告げた。

「冗談じゃありませんよ。手柄を横取りするつもりはないですけど、微力ながらお手伝いさせてください。キャスター志望なんですから」

「冨山君、危なくなったらこの子は外すけど、手伝いはさせてあげてちょうだい」

「ええ、まあいいですけど……でも言っておくけど、危険な取材は何も社会部のマル暴取材ばかりじゃない。経済部の仕事でも怖い場面がある。それだけは胆《きも》に銘じておいて」

「わかりました！」

倫子は勢いよくビールを喉に流しこんだ。これで本格的な取材ができる。自分は補助的な位置づけだということは百も承知だ。国際的なスクープかもしれないネタを傍観するのは嫌だ。多少の危険があっても手がける価値は十分ある。

「そうそう、危ない時のために合図を決めておかない？」

上原がそう切り出した。

「合図？」

「そうよ。口笛なんてどうかしら？」

「なんで口笛なんですか？」

「いいから、そうしましょう」

そう言ったきり、上原は静かにビールを飲み始めた。

8

「明日は家電量販店に寄って、いくつかケーブルの類いを買ってくる。恐らく昼過ぎかな」

「もう一〇時半を過ぎたけど、電車は大丈夫？」

「午前〇時までに渋谷に着けば最終は楽勝です。明日は他にも必要な書類やらを運んできます」

城所はそそくさと玄関に向かった。椎名はスーパードライのロング缶をテーブルの上に置くと、丸みを帯びた背中を追った。香子はテレビでジャイアンツの負けを確認したらしく、ロング缶片手に微笑んでいる。

「本番環境でサイトをリリースできるのは、いつかな？」

「あと四、五日。これは、お客さんを入れる受け皿が整うという意味でね。ポイントを中国に移行させるため、ポイ・チェンや他のサイトと提携するまでに約二週間。なるべく早くやるけど」

「さっきのポイントのギフトカードのニュースを見てから、やはり急ぐべきだって感じたんだ」

「忙しくなるのは嫌いじゃないから」

そう言って城所は汚れたプーマのスニーカーをつっかけると、椎名の部屋を出て行った。

「本格稼動まであと二週間か。アイテムごとのポイント交換比率のことやら、事務作業は結構あるな」

リビングに戻る途中、椎名は今後の段取りを考えながら独り呟いた。

「キドちゃんにあらかたそうめんを食べられちゃったけど、お腹《なか》は大丈夫？　何か作ろうか？」

リビングに戻ると、ローテーブルの上は綺麗に片付けられたあとだった。今までニュースをつけていたモニターは電源が落とされていた。香子は食器類を手早く洗っている。

「片付けまでさせて申し訳ない。シンクに置いていてくれるだけでよかったのに」

椎名はそう言ったあと、ローテーブルの下に黒い小さなものを見つけた。しゃがんでみると、城所の使っているPHS端末だった。

「忘れ物だよ……まだ間に合うかな」

椎名は端末を取り上げた。城所を追って廊下に歩き出そうとすると、キッチンのカウンターから香子が声をかけてきた。

「どうせすぐに帰ってくるでしょ、大丈夫よ」

「それもそうだな」

椎名はリビングの隅のノートパソコンを置いてある作業スペースに足を向けた。メールで勧誘レターを出した「優良顧客」の返事を確認する。パソコンを立ち上げて、メールボックスを開いた。家電量販店、ネット宅配のビデオ業者からのニュースレターが五本。その他に、北関東で美容室チェーンを営む女社長からのメールが入っていた。

〈将棋はわかりませんが、仕組みの良さ、着想の素晴らしさは十二分に理解しました。サービス開始直後に二〇〇〇万円分アイテム購入予定〉――。

メールの文面を読みながら、椎名は自然と口元を弛ませた。

狙い通りだ。強欲な金持ちは「足跡を残さず、中国にポイントを移管可能」という謳《うた》い文句に敏感に反応した。

美容室チェーンの女社長のほか、オーガニック食品会社オーナー、新興レコード会社のチーフプロデューサー、ラーメンチェーン店会長ら手元資金に相当な余裕を持つ面々からも、一〇〇〇万円単位でのアイテム購入の打診、あるいは事前予約の方法を尋ねるメールがきていた。

「どいつもこいつも、欲に目がくらんだ奴ばかりだ」

椎名は、礼状のスタイルで返信の文章を打ちこみ始めた。サイトの正式リリースに向けた準備作業が佳境に入っていること、そして他の人間にはサイトの存在を明かさないよう念を押し、送信した。

リリースを急がなければならない。先行者利益を確保しつつ、顧客の「ポイント」を円滑に、そして迅速に中国に送り届ける。椎名はノートパソコン脇に置かれていたノートに目をやった。城所が椎名向けに残したメモ。サーバーへのアクセス方法と簡単なゲームのルール、アイテム購入の手法などが書かれている。

「『早指し』モードに、『穴熊』モード……短期間で結構考えたもんだな」

予想外にゲーム本体の作業が進んでいることに感心した。椎名はメモを頼りにフアンクションキーを押した。画面には「歴代名人の棋譜」との項目が現れた。大山康晴、中原誠、谷川浩司……椎名にも馴染みのある名前が並んでいた。加藤一二三、升田幸三……。名前こそ知っているが、椎名には今ひとつピンとこない名前もある。香子と城所がどこからかダウンロードして入手したデータのようだった。

「まだ仕事するの？」

いつのまにか、背後に香子が立っていた。

「ああ、どの程度内容が充実しているのかと思ってね。それにしてもよくここまで短期間でセッティングを済ませたもんだ」

「それだけ？」

「いや、この棋譜と駒が同時に動く仕組みもよく考えられてる。このデータを早指しにも転用するんだろう？」

「そうよ。データ変換は、キドちゃんが今晩自宅の仕事場で済ませるって言ってたわ」

「そうか。仕事が早いのは、なんといってもありがたいよ」

椎名は、次々と相手の防御を破るシステムの指し手を睨みながら呟いた。

「ねえ、この指し手、たまらなく艶《つや》っぽいでしょう」

「おい、重いよ」

突然、椎名の背中に香子が体を預けてきた。

「香子ちゃん、バランス悪いから倒れちゃうってば」

椎名はパソコンのキーボードから手を離した。ワークスペースの戸棚の縁に手をかけ直し、香子の分が加わった重みを支えた。

「香子ちゃんってば」

「私は艶っぽくない？」

椎名の背中に体を預けていた香子が、突然両腕を椎名の胸に巻き付けてきた。

「ねえ、聞いてる？」

「そりゃ、艶っぽいさ」

「本当に？」

「嘘《うそ》は言わない」

「そのあとはどうするの？」

そう言いながら、香子は両手に力をこめ始めた。椎名の背中に、弾力のある香子の乳房が強く当たった。

「どうもしないさ」

「なんで？」

「なんででも、だ」

突然抱きついてきた香子に驚きつつ、椎名は努めて冷たく言い放った。スカウトしてから予想以上に働き、そしてかいがいしく身の回りの世話を焼いてくれた香子に対して、好意以上の感情が芽ばえ始めていたのも事実だった。椎名の表情が微妙に変化したのを感じとったのか、香子が口を開いた。

「気の強い女が嫌いなんでしょ。さっきの女子アナみたいに、おとなしそうで線の細い子が好きなんだ」

「違うよ」

「なら、なんで抱かないの？　据え膳は食わない主義？　私の気持ちくらい知っているでしょ」

「ああ。俺だって子供じゃない」

「だったらなぜ？　私、頭の回転が速くて悪い人が好き。それに冷たい人にも弱いの。王様と一緒だった頃、たまに見せる冷たい目が気になってたんだ」

香子は巻き付けた腕に一段と力をこめてきた。椎名は薄手のサマーニット越しに香子のふくよかな胸、そして激しい鼓動を感じた。椎名は右手を棚の縁から離して腰に巻き付いた香子の右手首をつかみ、体から剝がした。

「一緒に仕事している人間とはそういう関係を持たないことにしている」

「私はつきまとったりするウザい女じゃないわよ。仕事だって割り切ってやれるわ」

「ダメだ」

「そうやって焦らすと、もっと意地悪したくなるって知ってる？」

香子はわざと鼻にかかった声を出した。

「今、そういう気になれないだけだ」

椎名はつかんでいた香子の右手首を離した。踏ん張って腕に力をこめていた香子は、拍子抜けしたように体を離した。

「まだ奥さんのこと引きずっているの？」

「そんなことはない」

唐突に妻のことを告げられ、椎名は体を強張《こわば》らせた。

「ごめんなさい……奥さんのことを持ち出すなんて、私、無神経だった。本当にごめんなさい」

背後から、香子の震える声が聞こえた。

「気にしてないよ」

椎名はリビング中央、香子の方向に体を向けた。感情を高ぶらせた香子が、右手で口元を押さえながら肩を震わせている。香子にしても、一五年前に両親を突然の交通事故で亡くして以降、年老いた真剣師の祖父とともに自身の感情を押し殺して生きてきたはずだ。祖父が亡くなってからは、一人で懸命に将棋クラブを守ってきた。

「香子ちゃんは悪くない。俺がいきなりこんな仕事に誘ったのが悪かったんだ」

椎名は左手を伸ばし、香子の頭を包みこみ、体を引き寄せた。香子は椎名の胸元で強く肩を震わせた。

「今回の仕事が一段落するまで、ちょっとだけ時間をくれ。俺だってこんなに綺麗な子を放っておけるほど聖人君子じゃない」

椎名はゆっくりと、一言一言を区切りながら告げた。香子は何度も腕の中で頷いた。

「わかってくれ」

椎名はもう一度、ゆっくりと言葉を継いだ。

「ごめんなさい……私、もう一つ謝らなきゃいけない」

「謝るって何を?」

「壊れていた写真立て、勝手に直しちゃった。中の写真は無理だったけど……勝手なことして、本当にごめんなさい」

椎名は棚に歩み寄り、写真立てを手にとった。水を吸った写真は修復されていなかったが、剝《む》き出しだった写真は香子によって再び写真立ての中に収められていた。

「勝手じゃないさ。ありがとう」

本心から出た言葉だった。椎名は香子の髪を撫でた。直後、作業棚の上に置いていた椎名の携帯電話が激しく震えた。

「忘れ物に気づいた城所さんだよ……結構あわて者だな」

椎名はゆっくりと香子から体を離すと、端末を取り上げた。ウインドー上の番号に見覚えはない。首を傾げながら通話ボタンを押した。

〈夜分にすみません。五味です〉

椎名は自らの体が強張るのを強く意識した。なぜ、この番号を知っている。

〈アビエント・エンタテインメントの近藤《こんどう》専務から番号を伺ったのです。突然の電話で失礼いたしました。例のサイトの件で少しおたずねしたいことがありまして〉

椎名の不安を察したように、五味が朗らかな声で言った。近藤は将棋サイトに誘導する予定の優良顧客だ。若手の人気R&Bシンガーを多数抱える新興レコード会社の幹部を五味はさらりと告げた。椎名は肩に強張りを感じながら、端末を耳に押し当てた。

「すいませんが、現在、ごくごく限定されたお客様にしかご案内してないんです。それに、まだシステム構築が終了していません」

椎名は丁寧に電話を切った。香子が心配げな表情を浮かべた。

「五味さんが電話をしてきた」

「五味さんが？」

椎名は数日前に、信濃町の大学病院で五味と会い、青山でカプチーノを飲んだことも香子に明かした。

「彼の身元は？」

「わかんない。ウチは身元確認なんてしてないもの」

椎名は青山の喫茶店で聞いた五味の仕事、クルマの輸出入やベンチャー起業家向けに資金を斡旋していることなどについて、香子に話をした。

「私はそんなに悪い人じゃないと思うけどな。入れてあげたら？」

「ちょっと考えるよ。いずれにせよ、サイトが正式にオープンしてからの話だ」

〈気をつけろ〉――。

池本の言葉が再び脳裏によみがえった。

9

「何よこれ！」

新宿二丁目から帰宅した倫子は、中野坂上《なかのさかうえ》の賃貸マンションのドアを開けた瞬間、思わず声をあげた。

玄関のシューズボックスが倒され、ブーツやスニーカーが散乱している。倫子はパンプスを脱ぎ捨てるとボックス脇の傘を手に取り、部屋に上がった。玄関脇のキッチンも、皿や包丁、スプーンのほか、パスタケースがシンクに散らばっている。

傘を握り締めながら、キッチン脇のバスルームのドアを開けたが、人影はない。

再び部屋に戻った倫子は、明かりを全てつけて奥の方向をうかがった。作り付けの衣装棚から、ジャケットやブラウス、下着の類いがシングルベッドの上にこぼれ落ちている。倫子はベランダの方に向かった。人影はない。ベランダの隅、エアコンの室外機付近にも怪しい気配はない。倫子はバッグから携帯端末を取り出し、「110」を押した。

〈事件ですか？　事故ですか？〉

オペレーターの声が響いた。

「マンションがぐしゃぐしゃに……」

〈付近に怪しい人影は？　お怪我《けが》はありませんか〉

倫子は警官の質問に答え、電話を切った。次いで、倫子は上原の番号を呼び出した。

「みのりさん、自宅が空き巣にあっちゃって……」

〈大丈夫？　怪我は？〉

「大丈夫です。これから警察が来るようなんですけど、気味が悪いのであとでみのりさんの所に行ってもいいですか？」

〈いいわよ。相方《ツレ》は今いないから、気にしないで来なさいよ〉

倫子が電話を切ったとき、階下にサイレンの音が響いた。すぐに部屋を強くノックする音が響いた。倫子がドアを開けると、制服姿の警官が立っていた。

「田尻さんですね？」

「はい」

その後、警官は部屋を一瞥したあと、事務的にメモを取り始めた。その後、私服警官が三名、相次いで部屋に入ってきた。警官達は、盗られた物がないと聞くと、途端にテンションを下げ、犯人の心当たりやここ数日の様子など事務的に聞いて帰っていった。

私服警官を送り出したあと、倫子はベランダから階下を見た。普段は交通量の少ない住宅街に、見慣れない大型セダンが停車していた。倫子が手すりから身を乗り出そうと身構えた直後、セダンは大きめの排気音を残して立ち去った。

10

「突然押しかけて、すいません」

麻布十番の韓国大使館近くの仙台坂《せんだいざか》にある一〇階建てマンションの七階が上原の部屋だ。ドアを開けた倫子は、大きなバッグを玄関先に置いた。

「大変だったわね。怪我はない？」

倫子が上原と恋人のバイオリン奏者の部屋を訪れるのは半年ぶりだった。白いタイルが敷き詰められた部屋は、グレーの家具で統一され、広さ三〇畳ほどのリビングがある。倫子は、部屋の中央にあるソファに身を預けた。

「部屋を荒らされるような覚えはあるの？　誰かにつきまとわれていたりとか？」

綺麗に磨かれたクリスタルのタンブラーを差し出しながら、上原が言った。倫子に全く心当たりはなかった。

「本当に突然でごめんなさい……あっ」

ウーロン茶を一口飲んだ倫子は、アップルのディスプレーを覗きこんだ。真っ赤な画面の中に、アルファロメオのエンブレムマークが光っていた。

「みのりさんの車、アルファでしたよね。買い替えですか？」

「そうじゃないの。以前、アキバで富山君が友達だっていう人達と会ったでしょ。あの友達の連れの男のことが気になってね。彼はアルファに乗っているって言ってたの」

倫子は、ラガーシャツを着た中年の男の顔を思い浮かべた。

「そういえば、あの椎名って人。おとなしい感じの方でしたね」

「そうよ」

上原が左眉を釣り上げながら言った。

「椎名さんの何が気になるんですか？」

「口笛。それにどこかで見たことのある顔なのよ。だからあの時、強引に誘ったの」

ソファに腰掛けながら、上原がポツリと言った。

「それに、あの人達、何か隠しているわよ」

「普通にしゃべっていただけじゃないですか」

「もう、アンタはほんとに鈍いわね。口笛のことは後回しにするとして、まず富山君のお友達が突っこまれて言葉を濁したとき、すごく気まずそうな顔をしたの」

「そんなタイミングありましたっけ？」

「それから、気の強そうな女性が自分の将棋クラブに話題を逸らした時、何かほっとしたような表情になった」

「考えすぎですよ、みのりさん」

「バカ、アタシが何年カメラマンやってると思うの。ダテに場数を踏んじゃいないわよ」

「その場数っていうのは、政治家やら犯罪者の取材現場のことですか」

「そうね。感覚的にはそれに近いかもしれない。汚職の疑惑がかかった政治家、逮捕間近の詐欺師……彼らは決まって目が泳ぐ瞬間があるの。椎名って男もあの時、何回か目が泳いだの。あの男は何かヤバいことを企《たくら》んでいるんじゃないかしら……。ここ数日ずっと気になっていたのよ」

「ヤバいこと?」

「何か雰囲気がおかしかったのよ、あの三人」

「みのりさん、仮に椎名さんが何かを隠しているとしたら、いったい何が目的?」

「ネット上の将棋ゲームって言っていたわよね」

上原はソファから立ち上がり、カウンターキッチンに向かった。倫子は上原の背中を見ながら、「メイドカラオケ」での会話を思い起した。

「たしか、ゲームでポイントを稼がせるって言ってませんでした?」

「言ってた」

「もしかしたら、将棋ゲームのポイントを使って悪いことをしようとしてるんじゃないですか？」

「悪いことって何よ」

冷蔵庫からミネラルウォーターのボトルを取り出した上原が、倫子を睨んだ。

「ゲームのポイントも電子マネーもネット上では交換可能じゃないですか」

「そうだったわね」

「仮にゲームのポイントと電子マネーを悪用しようとビジネスを興《おこ》したとしたら？」

「どんな悪意？　悪用ってどんな風に？」

上原が倫子を見た。倫子は肩をすくめた。

「わかりません。ただ、ポイントを悪用する隠れ蓑としてゲームサイトを使うってことは考えられませんか？」

「それはありかもね。ダージリン、その可能性はあるわ。うん、絶対調べなきゃいけない。あなた、やりなさい。やらなきゃダメよ」

「でも、どうやって調べればいいのか……」

「まずはあの椎名さんっていう人の経歴を洗えばいいでしょ」

「洗う？　どうやって？」

上原は、壁にかかった時計を見た。

「深夜一時か……冨山君を捕まえましょうか。どうせ、あの編集室にいるだろうし」

「その手がありますね。電話してみます」

あの秋葉原のメイドカラオケの個室で、倫子が「ポイントを稼ぐ」と言った際、たしかに椎名は表情を変えた。

「それはそうと、なぜそんなにまで椎名さんのことが気になったんですか？」

倫子は、上原の顔を覗きこんだ。

「彼、無意識のうちに口笛を吹いてたの。なんか珍しいでしょ」

「たしかに。そういえばあと、私が新潟の話をしたら、なんか変な空気になったけど……」

「新潟かあ……うーん、まだわからないわ。何かきっかけがあれば絶対に思い出すのよ。きっかけよ、きっかけ。あの男の顔を絶対どこかで見たことがあるのよ」

上原はそう言ったあと、ゴクリと水を飲みこんだ。

「思い出すなあ。新潟か。……あの広い土地をひたすら走り回って取材したんですよ。地方局のアナの大半は県警記者クラブに籍を置いてますから、朝から夕方近くまで事件取材。オンエアぎりぎりにスタジオに入って夕方のニュースですもの。ハ

「中越《ちゅうえつ》地震のときはいたの？」

上原が目を光らせながら倫子の顔を覗きこんできた。

「もちろん。取材の帰りに遭遇しました。村祭りの取材を終えて峠を下っている時にドーンって地鳴りが聞こえて、クルーが乗っていたハイエースの五〇メートル先で道路が崩落しました」

倫子がそう言った直後だった。

「ちょっと待った！」

突然上原が声をはりあげた。

「そうか、多分そうよ。地震だわ」

「何かわかったんですか？」

「アタシの記憶によれば、地震だわ。あの顔は地震の時に見た顔だわ」

「あの男と地震？」

「そう。こうしちゃいられないわ。出かけるわよ」

「ちょっと、みのりさん。どこへ行くんですか？」

「資料室の映像データをひっくり返すのよ」

「地震って私が遭遇した二〇〇四年の中越地震のことですか？」

「違うわ、中越沖地震。二〇〇七年の大災害よ」

「椎名さんと中越沖地震？　どういう関連ですか？」

「それを確かめに戻るのよ」

倫子は、いきなり身支度を始めた上原の後ろ姿を見ながら、首を傾げた。

二〇〇四年に起きた中越地震は、自身が巻きこまれたこともあり、鮮明に記憶に残っている。椎名という男と、中越沖地震がどのようにリンクしているのかも一向に見えてこない。カメラマン、いや報道マンとして「スイッチ」が入ってしまった上原は、先ほどからブツブツと独り言を繰り返し、とりつくしまがない。

「早く、行くわよ」

ラフなTシャツ姿だった上原は、白い麻のジャケットを羽織っていた。

「わかりました」

倫子は玄関に向かう上原の後を追った。

11

人通りが極端に少なくなった神楽坂の外れの住宅街を、椎名は買い物袋を提げながら、香子とともにゆっくりと歩いた。

三人で自宅マンションに籠もり始めて以降、城所も香子も本当によく働いてくれている。

突然仕事を取り上げられて以降、ビジネスの立ち上げばかりを考え、走り続けてきた。一年以内に撤収する。椎名は自らの言葉を思い起こした。撤収したあとは何をやるのか。何のあてもない。強欲な金持ちどもから金を稼ぐ。その先には何があるのか。何をしたいのか。椎名は漠然と考えたが、答えは見つからなかった。

「サイトの仕事、うまくいくよね」

香子が、呟いた。

「ああ、きっとうまくいく」

ビジネスを撤収したら、香子とどこかに行こうか。香子は気が強いが、根っからの気質ではない。真剣師の祖父に育てられ、他に行き場がなく、否応《いやおう》なく勝負事の世界に引きこまれたことで、自然と自らを守る術として気を張り続けているだけだ。一緒になれるかどうかはわからないが、ビジネスに区切りをつけたあとでどこかに連れていくのも悪くない。

マンション近くの和菓子屋が見えた。表通りから、自宅マンションまでは約二〇メートル。マンション住民専用の駐車場に続く道を、椎名はゆっくりと歩いた。

すると、マンションの玄関前に見慣れないグレーのセダンが停車しているのが視界に入った。買い物に出かける時は見かけなかったクルマだ。

椎名は歩みを止めた。

「どうしたの？」

椎名の右手を引っ張りながら、香子が口を開いた。椎名は顎をしゃくり、スカイラインを指した。

「誰？」

椎名は無言で頭を振った。その時、ジーンズのポケットの中で携帯電話が震え始めた。電話をとり出すと、「０９０」で始まる番号が表示された。

「椎名です」

〈お久しぶりです、五味です〉

「どうしたんですか？」

〈椎名さん、監視されています。ご注意ください〉

「監視？」

〈ご自宅の近くに見慣れないクルマ、もしくは見知らぬ人間がいませんか？〉

椎名は、スカイラインのテールランプを凝視した。五味の言う通り、このクルマに乗っている人間のことなのか。

「誰が私なんかを？」

〈椎名さんのお客さんの中で警視庁に睨まれている人がいるはずです〉

「警視庁？」

椎名は真っ先に七海ファイナンスを追われたばかりの池本の顔を思い浮かべた。しかし、警視庁捜査二課と特別背任をめぐってやりあったのは、二年以上前の話だ。あの一件は既に手打ちが済んでいる。今さら警視庁に行動監視される覚えはない。

「自宅マンション前に、見慣れないグレーのスカイラインが停まっています」

〈それだ。クルマを覗きこんだりせず、そのまま部屋に入った方がいいでしょう〉

「もしもし、五味さん、なぜそんなことがわかったのです？」

〈早く、お部屋に。あとでまた連絡します〉

通話が一方的に切れた。椎名は端末を閉じると、顎をしゃくり香子を無言で促した。眉間に皺を寄せながらも、香子は黙って従った。椎名は香子の左手を握りながら、スカイラインの横を通り過ぎた。椎名は次第に足を速め、玄関ホールにたどりついた。

「ねえ、どうしたの？　あのクルマがどうかしたの？」

香子が顔を寄せ小声で聞いてきたが、椎名はエレベーターを待っている間、無言を貫いた。

「五味さんだ。警告してきた」

エレベーターが五階に向けて昇り始めたとき、椎名はようやく口を開いた。

「警告？」

「なんでも俺の顧客リストの中の誰かが警視庁にマークされているとさ。それで俺にも監視がついた」

「誰のことだろう？　心当たりは？」

「五味さんがもう一度連絡を入れてくれるとさ」

エレベーターの扉が開いた。椎名は足早にホールを抜け、自室に向けて歩き出した。途中、廊下通路の窓から階下をうかがうと、依然としてスカイラインが停まったままだ。

椎名が玄関前でポケットの中からアルファの鍵と駐車場の鍵、自室の鍵を取り分けた時、廊下の柱の陰から突然人影が飛び出した。

「お帰りなさい、椎名さん」

五味が、ベージュ色のスーツに白いニットを合わせ、今まで会った時と同じように涼しげな笑みを浮かべて立っていた。

12

「椎名渉……早速ヒットしましたよ。七海ファイナンス企画室次長を経て新宿店店長」

倫子はノートパソコンのキーボードから手を離し、冨山に体を向けた。

日本橋テレビ報道局の大部屋で検索すると、たちどころに椎名の名前がヒットした。東証一部上場企業、七海ファイナンスの役員人事のリリースが、取締役の異動とともに五人の店長の異動を告げていた。

「そこが椎名氏と城所の接点か。なるほどね」

日本橋テレビ系列、東京日日新聞の縮刷版を広げていた冨山が呟いた。

「接点？」

「城所はゲーム会社を実質懲戒解雇された。親が遺《のこ》した家があるけど、普段から金に無頓着だったから、金に困ったんだろう」

「椎名って男はなぜ、七海をやめたんでしょうか？」

「恐らく美園協立銀行の陰謀絡みだな」

「陰謀？」

冨山は縮刷版を編集機横に置くと、倫子の横に立った。冨山はキーボードに手を添えると、素早く東京日日新聞の会員制データベースにアクセスし、一本の記事を画面に呼び出した。

「美園協立、搦手《からめて》で『サラ金の王様』を駆逐……」

倫子は画面の文字を小声で読み始めた。解説記事によると、七海ファイナンスの主取引銀行の一つである美園協立銀行が巧妙に七海ファイナンス創業者の池本大吉を追い落としたという。

倫子は画面を見つめた。色黒で目の窪んだ人相の良くない池本、そして丸顔で下がり眉、人の良さそうな日下の写真が掲載されている。池本が日下を駆逐したというのなら納得はいくが、記事はまったく別の内容だ。

「この陰謀にあの男が巻きこまれた、というのですね」

「恐らくね。事情を聞けそうな奴がいるからちょっと待って」

冨山は五本のボールペンが刺さった胸ポケットを探り、携帯電話を取り出した。

「どうも、日本橋テレビの冨山です。七海ファイナンスと美園協立銀行の件でちょっと……」

冨山は口元を手で覆いながら、モゴモゴと会話を続けた。時刻は既に午前一時半過ぎ、こんな時間に誰と話しているのか。

「そうですか、なるほどね。いや、助かりました。こっちも何かつかんだらお知らせしますよ。じゃ」

冨山は勢いよく端末を閉じ、倫子に顔を向けた。

「何かわかりました？」

「ああ。ちょっと運のない人だな」

「あの男のこと？」

「彼は七海の池本会長に直接スカウトされた人材で、中途入社組だ。いわば、池本会長の親衛隊的存在だったようだ。美園協立の陰謀で真っ先に血祭りにあげられた」

「それで退職してネットのビジネスを立ち上げようとしている、ということですね」

　倫子の言葉に、冨山が頷いた。

「七海ファイナンスの前はどこにいたの？」

「旧大都銀行、現在のかすみ銀行だ。大都時代に個人の富裕層向け営業の統括課長だったそうだ」

「誰と話したんですか？」

「本来ならネタ元は明かせないけど、まあ教えてあげるよ。今、電話を入れたのはかすみ銀行の広報マンだよ」

「広報マン？」

「美園協立のネタを知りたければ、他行に聞く。これは鉄則だ。銀行界の人間は、自行のネタはしゃべらないけど、他所《よそ》サマのうわさは積極的に流してくれる。たまたまだけど、いま話していた広報マンは旧大都の人間でね。それですぐに椎名氏の履歴がヒットしたってわけだ」

倫子は何度も頷いた。

「椎名は切れ者の銀行マンだったそうだ。ただ、行内に敵が多くて、合併を契機に取引先への転籍を打診され、最終的にはこれを断った、ということらしい」

「でも、銀行、消費者金融とお金にまつわる仕事を続けてきた人が、なぜ今になって門外漢のネットビジネスを立ち上げたんでしょう？ やっぱり怪しいビジネスを？」

「ネットビジネス、それも人気凋落《ちょうらく》が著しい将棋だもんね」

倫子と冨山は同時に首を傾げた。倫子は上原に目を向けた。上原は局に戻るなり、一〇階の資料映像室に駆けこみ、二〇〇七年の中越沖地震の関連映像資料の山を編集室に持ちこんでいた。上原は編集機のジョグダイヤルに指をかけ、ひたすら大地震の映像を凝視していた。

「ねえ、みのりさん。椎名さんはなぜゲームのサイトを立ち上げたんでしょうね？」

倫子は上原の後ろ姿に向かって声をあげた。が、上原は反応しなかった。

「ねえ、みのりさん」

椅子から立ち上がった倫子は上原の左肩に手をかけた。その直後、突然上原が素っ頓狂な声をあげた。

「いた！　アルファ166！　こんなところにいたわよ！」

倫子は上原の肩越しに、モニターを見た。画面の隅に、シルバーのセダンのフロントマスクが映っている。カメラがパンすると、公民館らしき建物が映りこんでいた。黒い服を着た集団の隅に、倫子にも見覚えのある横顔が映っている。他の人間と同様、黒い服に身を包んだ椎名だった。

「あの人よ。なぜ被災地にいるの？」

13

「なぜ私の自宅をご存知なのですか？　それに監視とはどういうことですか？」

椎名は、五味に言った。

「香子ちゃんも一緒ですか。お邪魔でしたかな？」

椎名の言葉を無視するように、五味は椎名の背後に視線を向けた。

「そんなことないわ」

香子は冷静に告げた。五味は肩をすくめながら口を開いた。

「お伝えしたいことがありまして」

「部屋の中でお話をうかがいましょう」

椎名はそう言ってルームキーを取り出し、ドアを開けた。椎名の後ろにぴったりと香子が寄り添っている。椎名は先に香子を部屋に入れてから、五味を部屋に招き入れた。

「狭い部屋ですが、どうぞ」

椎名の言葉に五味は軽く頭を下げ、リビングに通じる廊下をゆっくりと歩き始めた。

「早速ですが、私に対する監視とはどういうことですか?」

リビングについた途端、椎名は口を開いた。危険な雰囲気はないが、五味と一緒にいると落ち着かない。五味は部屋の中をゆっくりと見回したあと、スーツのポケットから紙を取り出し、丁寧にテーブルの上に広げた。

「これをご覧になってください」

「何ですか?」

五味の言葉に促され、椎名はA4の紙を凝視した。見覚えのある顔が出ていた。

「これは……」

「来週月曜発売の『週刊潮流』の巻頭特集ページです」

「これから出る週刊誌のページがなぜここに?」

「先ほど校了したばかりのゲラ刷りのコピーです。この手のゲラ入手も仕事の一つでしてね」

『週刊潮流』は払方町の近く、牛込《うしごめ》北町にある老舗《しにせ》出版社・潮流社の看板週刊誌だ。

椎名は大写しされた顔写真に見入った。

「近藤司《つかさ》さんじゃないですか」

「そうです。新興レコード会社、アビエント・エンタテインメントの専務兼エグゼクティブプロデューサー。人気R&Bシンガーのほとんどを手がけた名物クリエイターです」

「どうして近藤さんが?」

椎名はそう呟きながら、顔写真横の見出しに目を向けた。

「カリスマクリエイター、脱税手腕もカリスマ級」――。

椎名は、記事に目を転じた。テレビ局の歌番組にアビエント社所属アーティストは欠かせない。近藤は所属シンガー派遣に便宜をはかる見返りとして、年間三億円近くの裏金をテレビ局やイベント会社に要求。不法に得た所得を計上せず、海外口座に分散管理させていた、という。

「本当の話ですか?」

記事に目を通しながら、椎名は唸《うな》った。五味は抑揚のない声で告げた。

「『週刊潮流』は飛ばし記事を載せないことで定評がある媒体です」

五味はニヤリと口元を歪ませた。

「まずいよな……。海外口座に分散しても必ず足跡が残る」

椎名はポツリと呟いた。

「その通りです」

椎名の手から記事を取り上げながら、五味が低い声で言った。椎名は五味の顔を凝視した。

「なぜ彼が私の新規ビジネスの顧客になることをご存知なのですか？」

「近藤さんのクルマをご存知ですか？」

「たしか、ランチア・デルタのエボリッツィオーネ」

「その通りです。デルタのインテグラーレ九五年型、エボリッツィオーネⅡ、後期型」

五味はイタリアの希少車の年式とグレードをすらすらと言った。

近藤は無類のラリー好きだ。椎名は銀行マン時代、往年の世界ラリー選手権のビデオをあらかた見た後に近藤に営業をかけた。ラリー人口の少ない日本ではほとんど話し相手がいない、そう言って喜んだあと、大都銀行が提供した高利回りのハイリスク商品を五億円分購入した実績があった。

「近藤さんのパーツ管理はすべて私が行っています」

「なるほど、そういうつながりでしたか」

「一昨日、イエローのデルタ向けのフェンダーを納品したとき、椎名さんのことをお話しになっていらっしゃいましてね」

「そうでしたか」

「ここだけの話ですが、近藤さんは今回、社内の不満分子に刺された気配が濃厚です」

五味はゲラを丁寧にたたみながら言った。

「なぜ、そこまで教えてくれるのですか？」

椎名は五味の真意を探ろうと、わざと間の抜けた声を出した。

「だからイタ車好き同士のよしみですよ」

「マンション下の警視庁の面子《メンツ》とやらは、なぜ私のところに？」

「近藤さんのアドレス帳を取り上げたようですね。何らかのつながりがあるとみて、行動を監視しているようです」

「そういうことか」

「何がそういうことなの？」

香子が首を傾げながら訊いた。

「いや、池本会長の案件を片付けたとき、捜査二課にはたいそう恨まれましてね。半年間、毎日尾行された経験があります」

「そのお話は有名ですよ、椎名さん」

五味が言った。椎名は五味の顔を覗きこんだ。

「私の何をご存知なのですか?」

「武勇伝ですよ。池本会長を守るために、七海ファイナンスの女性社員をホステスに化けさせて、警察庁《サッチョウ》と警視庁《サクラダモン》のキャリアをはめた一件です」

「まあ、その通りです」

椎名は後頭部を掻いた。信濃町の大学病院での池本との面会シーンを見ただけで、五味は徹底的に調べ上げてきた。

「私のお客様の中には、捜査関係者の方々もいらっしゃいましてね。ですから、今回の近藤さんの一件はなるべく早くお耳に入れたほうがよいと思いましてね」

「アドレス帳を持っていかれたとなると、私とのカネの出入りも既に警視庁につかまれている公算が大、ですね」

「恐らくそうでしょう」

「警察って、そこまでやるの?」

「もちろんだ。詐欺や汚職、狡猾《こうかつ》な経済犯担当の捜査二課の執念はすごい。王様を真っ正面からパクろうとするくらいだからな。まあ、俺の場合は七海の退職金しか口座に入っていないからどこをひっくり返しても何も出てこない」

　椎名は肩をすくめながら答えた。

「新規のビジネス、まだ近藤さんからの入金はなかったのですね？」

　五味が探るような目つきで尋ねてきた。椎名は頷いた。

「それでしたら、監視態勢も早晩解かれるでしょう」

「今回は貴重な情報、ありがとうございます」

　椎名は膝に手をつき、深く頭を下げた。

「いえいえ、とんでもない。これをご縁に、ぜひ私とも仲良くしてください。何かとお役に立てることがありそうです」

　五味は大げさな素振りで手を振ると、立ち上がった。

「あ、そうだ。香子ちゃん、明日は将棋クラブの営業はある？」

　リビング出口近くで、五味は突然振り返った。

「ええ、午後には開けるつもりです」

「久しぶりに奥の院に行きたいものでね」

　五味は右手の中指と人差し指を重ね、将棋の駒を摘《つま》む仕草を見せた。香子はにっこりと笑みを浮かべた。

「それでは、また機会がありましたら」

五味は右手を上げ、出ていった。

「借りが一つできたな」

五味を見送ったあと、リビングに戻る廊下の途中で椎名は呟いた。

「ビジネスに混ぜてあげたら？」

「もう少し様子を見てからだ。完全に信用したわけじゃない」

「そんなに怪しい人じゃないと思うけど」

「だといいがな。いずれにせよ、彼にサイトの本当の旨みを教えるのはまだ先だ」

「そうやって池本のお爺ちゃんや他の強欲なお客さんたちも焦らしたの？」

「焦らしたわけじゃない。慎重、いや、俺が臆病なだけだ」

そう言った直後、椎名のジーンズの尻ポケットの中で携帯電話が震え出した。

「どうした？」

〈椎名さんの所は大丈夫？〉

電話の向こうで、荒い息を吐き出しながら城所が唐突に切り出した。

「大丈夫って、どういうこと？」

〈今、家に着いたら、部屋の中がグチャグチャ〉

「グチャグチャはいつもじゃないか」

椎名は衣類や雑誌が散乱する城所の部屋を思い浮かべた。

〈そうじゃなくて、僕のデスクまわりがグシャグシャに荒らされているんだ！〉

「デスクまわりが？」

城所の言う通り、散らかった城所邸の中でも、パソコンが設置されているデスク周辺はいつも片付いていた。

「何か盗られたものは？　それにシステムは大丈夫か？」

〈フィギュアは無事、システムも厳重にロックをかけているから大丈夫だけど〉

「心当たりは？」

〈ないない。だって、僕の部屋に入っても金目のものといえばフィギュアだけだし、システムのことは誰も知らないはず〉

「とにかく警察を呼ぶんだ」

椎名は電話を切った。香子が怪訝な表情を浮かべながら言った。

「どうしたの？」

椎名はかいつまんで事情を話した。

「キドちゃんのところに空き巣？　誰が、何の目的で？」

「わからない」

そう言ったきり、椎名は口を閉ざした。

〈気をつけろ〉——。

池本の言葉が頭の中でこだました。同時に、椎名は背中に悪寒を感じた。

14

「なぜあの男が柏崎に？」

倫子はもう一度首を傾げた。画面下の日付カウンターを覗くと、二〇〇七年七月一九日・午前一一時の表示があった。

「ちょっとうるさいわよ！」

編集機のジョグダイヤルに手をかけたまま、上原が倫子に怒声を浴びせた。

倫子は黙って上原の肩越しにモニターを見つめた。上原は公民館脇に停まったアルファロメオの画像をストップさせると、ナンバープレートを中心に画面を拡大し、冨山に顔を向けた。

「冨山君、ナンバーを照会して」

「了解」

冨山は素早くメモをとり始めた。

「練馬《ねりま》・330　○▲ー△□……ですね。持ち主と現住所を確認すればいいですか？」

「ええ、恐らく我々のターゲットに間違いはないと思うけれど」

「知り合いの警察官《サツカン》に依頼します」

冨山は携帯電話を取り出すと、先ほどのかすみ銀行広報マンのときと同様、掌で口と端末を覆いながら何やらごそごそと話し始めた。

警察外部の人間がナンバー照会などたやすく頼めるものではない。しかし、冨山はいとも簡単に行っている。

「愛車の車種をたまたま聞いたの。それが、この車、アルファ166」

上原は、画面を指差した。フロント・ノーズが極端に薄く、クーペのような曲線を持ったセダンだ。逆三角形のフロントグリルには、人を呑みこむ蛇、そして盾の紋章をかたどったエンブレムが付いている。

「ダージリン、私は椎名って人の何が気にかかるって言った？　覚えてる？」

「口笛、です」

「この縮刷版に、その答えが出ているわ」

上原は七月の欄に付箋を貼った分厚い東京日日新聞の二〇〇七年の縮刷版を倫子に差し出した。

「ここに何か口笛のヒントがあるのですか？」

倫子は東京日日新聞の中越沖地震の特集ページを開きながら上原を見た。上原が無言で頷いた。

「◎レスキュー隊員が涙　母娘救出かなわず、胎児も死亡——ドラえもんの歌が途絶えた」

付箋は、見出しの横に付いていた。倫子は記事を小さな声で読み始めた。

「……一六日午前、中越沖地震で新たな犠牲者の身元が確認された。同日朝、病院に出かけると言って行方不明になっていた椎名秀美《ひでみ》（三五）さん、長女の真佐美（七）ちゃんが相次いで同市新花町《しんはな》の倒壊した味噌店で遺体となって発見された。これで地震による死者は一七名となった。また、秀美さんは妊娠八カ月で胎児の救出もかなわなかった……」

倫子はリードを一瞥したあと、上原の顔を見た。先ほどまで左眉を釣り上げ、苛《いら》立《だ》ちを隠さなかった上原の表情が一変している。大きな目がうっすらと赤みを帯びている。倫子は紙面に視線を戻した。

倒壊現場となった老舗味噌屋の写真では、建物の一階部分が跡形もなく消えている。奇妙な形に反り返った瓦屋根の先端が地面に接しているほか、もう一方の屋根の先端は白い軽自動車を押し潰している。揺れのエネルギーが、古い家屋の太い柱を真っ二つにしたことがわかる。

記事によると、味噌屋の倒壊に巻きこまれた母娘のうち、娘は助かる見こみがあったという。消防本部のハイパーレスキュー隊員の談話では、建物が倒壊してから三〇分後に現場に到着した隊員たちの耳に、女の子の歌声が響いた、と記されている。

〈ドラえもんの歌がかすかに聞こえたので、五人の隊員が必死で瓦礫《がれき》を掻き分けた〉——。

だが、震度4程度の余震が頻発する中、救助活動は難航を極めたという。特に、雪国の風雪に耐えるべく、重い屋根瓦をのせていた旧家の倒壊の度合いは激しく、二次災害発生の危険性を考慮したため、救助活動はたびたび中断したと記事は触れていた。

〈ドラえもんの歌が途切れがちになったため、何人かの隊員が「がんばれ」「今、助けにいく」そう叫びながら瓦礫の山に突っこんだが、命を救うことができなかった〉――。

倫子が顔を上げると、上原はモニターに視線を固定させたまま、振り向かなかった。倫子は記事の最後の部分に目を向けた。

犠牲者の祖父のコメントだった。

〈皆さまのご尽力に感謝します。真佐美はドラえもんが大好きでした。娘と東京から戻った当初はなかなか友達もできず、ドラえもんが孫の心の拠《よ》り所《どころ》でした。地震のあとでも、ドラえもんが助けに来てくれると思ったのではないでしょうか〉――。

「かわいそう……七歳の子供が助けを呼んで助からなかった……かわいそうすぎるよ」

縮刷版を抱えたまま、倫子がそう呟いた時だった。モニターを凝視していた上原が突然振り向き、倫子のスーツの襟首をつかんだ。

「かわいそうなんて絶対に言うんじゃない」

倫子は何が起こったか理解できず、両眉を釣り上げたすさまじい形相の上原を見た。

「もう一度言う。この仕事を続けたいなら、かわいそうだなんて言葉は絶対に使うな」

いつものおネエ言葉ではなく、男言葉で怒鳴った。ちょうど電話をかけ終わった冨山があわてて倫子の襟から上原の手を引き離した。

「上原さん、どうしたんですか？」

「この子があんまり甘っちょろいことを言うから……」

上原は倫子の目を睨みつけたまま、肩で息をついた。

「僕もチラっと聞いたけど、上原さんが言う通り、報道に携わる人間がかわいそうなんて言葉を使うべきじゃない」

「……だって、この記事を読んだらあまりにも痛ましい話だったので……」

「新聞でもテレビでも、現場の惨状を伝えるのが僕らの仕事だ。特に、上原さんみたいにあちこちの現場に立ち会った人は、感情を押し殺してカメラを回し続けているんだ。プロ意識だよ。そりゃ、災害に遭った人達は気の毒だ。でも、僕らはありのままの出来事を伝えなきゃいけない」

「私達が撮った映像は、二、三週間もすれば、一般の視聴者が飽きてしまうシロモノかもしれないの。でもね、私情を殺して撮り続け、被災した人達の目をとらえることができれば、視聴者の心を少しでも動かすことができるの」

上原は一気にそう言った。

「ごめんなさい、ダージリン」

頭を大きく振った上原がポツリと呟いた。

「でも、あなたのその甘い意識が消えないうちは、プロとして認めないわ。大地震や戦争の惨状に直面した一般の人たちは、遠くを見るように目が泳いでしまうの。悲惨な状況から目をそらしたい、でも、なんとか復興に向けて動き出さなきゃならない。その葛藤が遠くを見るような視線になるの。そんな状態におかれ、無言で闘っている人達にかわいそうだなんて、口が裂けても言えないわ」

上原は倫子に対して吐き捨てるように言うと、冨山に体を向けた。

「それで、ナンバーは割れたの？」

冨山は頷くと同時に、記者手帳を引きちぎって上原に差し出した。

「ビンゴね。やはりあのアルファ、そして映っていた横顔はあの男だったわけね」

上原はメモを握り締めながら呟いた。

また上原に怒鳴られた。編集室の床を見つめた倫子は奥歯を嚙《か》み締めた。

上原が言う通り、自分は安易に「かわいそう」という言葉を使い続けてきた。ピピ島のシンチャイは、現在でも焦点の合わない視線で、遠くを見つめ続けている。そんなシンチャイに、自分は無神経にも「かわいそう」という言葉を連発してきた。彼女を救うどころか、むしろ傷つけてきたのだ。悔しさで涙がこぼれ落ちそうだった。倫子は懸命に奥歯を嚙み締めて、耐えた。

猛烈な後悔の気持ちが湧き上がってきた時、上原がなぜ「口笛」にこだわったのか、倫子は閃《ひらめ》いた。

「無意識のうちに吹いていた口笛って……もしかしたら」

「そう、ドラえもんのテーマソングだったのよ」

上原がぽつりと言った。倫子は上原を押しのけ、編集機のジョグダイヤルをつかんだ。

倫子が静止画を動かすと、画面上のアルファロメオから、カメラがパンした。

公民館らしき建物の周囲に喪服に身を包んだ五〇～六〇人の人間が集まっている。公民館の玄関脇には、「忌中」の札がかけられ、その横に「故・椎名秀美、真佐美葬儀」との立て看板がかかげられている。その後、公民館から出てきた禿頭の老人が玄関脇に立ち、集まった人間に挨拶を始めた。この時、画面が揺れた。日本橋テレビだけでなく、在京キー局、地元局のカメラが喪主の挨拶にフレームを合わせようと、もみ合ったのだと推測できる。

カメラのフレームがずれ、モニターは公民館脇のアルファロメオをもう一度映した。群衆の一番外側。遠い視線で空を見つめ続ける椎名の横顔がフレームに収まっていた。

第4章　窪《くぼ》み

1

「お産で里帰り中に家族が被災したなんて。椎名さんはどうやって立ち直ることができたんでしょう？」

大手町《おおてまち》を出たタクシーの中で、倫子はメモ帳を見ながら溜息《ためいき》をついた。

「それは……本人にしかわからない。でも独身の僕でも、仲の良い姉、そして家族が同じ目に遭ったらと思うと、気が狂いそうになる」

冨山は腕組みをしたまま目を閉じている。

日本橋テレビ編集室で椎名の過去を知った倫子は、冨山に頼みこんで椎名の経歴をたどった。一週間後、倫子は冨山とともに大手町のかすみ銀行本店に赴き、旧大都銀行出身の広報マンの紹介で椎名をよく知る人物に会うことができた。二人は、七海ファイナンスを追われた椎名に極めて同情的だった。

〈冷静で切れすぎたことがあいつの命取りになった〉――。

若白髪が目立つかすみ銀行の本店総務部勤務の友人は繰り返しそう言った。

大都銀行時代、椎名は都内営業店での勤務を経たあと本店勤務に回され、大都が抱えていた負の遺産整理に駆り出されたという。

椎名は、占有屋と呼ばれるヤクザ者との交渉のほか、バブル紳士と称された土地成金達から徹底的に回収を進めた。その後は、リテール掘り起こしの大号令の下、営業部隊に配属された椎名は大都が外資系金融機関から仕入れたヘッジファンド商品を富裕層向けに売りさばき、実績を上げ続けた。

総務部勤務の友人によれば、大都がかすみ銀行に吸収合併されることが決まった際、椎名などの優秀な営業マン、エコノミストやディーラーらマーケット系の人間が真っ先に取引先企業への転籍を打診されたという。

揺れのひどいタクシーの中で、倫子は懸命にメモ帳の文字に目を凝らしながら、冨山に訊《き》いた。

「切れる人間、優秀な人材ほどかすみ銀行側が嫌ったということですか？」

「あそこは旧財閥系の保守的な公家《くげ》集団だ。とんがった人材を嫌う。椎名氏のように腕っ節で稼げる奴がいない。だから、吸収した側の強みを悪用して、真っ先に追い出しにかかったということさ」

倫子はメモ帳の「かすみBK」という文字に大きなバツ印を付けた。

人事管理部に勤務するスポーツマンタイプの別の行員によると、椎名は大都銀行の取引先の一つ、築地の鉄鋼専門商社の経理部次長のポストを用意された。当然のこととして、大手都銀と比較した場合、手取り収入は激減することになる。椎名は、外資系銀行や外資系証券の富裕個人層向けの営業職を探したが、空きポストはなく、実績次第で銀行並みの給料を得られる七海ファイナンスへの転職を決意したという。

七海の池本会長と営業を通じて個人的なつながりがあったことから、業態の最下層と蔑《さげす》まれていた業界にあえて転じた、とこの友人は語った。買ったばかりのマンション、娘の教育費、さまざまなコストや家族の生活を考え、椎名は商社という「名」ではなく、生活レベルをキープできるサラ金という「実」を選んだ、とも言った。

「しかし、新潟という保守的な土地柄までは読み切れなかった、ということですね。新潟は親戚や友人達の評判をことのほか気にする土地柄ですから」

「だろうな。奥さんの父親が警察官、しかも県警の幹部だったらなおさらだ」

倫子は、融通のきかない何人かの新潟県警幹部部、県の幹部職員の顔を思い浮かべた。地元紙、地元テレビの地元出身者を露骨に優遇する風潮がたしかにあった。椎名が予想外の事態に直面し、困惑したのは間違いない。

〈「商社よりサラ金を選んだバカ婿《むこ》」、椎名の義父は何度も繰り返し椎名をなじったようだ〉――。

総務部勤務の友人は唇を嚙《か》みながら、倫子にそう告げた。

椎名が七海ファイナンスへの転職を決めたあと、柏崎から妻の父親が怒鳴りこんで来たことさえあったという。妻の父は、娘を銀行マンに嫁がせたのであって、「サラ金地獄」「多重債務者」を生んだ業界に、自分の身内がいることが許せないと言い放ったそうだ。義父は何度も娘に離婚をすすめた。第二子を椎名の妻が身ごもった時は、半ば強引に里帰りを求め、それが結果的に悲劇につながったのだ。

「私が新潟って言った時、椎名さんは一瞬ですが固まりました。知らなかったとはいえ、残酷なことを言ってしまいました」

「それは仕方がないことさ。田尻さんのせいじゃない」

「たしかに椎名さんの転職は意にそわないことだったかもしれません。でも、葬儀の場でも椎名さんを罵倒するなんて。人間はそこまで残酷になれるものでしょうか?」

「県警幹部《サツカン》としての体面がそうさせたのか、それとも人間的に冷酷な奴なのか。実際に会ってみないと僕には判断がつかない」

〈椎名にとって、娘の真佐美ちゃんは宝物。生まれてくる子も楽しみにしていた〉――。

スポーツマンタイプの人事マンはそう言った直後、下を向いた。倫子が新潟と言った時、椎名はさまざまな思いを胸に抱いたに違いなかった。

「ニュー新橋ビルを過ぎましたが、このあとはどう行けばよいですか？」

倫子はタクシー運転手の声で我に返った。倫子はトートバッグからプリントアウトしてきた地図を取り出すと、運転手に見せた。信号待ちの間に運転手は地図を凝視し、新橋駅前烏森口の飲食店街をゆっくりと走った。

「ランチタイムも終わった時間だから、将棋クラブは空《す》いてるんじゃないのかな。でも、取材で手を抜いちゃだめだよ。椎名って人がいくらかわいそうでも」

街並みを見ながら、冨山が呟《つぶや》いた。

「わかってます。大丈夫ですよ。でも、いきなり行って、あの気の強そうな香子って人に怒られませんかね？」

「なぜ彼女が椎名氏とサイトを作るのか、ヒントくらいはもらえるだろう」

冨山がそう言った直後、タクシーが雑居ビルの前で停車した。

「将棋クラブの看板があります」

車を降りた倫子は、黄色の小さな看板を指さした。会計を済ませた冨山が顎をしやくり、二人が雑居ビルに足を踏み入れようとした時、停車中のタクシーの真後ろに黒い大型セダンが停車した。どこかで見たような形、大型の外車だ。倫子は一瞬、首を傾《かし》げた。

「冨山さん、行きましょう。でもこのビル、エレベーターが故障してますね……」

冨山は黒いセダンを一瞥《いちべつ》したあと、倫子の声に反応して肩をすくめた。

「何らかのヒントを得るんだ。とにかく行こう。このネタは、もしかしたら電子マネーの新たな闇を描き出すかもしれない」

倫子は大きく頷くと、狭い階段を上り始めた。

2

「これで三〇〇〇万円分の手数料ゲット！」

新宿区払方町、椎名の自宅マンションの壁際の作業スペースで、新たに手に入れた中古の大型モニターを睨《にら》んでいた城所がいきなり叫んだ。

リビング中央のローテーブルでプリントアウトされたエクセルのデータと格闘していた椎名は、城所の丸い背中を見て、息をついた。

「三〇〇〇万円分かあ。最大の顧客、池本会長のポイントが無事に中国に渡ったということだな」

「三億円分のポイントだから、さすがにロットがデカい。でも椎名さんが効率よく『穴熊』や『雁木《がんぎ》囲い』のアイテムごとにカネを振り替える一覧表を作ってくれたので、無事にトランスファーできたよ」

三人が作り上げた将棋のオンラインゲームサイト「新橋将棋クラブ」。サーバーの設置からゲームの開発、アイテムの値段表作り、サイト運営会社の法人登記、ポイ・チェンとの業務提携などの多岐にわたる雑多な作業を経て、椎名のリストに載る強欲な金持ちを集めるサイトの体裁がほぼ出来上がった。

最近の椎名は顧客リストをエクセルに落とし、顧客のカネをいかに効率的にアイテム購入に充て、ポイントに換算するかという準備作業に追われていた。

城所は何度もたまプラーザの自宅と払方町を往復した。また、秋葉原と池袋、新宿のパソコン専門店や家電量販店を駆け回り、さまざまなケーブルやソフトを買ってきては、椎名の自宅マンション、リビング隅の仮設の作業場に持ちこみ、テストを繰り返してきた。空巣による被害がなかった城所は、すぐに今までのペースをとりもどしていた。

香子は五日間将棋クラブを臨時休業させ、椎名のベッドルームに籠り、戦法や詰め将棋のソフトとの睨めっこを続けた。

そして昨夜、三人の担当分野の大方の作業が終了した。その後、テストとして椎名の退職金、四〇〇〇万円を使った。

新橋将棋クラブからの領収書を個人名義のメールアドレスで受け取り、契約を済ませた椎名は、購入したアイテムをサイト内の「アイテム↕ポイント」のファンクションでポイントに交換。この動作のあと、椎名は新橋将棋クラブの業務提携先、ポイ・チェンのサイトに画面を切り替えた。

ポイ・チェンのサイトの中から「オンラインゲーム」の項目を選ぶ。その次は、ポイ・チェンのサイト内で「交換したい先」の項目に行く。ポイ・チェンが業務・資本提携を果たしたポイントトネットワーク・ドットコムを呼び出すと、椎名は迷わず「交換実行」のボタンをクリックした。

ポイ・チェンの中のアカウントはゼロの表示となった。五秒後、ポイ・チェンとポイントトネットワーク社からそれぞれポイントの移動、トランスファーが実行された旨の確認メールが届いた。

この間、五分だった。新宿の片隅、古い住宅街のマンションの一室で椎名の現金《リアルマネー》がポイントという電磁情報に姿を変えた。その後は一度も銀行口座に情報を載せることなく、椎名のカネは海外に渡った。あとは、中国人御用達のカード「銀峰」の決済用に現地銀行に入金すればよい。この作業のために、椎名は銀行員時代のツテをたどり、中国法人にいた優秀な元行員をスタッフとして確保していた。椎名は既にこのカードを持っている。急速に決済網が広がる日本で、いつでも金を使うことができる。新橋将棋クラブの客には、予《あらかじ》めこの仕組みを説明済みだ。

動作を最終確認し、成功を目の当たりにした三人は、近所の終日営業のスーパーで安いシャンパンを買い、つつましく乾杯して翌日からの本格的な業務開始に備えた。城所は、自宅に戻る手間を惜しみ、椎名のマンションに泊まった。香子は、一部の常連が文句を言っているからと、新橋のクラブを開店させるといい、帰宅した。

「三〇〇〇万円の手数料、頭数で割れば一〇〇〇万円。まずは順調な滑り出しかな」

城所が声を弾ませた。たった今、新橋将棋クラブのサイトの実質的な顧客第一号、池本大吉の三億円が無事海外に渡った。昨夜、システムの稼動確認をしていたとはいえ、額が大きい。ポイント交換各社と将棋クラブの確認メールをそれぞれチェックした椎名は、安堵《あんど》の溜息《ためいき》をついた。

「目立ったバグもなく、よくここまでこぎ着けたな」

椎名は、冷蔵庫から一・五リットル入りのペットボトルを取り出した。

「コーラでも飲んで一息入れてよ」

「了解。新橋で早指し対局中の香子さんもうまくやってくれています」

城所は、画面を「対局中」のモニターに切り替えた。画面が一〇分割され、小さなウインドーの中に一〇個の将棋盤が映った。それぞれの画面の中では、駒がせわしなく動いていた。

椎名は無造作にボトルをテーブルに置いた。ゴツンと鈍い音が響いたのを聞いて、城所が作業を一旦止め、振り返った。

「しかし、池本会長のような超が五つくらい付くお金持ちは別として、一〇〇〇万、二〇〇〇万っていうお金をポンポン出してくれる客が結構いるもんだね」

城所が肩をすくめ、言った。

「だから我々のようなアイディアをビジネスにした起業家が儲《もう》けることができる。法の抜け穴サマサマだ」

「これで新橋将棋クラブの売り上げはトータル三〇四〇万円。でも、目標の三〇億円にはまだまだ届かない。気を引き締めて続きをやろうよ」

城所が表情を引き締めた。

「次は誰のカネを合法的に渡航させる順番だっけ?」

椎名が訊くと城所が答えた。

「医療法人の三代目オーナー。渡航するカネは一億円」

城所はコーラをゴクリと飲んで作業スペースに戻った。椎名の作成した名簿とメモを見ながら、すさまじい速さでキーボードを叩《たた》いた。

三分後、椎名の手元のノートパソコンに三通の確認メールが届いた。椎名は口元を弛《ゆる》めた。

「これで、売り上げが四〇四〇万円。今日はあと二、三件、渡航客を向こう岸に渡そうか」

椎名はそう言って手元のパソコンに見入った。しかし、城所の返答がない。椎名は作業スペースに目を向けた。城所が首を傾げている。

「どうした？」

「ところで、一人頭一〇億円、それに一年以内でビジネスを撤収することを決めたけど、我々が得た所得、税務署にはどう報告するの？」

「もちろん、適正に経理処理する。我々のモットーは違法行為なしだから」

「だけど、一〇億円の稼ぎ、申告したら半分は持っていかれちゃうよ」

「そんな愚は犯さないさ。我々の表の手取り収入は月額換算一五万円程度にする予定だ。あと新橋将棋クラブの売り上げの大半はサーバー代やアイテムの管理料として経費に計上。最後は倒産させるんだ」

「月額一五万円って、今の収入より少ないんだけど」

「何を寝ぼけたことを言ってんの？　我々のサイトは、カネを海外に渡航させてやるのが本業だろ」

「あ、そうか。我々の本当の儲けも、お客さんと同じように海外に移せばいいんだ！」

「そういうこと。でなきゃ、我々には何の旨《うま》みもない」

椎名は携帯電話を取り上げ、池本の番号を呼び出した。

「つい一〇分ほど前、この前お預かりした三億円を中国に、どこにも足跡を残すことなく移しました」

〈そうか。こっちは退屈な病室で香子に早指しの相手をしてもらっている。ところで三億と言ったが、設備投資用に渡したカネはどうした？〉

「その分も含めて三億円です。会長の個人用のメールアドレスに確認のメールと領収書が届いています」

〈わかった。また一〇億円程度頼むことにしよう〉

「毎度ご贔屓《ひいき》に、ありがとうございます。早めになさった方が良いかと。我々は早めに店を閉じる予定ですので」

〈その方がいいだろう〉

「ありがとうございます。会長のオーダー分は最優先で処理させていただきますので、追加のご注文を是非とも」

〈ああ、望み通りにしてやるよ。だがな、絶対に油断はするな〉

「油断ですか」

〈どこから情報が漏れるかわからん。旨い汁を吸おうと近づいてくる奴も出てくる。この前、病院で会った男は大丈夫なのか？〉

「あの男は五味という男で、よろず屋と称しておりました。何度か接触しましたが、今のところ我々の邪魔をするような素振りはありません」

〈それならいいが〉

池本はそう言って電話を切った。

携帯端末を閉じながら、椎名は五味の顔を思い浮かべた。今のところ危い兆候はない。むしろ、近藤経由で警察に睨まれるリスクを切り離してくれた。今後、五味とどう接するか。顧客リストに目を通しながら椎名は考え始めた。

3

「へえ、将棋クラブってこんなふうになっているんだ」

会議机のような簡素なセットが並んだ光景を目にした途端、倫子は小さく驚きの声をあげた。作業服姿の中年男性とスーツ姿の若者が薄い将棋盤を挟んで対局している。倫子は周囲を見回したあと、冨山に顔を向けた。

「香子さんはどこでしょうか？」

「あの奥の扉の方じゃないのかな」

冨山が顎をしゃくった方向に、曇りガラスで仕切られた一角があった。倫子は簡素な机の間を縫ってクラブの奥に足を向けた。

「こんにちは」

曇りガラスを軽くノックしたあと、倫子は引き戸を開けた。

「すいません。この前、お目にかかった田尻ですが」

銭湯の番台のようなスペース。小さな手持ち金庫を膝の横に置き、場違いな液晶モニターを睨んでいた香子が倫子を見た。

「あら、どうしたんですか？」

香子は素早く台から立ち上がった。

「将棋クラブって実際に見たことがなかったので、一度見ておきたかったんです。それで取材のついでに寄らせていただいたんですが……」

倫子がそう言ったあと、冨山も倫子の肩越しに口を開いた。

「このスペースはなんですか？」

冨山が尋ねると、香子は一瞬、眉根を寄せた。

「テレビで放映されちゃ困りますけど、この場所は特殊な将棋……このクラブの特別会員向けの対局スペースです」

香子は畳一〇畳ほどのスペースに目を向け、肩をすくめた。

「特殊な将棋？ どういう意味ですか？」

倫子は焦げ茶色の重厚な脚を持つ将棋盤に目を向けながら尋ねた。

「本当にネタにしませんか？」

「どういう意味でしょうか」

「この場所は、真剣師たちの戦いの場です。真剣師ってご存知？」

「もしかして賭け将棋？」

冨山が口を開いた。香子は無言で頷いた。

「でも、最近は将棋人気が落ちていますから、平日の昼下がりはご覧のような状態です」

「それで、城所や椎名さんと組んで将棋サイトを立ち上げた？」

冨山がパソコンのモニターを覗きこみながら香子に尋ねた。倫子も冨山と同じように、画面を覗きこんだ。

「この画面で、その真剣師たちが対局しているのですか？」

倫子の視線の先、モニターの中は一〇程度の小さなウインドーに分割され、それそれに小さな将棋盤が映っている。父親が好きな将棋のテレビ中継と同じで、将棋盤を真上から映した状態の画面にさまざまな陣形を組んだ駒が並んでいる。

「サイトの中でやったら逮捕されちゃうわ。新橋の雑居ビルの中で、ひっそりやってるのとはわけが違うからね」

香子は、キーボードの右端、数字が並んだテンキーを素早く叩いた。香子がエンターキーを押すと画面の左上で、「香車」と書かれた駒が「金」の赤文字に変わった。

「これは、早指し。私が一〇人のお客さんと同時に対局しているの」

「一〇人同時に？　香子さんたった一人で？」

「そうよ」

倫子は、小さな将棋盤一つひとつに目を向けたあと、香子を見た。それがどうしたと言わんばかりの様子で、香子はテンキーを操作し続けている。ターンというエンターキーを押す音がするたびに、一〇個の小さなウインドーのどこかで駒が動いている。

「とてつもなく強いですね」

画面を見続けていた冨山が唸《うな》った。多少腕に覚えがあるらしい。

「亡くなった祖父からの直伝です」

香子は表情を変えずにそう言うと、モニター脇からクールを一本摘《つま》み、カルティエのライターで火をつけた。

「このゲームで会費を徴収する、ということですね」

倫子は目まぐるしく動く駒を見つめながら聞いた。

「そう。仕事でオフィスを離れられないウチのクラブのメンバー、年をとって新橋に来るのがおっくうになった人たちが相手なの」

香子はそう言うと煙を天井に吐き出した。

「城所がゲームの設計をしたんなら、アイテムなどの要素も入れてあるんですか?」

冨山が口を開いた。香子の左肩が少しだけ上がった。倫子は上原に倣い、取材対象者のわずかな心の変化を見逃すまいと、香子の動きに注目し続けた。

「ええ、ありますよ」

そう言うと、香子はモニターの画面を下半分だけ切り替えた。

「『穴熊』はご存知?」

香子はそう言いながら、ファンクションキーを押した。画面に「穴熊」「雁木囲い」「藤井システム」などの項目が現れた。

「アイテムをご購入いただくと、早指しの途中でこれらの戦法を組みこんだ指し手が可能になるの」

「面白そうだな。僕もゲームに参加させてもらえませんか?」

冨山が画面に視線を固定させたまま言った。

「ごめんなさい、今いる会員さんだけで手いっぱいなの」

香子はそう言うと、煙を吸いこんだ。

「香子ちゃん、いるかい?」

倫子の背後から、突然、男の声が響いた。

「時間が空いたから久しぶりに来たよ。一局指したいけど、相手はいるかな?」

倫子は声のした方向に顔を向けた。中肉中背、白髪混じりの髪で白いドレスシャツの中年男が笑顔を浮かべていた。

「こちらの方々は、お客さん?」

中年男は倫子、そして冨山の順に視線を向けた。軽く頭を下げると、男は倫子の顔をしげしげと見つめ始めた。

「あれ、もしかしたら、テレビの人ですか?」

「ええ、そうですが」

「この前、『プライムイブニング』の特集に出ていませんでしたか?」

「田尻と申します」

「やっぱりそうか。あの企画、すごく良かったですよ。辛口のスパイスが効いた素晴らしいリポートでした」

中年男は、大げさに手を広げ、イタリア人のような仕草で倫子を絶賛し、名刺を差し出した。

「私、麻布・青山界隈《かいわい》でよろず屋をやっております五味と申します」

「よろず屋さん、ですか？」

倫子がそう尋ねた直後、冨山が唐突に倫子の右腕をつかんだ。

「急ぎの用事を思い出した。局に帰ろう」

「でも、まだ香子さんのお話を聞かないと……」

「いや、本当に急ぐんだ。行くよ」

冨山は視線を床に落としながら、早口でまくしたてた。

倫子は冨山に強引に引っ張られながら、香子と五味がいる将棋クラブの奥の間を振り返った。香子は軽く会釈して、すぐにモニターに視線を向けた。傍らの五味は、にこやかに笑い、右手を振っている。

クラブのドアを出たあとも、冨山は勢いよく狭い階段を下りた。

三階と四階の踊り場で、倫子はトートバッグを肩にかけ直すと、もう一度冨山を呼んだ。しかし、冨山は歩みを止めない。倫子は溜息をつくと、手すりにつかまりながら後を追った。一階にたどりついたとき、冨山は既に小径《こみち》の歩道にいた。

「冨山さん、何があったの？」

倫子は両手を腰にあて、冨山に向かって叫んだ。冨山は、倫子の声を背に受けながら、雑居ビル前に停車している黒いセダンに目を向け、記者用の小さな手帳を掌《てのひら》にのせていた。そしてYシャツから青いボールペンを取り出すと、車の後ろに回りナンバーを控え始めた。

「冨山さん、さっきから完全に挙動不審です。いきなり帰るって言い出すし、今度は人の車をコソコソ調べ始めるし。結局、椎名さんについて何もわからなかったじゃないですか」

冨山は手帳にナンバーを書き入れると、今度は倫子のすぐ横に近づいてきた。

「ごめん、田尻さん」

「だから、ちゃんと説明してください。いったい、何があったんです」

倫子がそう言うのと同時に、冨山はビルの上、将棋クラブに視線を向け、次いで車の周囲、そして新橋駅に通じる通り方向に顔を向けた。冨山は明らかに落ち着きをなくし、依然、周囲に目線を向け続けている。

「五味さんが来てから、冨山さんおかしいですよ」

「奴は、五味修という名前のヤクザだ。それも近代ヤクザの代表格だ」

「ヤクザ？　あの人が？」

冨山のあわてぶりは尋常ではない。近代ヤクザの代表格だと言われても倫子にはピンとこなかった。

4

「新宿の外れ、それも納戸《なんど》町なんて古めかしい名前がついた住宅街にこんなおいしいフレンチのレストランがあるなんて知らなかった」

午後一時半すぎ。午前中の作業を終えた椎名は、城所を伴って自宅マンションから徒歩三分ほどの距離にある小さなフランス料理店に赴いた。大方の客がひいたあとの店で、城所はカボチャのスープ、白身魚のマリネ、リブロースのミニステーキがセットになったランチメニューを平らげた。

「この辺りはフランス人学校があり、大使館やフランス企業のスタッフもたくさん住んでいるんだ」

勘定を済ませた椎名は、レストランの白い壁とドア脇のハーブの鉢植えを見ながら言った。

六年前。大都銀行の柿《かき》の木坂《きざか》家族寮に住んでいた椎名は、神楽坂の外れの古い街並みが気に入り、払方町の築三年の中古マンションを購入していた。今日入ったビストロは、引っ越しから一週間後、妻と幼い娘との散歩中に見つけ、頻繁に食事した店だった。

顔を出したのは何年ぶりなのか。店の小さな庇《ひさし》にたなびくフランス国旗を見上げ、椎名はふと考えた。

「そんなにドラえもんが好きなの？」

シェフと話しこんでいた城所が、不意に椎名に話しかけてきた。

「ドラえもん？」

「また口笛を吹いていたからさ」

「そうか？」

「どことなく哀愁がこもっていたけど」

城所が丸い顔に笑みを浮かべながら言った。

城所は椎名が当初考えていたよりも、はるかに好人物だった。だが、所詮はあと一年程度の付き合いだ。過去のいきさつをくどくど説明してもしょうがない。まして自分の口から説明する気は起こらない。池本経由で自分の事情を知った香子が、あえてあの話を城所に教えるとも考えにくい。

椎名は曖昧な笑みを浮かべ、自宅マンションに向かって歩き出した。

「午後は何件こなした方がいい？」

狭い歩道で、城所が肩を並べながら聞いた。

「医療法人の三代目オーナーの分は終わったから、あと一件、美容室チェーンのオーナーのへそくり、九〇〇〇万円分で今日はおしまいにしようか」

「了解」

城所が素直に頷いた。違法性はないとはいえ、ポイント交換サイト側に、一日の取扱い量を急激に絞られたりでもしたら、手間仕事の量が激増して新橋将棋クラブにとっては死活問題になる。

「あれ、何でこんなところに駐車するんだ？」

町名が納戸町から払方町に変わったとき、城所がマンションの方向に顔を向けて言った。狭いマンション専用の道路にクルマが駐車してある。

「駐車？」

城所の言葉に反応した椎名は、小走りでマンションに続く小径を目指した。

「スカイラインか」

丸いテールランプを見た瞬間、椎名は吐き捨てるように言った。異変を察知した城所が背後から駆け寄り、顔を寄せてきた。椎名は近藤という数日前に逮捕された客のことについて、そして警視庁捜査二課が近藤の周辺を洗っている事実をかいつまんで城所に伝えた。

「本当にしつこいな」

椎名は携帯電話を取り出すと、表通りに引き返した。

「どうするの?」

「アイディアがある」

二人は表通りを横切り、マンション専用道路が見渡せる喫茶店に入った。

窓際の席に陣取った椎名は、マンションの管理人室に電話し、専用道路に不法駐車車両があることを告げた。加えて、所轄の牛込北署に通報するよう念を押した。

椎名はアイスコーヒーを注文したのち、通りの反対側の様子を観察した。所轄署とおぼしき制服姿の警官が自転車でマンションに乗りつけた。ほどなくして、老眼鏡を鼻にのせた住みこみの管理人が警官とともにスカイラインに近づいた。

制服警官が運転席の窓を叩くと、車の中から黒い折りたたみ型の手帳が突き出された。直後、制服警官は直立不動の姿勢をとり、敬礼した。しかし管理人は運転席に近づき、身振り手振りを交じえながら懸命に抗議し始めた。普段は杓子定規《しゃくしじょうぎ》の対応の管理人が、きょうは警視庁の車両を追い返してくれている。

ストローで勢いよくアイスコーヒーをすすった椎名は、スカイラインのリバースランプが点《つ》いたことを確認しながら、呟いた。

「よし、戻ろうか」

スカイラインが表通りを市谷見附方面に走り去ったことを確認し、椎名は席を立った。グラスの氷を頬張りながら、城所も後についてきた。

「椎名さん、よくもまあ、次から次に悪いアイディアが出てくるもんだね」

椎名は小走りに表通りを横切り、マンションの管理室に向かった。椎名が玄関のオートロックを解除したとき、ちょうど管理人室に入ろうとしていた老人が振り向いた。

「すみませんでしたね、変なお願いしちゃって」

「いえいえ、私もあんなところに車がいるとは知りませんでした」

老人は、堅い口調で言った。

「おまわりさんまで呼んでもらってお手数かけました。最近は物騒だから、知らない車があると気になるんです」

椎名は間の抜けた口調で告げた。

「椎名さん。あの車、セダンに乗っていたのは警視庁の人間だったんですよ」

「警視庁？　本当ですか？」

椎名は大げさな声をあげつつ城所を見た。

「派出所のおまわりさんが恐縮しちゃってね。本庁の刑事《デカ》さんが二人もいたものだから、お疲れさまですって最敬礼していました」

「それで、どうなりましたか？」

「令状ないなら敷地から出ていってくれって言ってやりましたよ」

「さすが管理人さんだ。で、本庁のどこの部署の刑事さんでしたか？　よくドラマであるじゃないですか、捜査一課だ、二課だって」

「長ったらしい名前でしたよ。たしか組織なんとかって言っていましたね」

「組織なんとか？　捜査二課じゃなかった？」

椎名の問いかけに、老管理人は強く頭を振った。

「組織……もしかしたら組織犯罪対策四課、ですか？」

「そうそう、それです」

「『組対《そたい》』だって？　なぜだ」

管理人の顔を凝視しながら、呟いた。五味の説明によれば、アビエント社の近藤の容疑を裏付けるため、椎名を含めた関係者の背後を捜査二課が洗っているはずだ。しかし、張っていたのはあの夜も、そしてたった今も同じスカイラインだった。

「ソタイ、組織犯罪対策四課って何？」

不安げな表情で、城所が椎名の顔を覗きこんだ。

「組織犯罪対策課……マル暴だ」

「マル暴？」

「そう、マル暴だ。昔の警視庁刑事部捜査四課、暴力団専門」

椎名は、そう言ったあと管理人室のドアを見つめたまま、立ちすくんだ。

5

「新橋でなぜ直接取材しなかったんですか？」

日本橋テレビ本社、ほぼ冨山の専用個室と化した編集室に着くなり、倫子は冨山に詰め寄った。だが、冨山はパソコンの電源を入れたのみで、なかなか口を開かなかった。

「ねえ、冨山さん」

「直接取材だなんて、勘弁してくれ。僕だって命は惜しい。まずこの表を見て」

冨山はノートパソコンを立ち上げ、ドキュメントファイルのボックスから「分布図」と名前がついたアイコンをクリックした。

「日本地図ですか？」

倫子の眼前には、イラストで簡略化された日本地図がある。全国四七都道府県が区切られ、西日本が赤、東日本が白で色分けされている。

倫子は出身地東京に目を向けた。静岡、神奈川とともに、東京は赤でもなく、白でもない、ピンク色で表示されていた。

「なぜ、東京と神奈川、静岡がピンク？　しかも東京はピンクが点滅しています」

「激戦区だからさ」

倫子はもう一度、画面を凝視した。すると、冨山はもう一度エンターキーを叩いた。日本地図に細かい文字が加わった。倫子は再度画面を見つめた。「何代目なにがし会」「なにがし連合一家」との細かいフォントが目に飛びこんできた。

「これは暴力団の勢力図ということですか？」

「そうだ。赤は大阪拠点の天王寺《てんのうじ》連合。白は天王寺連合が進出していない地域」

「激戦区というのは、天王寺連合が他の勢力と揉《も》めている所ということですね」

西日本優数の暴力団が一貫して関東進出を計画していることは、その筋の情報に疎い倫子でさえ知っている。

「白い勢力が徐々に少なくなっていますね。それだけ天王寺の力が強いということ？」

「ああ。ヤクザは巨大企業と同じでね。最近は経済活動でシノギ、つまり利益をあげている。年間の売上高は世界的な大手家電メーカーに匹敵するという試算まであるほどだ」

「多額のマネーを武器に攻め入ろうということですね？」

「その通り。ただ、関東の組織も指をくわえて見ているわけじゃない。必死で戦っている。ただ、ある老舗《しにせ》在京組織が天王寺連合の傘下に入り、東京の白はピンクに変わった」

倫子は、画面上で何度も点滅するピンク色を見つめた。

「それで、彼はどちら側なんですか？」

「白い方」

「関東地域、東京の暴力団となると……」

「城西地区を勢力下に置く大川《おおかわ》連合会、城北、城東地区を縄張りにする汐見《しおみ》会。五味は汐見会のエース候補だ」

主要官庁の事務次官レース、あるいは巨大な自動車会社の次期社長候補の名を挙げるように、冨山は五味をエースと称した。

「さっき近代ヤクザの代表格だと言ってましたけど、どういう意味ですか？」

「経済を使うのさ。今の世の中、ヤクザの世界でもカネがモノを言う。五味は、汐見会を広域暴力団に押し上げた故汐見次郎《じろう》会長の秘蔵っ子だ」

「秘蔵っ子？」

倫子は問い返した。冨山がノートパソコンを引き寄せながら語り始めた。

「今から一五年以上前、日本の大手証券が損失補塡をやらかして大問題になったことがあった。その時、ある大手の口座から、汐見会長の専用口座が出てきて大騒ぎになったことがある」

「たしか、大手スーパーの株買い占め事件でしたっけ?」

倫子は記憶の糸を辿《たど》りながら言った。冨山がそうだと頷いた。

「汐見会長指示の下、スキームを作ったのが五味なんだ」

「スキームって、投資銀行の提案書みたいですね」

「そうだな、近代ヤクザは投資銀行のバンカーみたいなもんだ。法の抜け穴を探しだし、誰も手を付けていない分野でビジネスを立ち上げ収益をあげる。バンカーは法律事務所の意見書を取り付けて商売するが、五味は組織の力を背景に商売する」

「例えば覚醒剤とか闇金融とか」

「今どき、五味みたいな人間があんな儲からないことはやらないよ。彼が扱うネタは、ゼロの数が違うよ。彼が画を描いたとされる案件はたくさんある」

冨山は別のファイルを画面に表示した。倫子は食い入るように見つめた。

普段倫子が株式市況を書く際、株価ボードでお馴染《なじ》みの上場企業の名前がずらりと並んでいる。「転換社債型」「MSCB型」「第三者割当増資型」……金融再編前の都市銀行、老舗のスポーツ用品製造会社、専門商社など一流企業の資金調達手法《ファイナンス》とともに、冨山が独自に調べたであろう資金の流れが克明に記されている。

「ケイマンやバージン諸島なんかのタックスヘイブンのペーパーカンパニーを迂回《うかい》したカネが、回り回って汐見会傘下のフロント企業に還流する仕組みだよ」

「還流？」

倫子は一覧表を見た。ざっと数えただけでも一五社以上。各ファイナンスに金額のばらつきはあるが、数十億円から数百億円規模まで巨額の資金調達であるのは間違いない。このうちの何割かが五味、そして汐見会に還流していて、それらを累計すれば中堅上場企業の年間売上高に匹敵するだろう。どれも老舗だが、最近は業績が芳しくない企業ばかりだ。

「今どきのヤクザは、持ち株会社、つまり広域組織のトップに上納する金をいかに多く調達できるかが組織内での発言力に直結する。昔ながらの用心棒代、債権回収や高利貸しは稼ぎに限界がある。五味のように億のケタの金を効率良く動かせるかが決め手なんだ」

倫子が抱いていたヤクザのイメージは、古い東映映画に出てくるような目つきの鋭い、恰幅《かっぷく》の良い角刈りの中年男性だったが、冨山の資料を目の当たりにして、見方は一八〇度変わった。先ほど会ったばかりの五味は、麻布周辺のレストラン、あるいはセレクトショップのオーナーとまったく見分けがつかない。

「有名企業だけじゃない。彼はベンチャー企業にも通じている」

「ベンチャー企業？」

「例えば、大学院を出たばかりの若者で、起業に向けた準備を進めているような連中に近づいて、事業資金を提供するようなこともやっている」

「事業資金の提供？」

「そうだ。若い起業家のビジネスが軌道に乗り、東証や大証のベンチャー市場にでも上場したらシードマネー、つまり種銭《たねせん》は何十倍、いや何百倍にも膨らむからね。警視庁の組対と二課が血眼になって尻尾《しっぽ》をつかもうとしているが、絶対にミスを犯さない」

「でも経済に強いとはいえ、所詮はヤクザなんでしょう？」

「ところが、彼は一橋の商学部卒だ。それも相当優秀な成績でね。大手商社や大手銀行が競って彼をリクルートしたことがあると聞いた」

「そんなすごいキャリアがあって、なぜヤクザに？」

「どうやら彼の父親はノンキャリの国家公務員だったそうだが、昭和のとある大疑獄に絡んで謀殺された経緯があるらしい。だから、まともにやってられない、そんな気持ちになったのかも」

「たしかに、一流大学を卒業しても組織のトップに登り詰めるまでに二〇年や三〇年は平気でかかりますよね」

「だが、ヤクザの世界ならば、実績次第であっという間に上に登っていける。実際、彼はその通りやってのけた。五味がシノギを稼ぎ出すから、西の天王寺連合の切り崩しを免れているといってもいい。汐見会は実質的に彼がCFO、最高財務責任者だ。CEOを兼務する日も遠くない。西の天王寺連合と渡り合えるのは彼しかいない」

「でもそんな人がなぜ、将棋クラブに？」

「将棋好きの何割かはとんでもなく射幸心《しゃこうしん》の強い人だ。カモを探していたのかもカモ。イタリアンスーツをまとい、レストランオーナーのような風貌の五味がカモを探している。倫子には今ひとつしっくりこなかった。その時、周囲にあわただしい足音が響いた。

「おい、なんだ？」

編集室の仕切りの外側、狭い通路をアシスタント・ディレクターらしき若いスタッフが数人走り出した。冨山が通路に顔を向けた。倫子も反射的に視線を向けた。

その時、天井の大部屋用スピーカーから報道局次長のダミ声が響いた。

「中国各地で少数民族による暴動発生！　臨時ニュースの手配、特番の企画会議を開きます！　担当記者、ディレクターは直ちに企画テーブルに集合」

「中国？」

冨山はYシャツから赤いボールペンを取り出すと、記者手帳に素早くメモを取り始めた。

「まいったなぁ。近くオンエア予定の素材がパァだ」

冨山は呟いた。

「えっ？」

「中国で現地生産している日本メーカーの特集がボツってこと。暴動が起こっているのに、企業ニュースも何もないでしょ。取材したメーカーの広報マンに相談しに行かなきゃ」

「出かけるんですか？」

「しょうがないよ。オンエアする素材をさしかえにいかなきゃ」

今まで五味という経済ヤクザの話題に集中しきっていた倫子は、たちまち頭の切り替えを迫られた。

冨山はあわてて編集室を後にした。

「冨山君、ちょっとぉ、これ見てよ！」

倫子がほおづえをついていると、入れ替わりで編集室の扉が開き、上原が入ってきた。

「編集機、空けてちょうだい！」

ＤＶＤを携えた上原だった。

「みのりさん、何事ですか？　冨山さんは今いないですよ」

「中国よ。また出たの！」

上原は編集機のＤＶＤドライブにディスクを入れながら、大声で言った。

「何が出たんですか？」

倫子は上原の顔を見つめた。額にうっすらと汗が滲《にじ》み出ている。どこかで不審な映像を拾ってきたらしかった。

「出たのよ、今度は中国で」

「だから、みのりさん、何が出たの？」

「光よ！」

6

「かつて勤めていた会社で、ヤクザ絡みのトラブルはなかった？」

「全然。マル暴関連なら、七海ファイナンスでしょう？　でも、僕の空き巣と関係あるのかな？」

部屋に戻るなり、椎名は城所に問いかけた。だが、反応は予想した通りだった。

七海ファイナンスにしても、創業当時は回収業務に企業舎弟の人間を使ったことがあったが、上場企業となりコンプライアンス部が全国の支店に目を光らせている現在、暴力団との付き合いはない。

「なぜ、組対の人間が俺のマンションを張るんだ？」

椎名は首を傾げた。椎名、城所、互いに心当たりはない。

「香子ちゃんに聞いてみるか」

さまざまな人間が出入りする将棋クラブ。椎名はジーンズのポケットから携帯電話を取り出すと、香子の番号を呼び出した。

「……おかしい。出ないな」

椎名は将棋クラブの代表電話にかけ直したが、結果は同じだった。

「香子さん、出ないの？」

城所が不安げな表情を浮かべた。

「仕事してるのかな？」

乱暴に携帯端末をたたんだ椎名は、作業スペースのパソコンに向かった。

「すぐチェックする」

城所が、サーバーと端末の電源を入れ、ゲームのモニター画面を立ち上げた。

「早指し対局は一時中断中」――。

新橋将棋クラブのサイト。フロントページに会員ＩＤとパスワードを入力することでたどりつけるファンクション、「早指し対局」。アイテム購入の商取引を正当化させるために設けた会員専用のサービスは、二人の知らないうちに中断していた。

椎名は再度携帯電話を取り出し、香子への連絡を試みた。しかし、結果は相変わらずだった。

「彼自身が、ヤクザだという可能性はないの？」

城所が不安げな顔で言った。椎名もその可能性を何度となく考えた。しかし、椎名が銀行マン時代、不良債権の回収を行った時に出会ったヤクザ者とは明らかに毛色が違った。

「その可能性も低いと思う」

椎名は自身の主観、そして五味を観察した結果を城所に伝えた。

「何より、小指があった」

椎名はクアトロポルテに乗せられたときの光景を思い浮かべながら言った。五味は恐らく四〇代半ばから五〇歳くらいだろう。顔にヤクザ特有の陰もなければ、外見からも特有の雰囲気は出ていなかった。

「もう少し時間を置いてから、香子ちゃんに連絡を取ってみよう」

自身に言い聞かせるように椎名は言った。城所も頷いた。

「今日の海外渡航業務は、ほぼ終了」

そう言って椎名はローテーブルの上のリモコンを取り上げ、つけっぱなしにしていた昼下がりのワイドショーからBBCに切り替えた。椎名は銀行マン時代から国際ニュースを見るときはBBCと決めている。

「中国で民族紛争か……」

リビングの壁際のモニターにニュース映像が映ったとき、城所が言った。

「中国か……。大丈夫かな？」

椎名は、自身の額に深い皺《しわ》が寄るのを感じながら言った。

「大丈夫って、何が？」

「チベット族の暴動に端を発したデモが中国各地で起きていたろう。こんな騒ぎがさらに広がったら、我々の商売も多少なりとも影響を受けるかもしれない」

「具体的にどういうこと？」

「例えば、暴動が上海や北京《ペキン》など大都市に波及したらどうなるか。あの国はいまだに中央独裁体制だから、一九八九年の天安門《てんあんもん》事件のような一大事になれば、ただでさえインフラが完璧ではない金融のネットワークに支障がでるかもだ」

椎名がそう言った時、民衆が商店を襲撃していた映像が金髪の男性キャスターの顔に切り替わった。

「明日のトランスファーのリストを整理しておこうか」

「そうだね」

互いの胸に芽生えた不安を打ち消すかのように、椎名と城所はリビング隅の作業スペースに足を向けた。

「椎名さん、一つ提案があるんだ」

「何？」

「仮に中国で金融機能がストップしたら、その途端に、我々のビジネスも頓挫する」

「さすがにストップとまではいかないだろう」

「いや、中国だけでなく、もし、日本で大地震やら停電が起こった時のために、我々の稼ぎの逃げ道を作っておいた方がいいと思うんだ」

「そうか」

「念のためサーバーには二重にバックアップ機能を付けているけど、まだ安心できない。だからもう一つ、安全な逃げ道を確保した方がいいと思うんだけど」

「何かアイディアがあるのか？」

「前から考えていたんだ。えっと、コレだよ」

城所はマウスを素早く動かし、画面に現れたアイコンをクリックした。椎名は、モニターの中の、矢印がいくつも描かれた図表を見つめた。

「これは……」

画面に現れた城所のアイディアを見た瞬間、椎名は絶句した。

「コロンブスのタマゴ。合図でも決めておいて、万が一のときはここにカネを逃がそうよ」

椎名は城所の目を見つめた。いつになく真剣な目だった。

「しかし、それは……」

「消えてなくなるよりはマシだと思う」

城所の目が鈍く光った。椎名は、無言で頷いた。

「合図は大げさだろう？　いざとなったら携帯電話で連絡を取り合うことだってできる」

この機能を使うことがあるとすれば、ビジネスは最終局面を迎えている。

7

報道局全体が中国で起こった暴動に揺れる中、突然編集室に飛びこんできた上原は何度もチャンネルを切り替えたあと、ＢＢＣの国際ニュースに見入った。中国の地方都市で民衆が商店を襲っているところで、突然中継が途切れた。

「今のアナウンスはこんな感じでした。『中国政府の強制検閲により、国際配信映像が中断されました。中国ではいまだに報道管制という前時代的な行為が行われています。映像が届き次第、最新画像をお伝えします』」

英語がうまく聞きとれない上原に代わって倫子が言った。

「検閲？　そう言ったのね……やっぱりだわ」

そう言った途端、上原が編集機横の椅子に座りこんだ。

「みのりさん、何がやっぱりなの？」

「私はさっき『光』って言ったわよね」

溜息をつきながら、上原が倫子に視線を送った。

「そうでしたね。みのりさん、光っていうのは例のレーザー兵器、ＴＨＥＬのこと？」

上原は無言で頷いた。

「これ、とっさに録画した映像。ちょっと見て」

上原は編集機のドライブにディスクをセットした。

「ＢＢＣの映像で流れたのとは違う土地で、ほぼ同時刻に起きた暴動の様子よ」

上原がそう言った直後、モニターが突然青白い閃光《せんこう》を放った。倫子は強く目をしばたたかせた。以前、アフリカ・ケニアの民族紛争で見た青白い光と同じだった。瞳の奥までが鋭く刺激される強い光線にちがいなかった。

「この画も見てちょうだい」

それまで高層階のホテルらしきポイントから暴動の様子を映していた映像が、いきなり埃《ほこり》だらけの中国・地方都市の路地裏に切り替わった。

「ちょっと刺激の強い画だけど、我慢して」

上原はジョグダイヤルから指を離し、黄色の再生ボタンを押した。

モニター上には、路地裏から逃げ惑う民衆の姿が映っていた。街並みは中国らしい風景だが、逃げ惑う人々はイスラム教徒のような装束をまとっている。

「恐らく、シルクロード沿いのイスラム系の人よ」

上原がポツリと言った。直後、終始ぶれていたフレームが路上に向いた。破壊された古い乗用車の脇に、黒い丸太のような物体が三、四個転がっている。フレームが徐々に乗用車に寄っていく。次第に黒い丸太のような物体もクローズアップされている。

「死体だ！」

倫子はそう叫んで、肩を強張らせた。乗用車の残骸、その傍らに転がる丸太のような物体から、細い枝のような物が伸びている。画面はさらに乗用車と黒い物体に寄った。

「真っ黒焦げです……」

そう言いながら、倫子は反射的に右手で口元を覆った。

胃液が逆流し、口全体に苦い味が広がった。黒い丸太に見えたのは、炭のように焦げた人間だった。車の後部方向に回ったカメラは、別の黒い死体を映した。やはり、人間の形をしたまま、黒い物体が横たわっていた。さっきと違うのは、大きな死体が小さな死体を抱きかかえたまま絶命している点だった。

「恐らく母親と子供よ。逃げ惑う中、いきなりレーザー兵器の犠牲になったんだわ」

倫子は奥歯を食いしばった。

「この映像はどこから入手したんですか？」

「イラク戦争で一緒だったイギリス人の雑誌記者。彼がたまたま旅行中にこの惨事に遭遇して、メールで送ってきたのよ。チベット自治区の紛争以降、中国政府はたびたび映像をチェックしたり、記者の立入りを禁止してきたけど、今回に限ってはこのレーザー兵器の存在が放映禁止の真相だと思うわ。この土地だけでなく、中国全土で起こっている暴動鎮圧にレーザー兵器が使われている可能性もあるわ。冨山君に調べてもらわなきゃ。彼はどこ？」

「オンエア素材のさしかえがあるって言って飛び出して行きましたけど。会いませんでしたか？」

「会ってないわよ。なら、ちょっと待つしかないわね」

「ところでみのりさん、この映像は放映するんですか？」

「一応企画会議にはかけるけど、多分無理だと思うわ」

「なぜ？」

「日本橋テレビは中国政府にいっぱい借りがあるのよ。北京で開催した陸上の世界選手権、柔道のアジア選手権の放映権もたくさん賄賂を注《つ》ぎこんでもぎ取ったの。報道局長がＯＫを出しても、恐らく編成局長と社長に握りつぶされるわね」

「中国政府が少数民族を力で支配しているっていう証拠じゃないですか」

「その通り。でも、無理だと思う」

「どういうことですか。圧力やら社内政治がどうしたって言うんですか？　だって、子供を連れた母親が……無抵抗な市民が、民族が違うからって殺されているんですよ」

「無理だっていうのは、別の理由よ」

「いったい何が無理なんですか？」

倫子は腰に手を当て、上原を睨んだ。

「ここに来る前、同期の政治部の記者に聞いたんだけど、この映像は既に内閣情報調査室がキャッチしているらしいの」

「だからと言って、中国に気を遣ってオンエアしちゃいけないって決まったわけではないはずです」

倫子は思い切り口を尖《とが》らせながら、上原に告げた。

「そんなことは当たり前よ。でも、今回はより強力な圧力がかかるらしいの」

「より強力な圧力？　どういうことですか？」

「ウチと中国政府だけの問題ではないってことなの。それに別の情報筋によると、既に官房長官がテレビ、新聞、通信社のトップに直接電話を入れ、緊急で首相官邸に集まるよう指示を出したそうなの」

「報道各社のトップが官邸に？」

「詳細はわからないけどレーザー兵器には何らかの形で日本人が関わっている公算があるらしいの」

「日本人？」

「日本人の技術者とか大手企業が絡んでいる可能性もあるって」

倫子はすぐに携帯電話で冨山の番号を呼び出した。しかし、留守番メッセージがむなしくひびいただけだった。上原は顔をしかめた。

「待つしかないわね」

「ダージリン、あなたにもコピーを預けておくわ。冨山君が戻ったら見せてあげて」

上原はディスクをケースにしまい、編集機脇の倫子のトートバッグに放りこんだ。倫子は頷いた。

「日本橋テレビの社長や各社のトップはいつ官邸に？」

「夕方になるみたい」

上原が倫子の顔を見て口を開いた。

「アタシだって政府に手足を縛られるのは悔しいのよ。でもね、サラリーマンである以上、シバリを破るわけにはいかないのよ」

上原の言葉を聞き、編集室の空気が急激に温度を下げたように倫子は感じた。官邸で開かれる会議の内容が、倫子のような末端担当者に降りてくるかは大いに疑問だったが、いずれにせよ、このレーザー兵器の存在は葬り去られる運命にある。ベテラン報道マンがうなだれている姿は、もはや正視に耐えなかった。倫子はトートバッグを肩にかけ、口を開いた。

「わかりました。その分、私は電子マネーの取材を続けます」

倫子はそう言って編集室のドアを押し開けた。

短期間でいろいろな事柄が起こりすぎる。電子マネーや企業のポイントの取材を始めて以降、やりがいという面では結果を伴いながら、大いに満足できる仕事をしてきた。

しかしその一方で、本来ならば見なくともよい映像や、椎名のように傷ついた人間の裏側まで覗いてしまった。一階ロビーに降りるエレベーターの中で、倫子は溜息をついた。そうだ、椎名という男のビジネスの詳細を調べていた……。

倫子はガランとしたエレベーターの中で、思い直した。

ネットを通し電子マネーや企業のポイントが易々《やすやす》と海外に出ていることをつかんだ。そして椎名のオンラインの将棋ゲームに疑惑を感じ、その本質を突き止めようと冨山と動き回っていた。そして新橋の将棋クラブを訪れ、偶然得体の知れない男、五味に出会った。

その五味は関東有数の暴力団の幹部、それも経済活動でシノギをあげる近代ヤクザなのだという。なぜ、ヤクザが将棋クラブに出入りしていたのか。

エレベーターを降りた倫子は、椎名や香子、五味の顔を思い浮かべた。しかし、それぞれのつながり、利害関係がなかなか見えてこない。

倫子は一階エレベーターホールを横切り、日本橋テレビのゲートを出た。商業ビルに通じる通路の入口で倫子は立ち止まって考えた。やはり、冨山には早めに連絡をとる必要がある。倫子は携帯電話を取り出し、冨山を呼んだが、聞こえてくるのは無機質なメッセージ音のみだった。

「田尻さん、またお会いしましたね」

突然、誰かが倫子の肩を叩いた。聞き覚えのある声に振り返った。

「急ぎの仕事は片づきましたか？」

口元に笑みをたたえた五味だった。

「は、はい？」

背中に突然冷水を浴びせられたような感覚だった。五味は相変わらず麻布周辺のレストランオーナーのような柔らかな笑顔を浮かべていた。

「ちょっとだけお付き合いいただけませんか？」

「あの……」

「お時間はとらせません」

五味は、低い声ではっきりそう言った。口元の表情は今までと同じように柔らかいが、目付きは明らかに変わった。

「私、本当に……」

「いや、来ていただきます」

五味がわずかに顎を上げた。同時に、倫子の前方から二人のノーネクタイ、スーツ姿の若者が足早に近づいてきた。一人はロングヘア、もう一人はスキンヘッド。双方ともに目付きが鋭い。五味の配下の者のようだ。

「手荒なことはしませんよ」

五味は倫子の耳元近くに顔を近づけ、ささやいた。次の瞬間、五味は倫子の肩からトートバッグを取りあげ、近づいてきたスキンヘッドの男に手渡した。

「お客様の大切なお荷物だ。大事に扱ってくれ」

若い男は無言で頷いた。

「どうせ冨山記者が私の正体をお教えしたんでしょう？　お聞きおよびの通り、私は裏の世界の人間です」

「それが……どうして？」

倫子は肩から腕にかけて小刻みに震えが走るのを感じながら、懸命に言葉を吐き出した。恐るおそる五味の顔を見ると、口元から笑みが消え、冷めた光を放っていた。

「車を用意しています。乗ってください」

五味が倫子の左肩を軽く叩いた。

倫子は体を強張らせた。二人の若い男がジャケットの内側に手を入れて、倫子を鋭くにらんでいる。拳銃か、ナイフか。

永代通り沿いに、新橋で見た大きな黒いセダンが停《と》まっている。若い男に伴われ、倫子は真っ赤なレザー張りの後部座席に乗りこんだ。

8

「やっぱり今のうちに、こなせるだけこなそうか」

中国の暴動ニュースに接して胸騒ぎを覚えた椎名は、夕方になって城所にそう告げた。

「そうだね。現在のところ、バックオーダーがあと五億円分ある。手数料は五〇〇〇万円。サイト稼動時からの累計で我々の売り上げは約一億円になってる」

「じゃあ、神奈川のラーメン店のオーナーから入っているオーダー、二億五〇〇〇万円分も入れてくれ。アイテムの振り分けはこれから決める。ちょっとだけ待って」

椎名は作業スペースから自分用のノートパソコンを取り上げると、リビング中央のローテーブルに向かった。その時、テーブルに置いてあった携帯電話が震え始めた。

〈エリートか?〉

信濃町の大学病院にいる池本だった。

「どうしました？」

〈俺の金、とりあえず五〇億円分を緊急で渡航させてくれ〉

「五〇億円？　いったいどうしてそんな大金を急に移すのですか？」

〈中国だ。ニュースを見たか？　少数民族の暴動が各地で急速に広がっている〉

「ええ、先ほどＢＢＣの国際映像を見ましたが」

〈これからしばらく、中国の政情が相当ゴタゴタしそうだ。このまま暴動が収まらなければ、イヤなことがおきそうなんだ。早めにカネを移し切ってしまいたい〉

「イヤなこと、ですか」

椎名は端末を落としそうになった。今度は、身の危険を皮膚で感じ取る池本が城所と同じ懸念を抱いている。

「なぜですか？」

〈簡単なことだ。さっきまで俺のところに来ていた代議士があわてて帰っていった〉

「そのセンセイは大臣ですか？　それとも与党の重責を担う方でしょうか？」

〈金融担当大臣だよ。官邸に行くそうだ〉

金融担当大臣は小派閥のリーダーだ。次期総選挙に備えるため、池本のポケットマネーをたかりにきていたのだろう。椎名が七海ファイナンスの企画室次長だったころ、築地の料亭で何度か段ボールを運ばされた。頬骨が張ったあの男だ。

〈大臣によると、争乱は長びきそうらしい〉

「わかりました。では、すぐにでもサイト上でアイテムの購入をなさってください。会長のオーダーは最優先で捌《さば》かせていただきます」

〈五分以内に買う。頼んだぞ〉

「情報、ありがとうございました」

〈気にすることはない。中国で暴動が起きようが、俺の知ったことじゃない。俺は俺のカネを自由にしたい、それだけだ〉

そう言うと、池本はいつものようにさっさと電話を切った。

「アイテム購入の新規オーダー、五〇億円だ」

「サラ金の王様？　なぜ急にそんな大きな額を？」

「中国だよ」

椎名は、池本から得た情報をかいつまんで城所に伝えた。城所の表情がみるみるうちに強張った。

「わかった」

城所はそう言うと、素早くキーボードを叩き始めた。

「あっ」

画面をサイトの運営者用に切り替えた城所の手が突然止まった。

「早指しのページがまだ中断している」――。

椎名はリビングの中央から、隅の作業スペースに駆け寄った。スクリーンいっぱいにメッセージが表示されたままの状態になっている。

「早指し対局は一時中断中」――。

椎名は、再びリビング中央に駆け戻ると、携帯電話を取り、香子の番号を押した。

〈おかけになった番号は現在電波の届かない……〉

オペレーターの事務的な声だけが椎名の耳元に響いた。

「やっぱり出ない。いったい、何があったんだ」

椎名は将棋クラブの代表番号にもつないだ。しかし、電話機が発する機械的なメッセージが繰り返されるのみだった。

「出ないの？」

「ああ、出ない」

椎名は、携帯電話を握ったまま、リビングの中央に立ち尽くした。

9

「どこに向かっているの？」

左ハンドルの運転席の後ろに座らされた倫子は、横の五味に顔を向けた。

「田尻さん、あの『プライムイブニング』のニュース、本当に見事でした。参りましたよ」

「どこに連れて行かれるの？」

五味は口元を歪《ゆが》ませたまま、倫子の顔を見つめている。倫子は再び背筋に寒気を感じた。五味は質問に答えない。どこに行くのか。倫子は何度かスーツ姿のロングヘアの若者の表情をうかがおうとしたが、運転手はずっと前を向いたままだった。

「田尻さん、私があなたを褒めている真意を理解してもらっていないようですね」

五味はジャケットの胸ポケットに手を差し入れた。

〈五味は近代ヤクザの代表格だ〉——。

五味の動作を見て、倫子の頭の中に冨山の言葉が何度もこだました。

「別に拳銃《チャカ》を取り出すわけではないですよ」

倫子の不安な表情を敏感に読み取った五味が、ニヤニヤしながら言った。

五味は金色のカードを取り出した。下地が黒く縁取りされたオレンジのロゴ、ジェルソミナのギフトカードだった。

「このカードについては随分手厳しいスタンスでしたね？」

五味は右手の人差し指と中指でジェルソミナのロゴ文字を何度もなぞった。

「それが、何か……」

「では、私がこのカードを持っている意味は理解していただけますか？」

五味は、ロゴの上に何度も指を這《は》わせながら言った。

「あなたならジェルソミナで何度も買い物するだろうから、持っていても何ら不思議はないけど……」

「ええ、表参道のジェルソミナ日本店には週に二、三度顔を出しますが、私はこのカードを使って買い物をしたことはありません。もっぱら、別の用途に使っていたので」

「別の用途？」

「そうです。田尻さん、あなたがリポートの最後で伝えていたじゃないですか」

「私が？」

まだわからない。なぜ、五味に拉致されたのか。しかもなぜジェルソミナのカードなのだ。

「察しが悪いですね、優秀なキャスターさん。おい、アレをかけてくれ」

五味は助手席のスーツの男に言った。助手席の男は頷くと、ダッシュボードの小さなボタンを押した。すると、後部座席の前の小型の液晶モニターが起動し、映像を流し始めた。

「これはこの前のオンエア……」

「そうです。嫌でも思い出していただきましょうか」

五味はそう言うと、モニターを見つめながら腕を組んだ。

「まだ思い当たるフシがありませんか、田尻さん」

画面を見つめたまま、五味が低い声を出した。直後、画面は倫子自身が日銀前でマイクを握っている姿に切り替わった。

〈最近は一〇〇万円までチャージ可能な電子マネーがギフトカードとして登場しました。ブランドのマーケティング戦略としては大変便利なツールですが、特定の悪意を持った人たち、例えばマネーロンダリングを企むような人、組織がこの電子マネーを悪用することも可能です〉

「あッ」

冨山の言葉が再び倫子の頭の中を駆け巡った。

〈昔ながらの用心棒代、債権回収や高利貸しでは稼ぐ金額に限界がある。五味のような近代ヤクザは、億のケタの金を効率良く動かす〉――。

「やっとわかっていただけましたか」

五味は深い溜息をついた。

「やられましたよ。あのギフトカードの仕組みは、実質的に私が作り上げたのです。イタリアのナポリとミラノに何度も通って、向こうの兄弟分と綿密な打ち合わせをして、ジェルソミナを抱きこんだんです」

「イタリアの兄弟分とは、マフィアのこと？」

「マフィアはシチリア島出身の組織。私が深く付き合っているのはカモッラというナポリを地盤にしている連中です。彼らは北イタリアの産業界、政界と深く結びついていてね。苦労してルートを作ったのに、この有り様だ」

五味は今まで撫《な》でつけていたジェルソミナのカードを真っ二つにへし折った。

「私のせいでビジネスがおかしくなったと？」

「平たく言えばそういうことかな」

五味はパワーウインドーを下げると、へし折ったカードを車外に投げ捨てた。

「謝って済むのはカタギの世界だけ。あいにく私はカタギじゃない」

五味は倫子の目を見据えながら言った。

「私をずっと監視していたのはあなただったのね」

倫子は恐るおそる口を開いた。

「携帯電話もお預かりしておきましょう」

五味は倫子の質問には答えず、左手を差し出した。恐怖で頭が真っ白になった倫子は上着のポケットをまさぐり、薄い水色の携帯を取り出し、五味に差し出した。

「勝手な行動をされちゃ困りますからね」

五味は受け取った携帯端末を、助手席の男に差し出した。

倫子は肩に震えを感じながら、窓の外を見た。丸の内を抜けた大型セダンは、皇居のお堀沿いを走り、竹橋に差し掛かった。これからどこに行くのか。まったく予想がつかなかった。

10

「椎名さん、今、王様からのオーダーが届きました」

「了解」

池本から出された五〇億円分のオーダーを手際よく捌けば、あと三〇分程度で一

○パーセントの手数料、五億円が転がりこむ。これまでの売上高一億円と合計して六億円。あと一時間もあれば、神奈川のチェーンラーメン店オーナーから入った二億五〇〇〇万円分のオーダーもこなせる。

「椎名さん、指示された振り分けは完了。他のアイテムにいくら突っこむのか教えて」

パチパチとすさまじい勢いでキーボードを叩いていた城所が、椎名を急《せ》かせた。

「ちょっと待って。今考えてる」

椎名がそう答えたときだった。ピンポンと間の抜けた音がリビングに響いた。ドアホンの呼び出し音だった。

「香子ちゃんだ」

椎名は弾《はじ》かれたように立ち上がると、リビングの入口、ドア脇の壁掛け式のモニター受話器を取り上げた。

〈突然すみません、椎名さん〉

モニターから女の声が響いた。小型液晶画面にも女の顔がアップで映し出されたが、香子ではなかった。

〈椎名さん、田尻です。突然で申し訳ありませんが、入れていただけませんか？〉

椎名は受話器を耳に当てながら、城所に顔を向けた。やはり、香子が到着したと思っていた城所は椎名を見ていた。

「今は取材を受けているヒマなんてありません」

椎名がそう答えると、ドアホンのスピーカーから田尻の鋭い声が響いた。

〈お願いです。椎名さん、お部屋に入れてください！〉

椎名は再び城所を見た。城所は目を輝かせながら頷いた。

「なんか事情がありそうだよ。入れてあげなよ」

「ちょっと待ってください」

椎名はドアホンの「解除」ボタンを押した。

〈ありがとうございます。すぐに行きます〉

椎名は受話器を壁のフックにかけた。でもなぜ田尻がこの部屋の番号を知っているのか。エレベーターホール、誰でも出入りできるスペースには各個室につながるオートロックの呼び出し機はあるが、誰が何号室に住んでいるかを示した住居表示やポストは設置されていない。田尻には一度会っただけだ。

「もしやこの部屋の番号を教えた？」

椎名は城所に顔を向けた。城所は肩をすくめ、強く頭を振った。

「人様のアドレスを勝手に教えるようなことはしないよ」

田尻がなぜこの部屋番号を知っているのか。

椎名があわててリビングから玄関に走り出て、ドアに手を伸ばした時だった。ドアノブが動き、扉が開いた。

「ごめんなさい」

田尻の声がドアのわずかな隙間から聞こえた。が、開き始めたドアからは、男物の光沢のある革靴が部屋の内側に入りこんだ。

11

「椎名さん、助けて」

倫子は声を振り絞った。

丸の内、竹橋と移動した五味の黒いセダンは、九段下《くだんした》、市ヶ谷を通り、神楽坂に抜ける通りに入った。フランス料理やイタリア料理の小さな店が軒を連ねる一角だ。牛込北町に抜ける通りの途中、黒いセダンはマンション住民用の細い道に入り、急停車した。電信柱の住居表示を見ると、「払方町」との文字が出ていた。

「ご、ごめんなさい……無理矢理ここに連れてこられて……」

倫子は震えていた。

若い男二人の背後から、五味が姿を現し、倫子と肩を並べた。

「いったいどういう組み合わせだ？」

椎名が眉根を寄せながら言った。

「五味は危険な人間です。私の取材のとばっちりがどうやらあなたに……」

「危険？　とばっちり？　何のことだ？」

廊下を後ずさりしながら椎名が言った。

「とにかく上がらせてもらいますよ」

椎名の言葉を無視して、五味は革靴のまま入った。若い男二人も強引に倫子の手を引っ張りながら部屋の奥へと進んだ。倫子は両肩に鋭い痛みを感じた。

「おいおい、テレビにご出演されているキャスターさまだ。丁重に扱えよ」

五味の言葉に若いロングヘアの男が頷いた。

「ほお、城所さんも詰めていらっしゃる。これは好都合ですね」

先にリビングルームに入った五味が声をあげた。なぜ椎名の自宅マンションに城所がいるのか。将棋のオンラインサイトの運営をこの部屋でやっている、ということなのか。

倫子は手を引かれながらリビングに足を踏み入れた。やはり、顔を引きつらせた城所がいた。なぜ五味はオンライン将棋ゲームを運営している椎名のところに乗りこんだのか。これまでにない恐怖を肌で感じつつ、倫子は懸命に考えた。

12

「木俣！　お前、なぜここにいるんだ？」

　作業スペースを背にして立っていた城所が、椎名の耳をつんざくような高音で声をあげた。

「木俣？」

　椎名は城所の視線の先を追った。ずかずかとリビングに入ってきた五味。その後ろに若い男達に両脇を固められた田尻がいる。城所の視線は、ロングヘアの男の顔に注がれていた。

「この若いお兄さんが例の木俣？」

「僕をゲーム会社から追い出すきっかけを作った張本人だ。オンラインゲームのアイテムを不正に乱造し、換金したゲームマスター。おい、実刑を食らったはずじゃないのか？」

　城所は男を指差しながら、怒りに震える声で言った。

「ご無沙汰しております。もちろん懲役を食らいましたがね。でも不正アクセス防止法なんて微罪ですから、とっくにシャバです。相変わらず汚い部屋で仕事してるんですね」

木俣と呼ばれた若い男が言った。

椎名の住所を知らないはずの田尻が、なぜいきなり訪ねてきたのかやっと理解できた。五味だ。五味がオンラインゲームの存在、そして本当の旨みを調べ上げ、今度は強制的に参加させろとねじこもうとしている。城所の部屋が荒らされたのも、この一味の仕業だ。

「あなたが作ったＲＰＧ《ロール・プレイング・ゲーム》はすばらしかった。アイテムを増やし、現金に交換できる仕組みをいち早く整え、ポイ・チェンと提携を果たした着眼点の良さ。私は心底、あなたを敬服していました」

そう五味が言った。

「敬服？　あんたは俺のことを知っていたのか？」

「ええ、もちろん」

イタリア車や希少パーツの輸出入、それに若いベンチャー起業家向けの資金斡旋《あっせん》が五味の仕事だ。その他に、オンラインゲームにまで商売を広げていたというのか。椎名は五味に目を向けた。五味は木俣と同じように侮蔑的な視線を城所に向けていた。

「しかし、あなたは能力がありすぎた。木俣を使って荒稼ぎを始めようとした矢先、さまざまなダミーIDを掻《か》き分けサイト内の異常値の発信源を突き止めてしまった」

「いっぺんに一五〇〇万円分もアイテムを稼ぐ人間が出てくれば、誰だって怪しむよ。でも、まさか……」

「我々は少なくとも月に五億円は稼ぐつもりで木俣を会社に送りこんだのです。でもあなたが騒ぎ始めて目論見《もくろみ》はダメになった」

「そんな……」

「あなたが黙っていてくれれば、いずれ私が会社ごと買い取るつもりでいたのです」

　椎名は五味と城所の顔を交互に見た。五味は今まで見せたことのないふてぶてしい笑いを浮かべている。一方の城所は、無理矢理おもちゃを取り上げられた小学生のように萎《しな》びている。

　城所がゲーム会社を追い出されたのは、あくまでも社内政治、特に株式公開を控えた社長が、銀行から派遣された幹部に気を遣ってのことではなかったのか。だが、五味が組織的に手を回していたとなれば、話は別だ。五味は自身の仕事の中身について、新興企業向けの資金斡旋を行っているとも言っていた。城所の在籍したゲーム会社も新興企業だ。その会社が五味に弱みを握られていたとしたら――。

「いったい、あなたは何者なんだ?」

椎名はふてぶてしい笑顔を浮かべている五味に言った。

「よろず屋です。何度かお伝えしたはずですよ」

「よろず屋という割にはケジメだの……」

「ヤクザですよ。それがどうかしましたか?」

「だって、そんな恰好をしたヤクザなんて……」

「この人、ヤクザです。しかも、幹部ですよ!」

五味の背後で、田尻が鋭い声をあげた。五味は薄気味悪い笑みを浮かべると、後方の田尻を一瞥した。

「指定広域暴力団、汐見会の幹部。しかも一人で収益のほとんどを叩き出すやり手です」

「ま、まさか」

「こんな恰好のヤクザが一人や二人いてもいいとは思いませんか」

五味は右手でスーツの襟、そして白いドレスシャツを撫でつけた。

「柄物のニットやダボダボのスーツを着るのはどうにも我慢ができない性質《たち》でしてね。椎名さんが債権回収で出会った連中は昔のスタイルでしょう。今どき、あんな恰好したヤクザは少ないですよ」

五味はクスリと笑い、口元を右手でなぞった。債権回収で出会った下っ端、それから中堅組織の若頭とはケタ違いの鋭い視線だった。

「わかりやすい証拠をお見せしましょうか」

椎名がたじろいだ瞬間、五味が言った。五味はポケットに入れていた左手を出した。そして右手を左手に添えた。

「ね、これをお見せすると、ヤクザっぽいでしょう？」

五味は右手の人差し指と親指で、左手の小指を摘んだ。次の瞬間、小指の第一、第二関節がスポッと外れた。

「昔、同じ系列の若い衆と喧嘩《けんか》しましてね。これもケジメです。でも、最近は義肢の技術進歩がすさまじい。この指を作ってくれた新興企業も私がシードマネーを入れた企業です」

五味はもぎ取った小指を愛《いと》おしそうに眺めた。

椎名は五味の義肢を見つめた。クアトロポルテのパドルシフトを操作する際、小指はきちんと動いていた。だからこそ、ヤクザという疑いを排除したのだ。椎名の視線を感じ取った五味が口を開いた。

「椎名さん、この義肢の優れたところは、こんな小さな指でも動かせることです。あまり人を身なりで判断しない方がいい。それに、簡単な餌で人を信用しないことだ」

五味はそう言いながら、左手を顔の前に掲げて小指の付け根をピクピクと動かした。椎名は五味の顔を見ながら体を強張らせた。また、ミスを犯した。

13

椎名はやはり何か怪しげな商売を始めていた——。

「あなた、私を脅すだけで十分でしょう?」

倫子は五味と椎名の会話に割って入った。

「普段だったら、あなた一人さらってケジメをつけます」

「なによ……今は何か別の事情があるということなのね?」

「さすがキャスターだ」

「どんな事情なのよ……」

「そうあわてんなよ」

五味はゆっくりと首を動かした。

冨山の言葉が倫子の脳裏をよぎった。眼前の五味は眉根を寄せ、鋭い視線を倫子に向けている。ヤクザが縄張りに睨みをきかすというが、文字通り睨みがきいた目付きだった。

「椎名さん、ヤクザがなぜあなたに目を付けたのですか？」

「なぜって……」

椎名は躊躇《ちゅうちょ》していた。

「椎名さん、せっかくだから教えてあげればいいじゃないですか」

五味が口を開いた。五味の声は低く、そして下腹に響くような重みがあった。

「サイトを通じて、銀行に一切の足跡をつけず海外にカネを運ぶ仕組みを作ったからだ」

椎名は眉根を寄せ、腹の底から絞り出すように言葉を発した。

「足跡をつけずに海外にお金を？」

「そうだ」

「それであの時、突っこんだ話を聞こうとしたら、彼女が話を逸《そ》らしたんだ」

「ああ。ただ、我々の始めたビジネスは違法じゃない。法律がないだけなんだ」

倫子の目を見据えながら椎名は言った。

「そういうことか……」

上原が感じた違和感の背後には、大きな仕掛けが潜んでいた。

〈冷静で切れすぎたことがあいつの命取りになった〉――。

椎名のかつての同僚の言葉が倫子の脳裏をよぎった。七海ファイナンスを追われたあと、法律の綻《ほころ》びを見つけ、編み出した新ビジネス。恐らく、椎名が考えた将棋ゲームの仕組みは法に触れるようなスキはないだろう。ただ、五味が椎名のビジネスを悪用するとしても、なぜ自分がこの場に連れて来られたのかが理解できない。

倫子は恐るおそる口を開いた。

「私をどうしようというのですか?」

「あなたは人質の一人なのです」

「人質の一人?」

「ええ、その通りです」

倫子は周囲を改めて見回した。これから自分を使って椎名に何らかの取引を強いるのだろうか。だが、なぜそのうちの一人なのだ。

「一人ってどういうことですか?」

「今にわかりますよ。もう少しお付き合いください」

五味は冷たく言い放った。倫子が今までに聞いたどんな種類の声よりも冷ややかで、重みがあった。倫子は膝から下の力が抜けていくのを感じた。頭から足に、血が一気に流れ落ちるような感覚だった。膝がカクカクと勝手に震え出した。

「おっと、肝心な時に貧血で倒れられちゃ困る」

異変を察した五味が倫子の肩に腕を回した。

14

「椎名さん、あなたは非常に優秀な方だ。早い段階から二人三脚でこの仕事を手がけていたら、もっと大きな画が描けていたはずだ」

田尻の肩を強く握りながら五味が言った。

「バカな。あんたと組むつもりはない」

「つれないことを言わないでくださいよ」

椎名の目を見据えたまま五味が言った。口調はおどけているが、目は笑っていない。

「なぜ急にこんな荒っぽいことを？」

「田尻さんにビジネスモデルをズタズタにされたものですから、少々急いでおりましてね」

「急ぐとはどういうことだ？」

「おい、テレビをつけろ」

木俣は素早くローテーブルの上のリモコンを手に取ると、電源スイッチを入れた。

「テレビ？」

田尻を人質にとるという不可解で荒っぽい手法。それに加えて、今度はテレビだ。何が狙いなのか。

木俣がスイッチを入れると、椎名の背後でＢＢＣの国際ニュースが流れた。チャイナという単語が頻繁に出ている。恐らく先ほどと同じように中国各地で頻発している民族紛争関連のニュースだろう。

「急ぎの理由はこれですよ」

五味が顎をしゃくり、椎名の背後のテレビを指差した。

「中国の暴動……」

そう言ったあと、椎名は唾を呑《の》みこんだ。自身と城所が感じたリスク、そして池本も察知した危険。同じように五味も中国の異変を感じ取り、早急にことを運ぼうとしている。

「黒いカネを急いで洗うのか？」

椎名はテレビに映っている男性キャスターの声を聞きながら訊いた。

「いえ、そんなチャチなことではありません」

「何？」

「マネロンなんて、儲けはたかがしれている。そんな手間がかかることをやるほどヒマじゃありません」

五味は額に皺を寄せながら、早口で言った。

「おい、このキャスター見習いを隣の部屋に連れていけ。交渉を本格化させるぞ。その女に聞かれちゃ困るからな」

五味は木俣に命じた。木俣というかつての城所の部下は、田尻の左手を背中で捻《ねじ》り上げながら、リビングから寝室に通じる廊下に向かった。五味は田尻と木俣の姿が消えたことを確認すると、椎名の目を見据えながら言った。

「あんたが考えつかなかったことをやってもらうんだ。いいか、中国やらその他の国に足跡をつけずにカネを渡らせることができるなら、その逆もできるんだ」

「逆?」

「そうだ。カネを逆の流れに乗せるんだ。だからこうして俺が乗りこんできたんだ」

こめかみに太い血管を浮き上がらせながら、五味が大声で叫んだ。

「中国のカネをこちら側に運んでもらうのさ」

15

「絶対にダメです！　椎名さん、手を貸しちゃダメ！」

寝室に放りこまれた倫子は、リビングに向かって叫んだ。すると、木俣は一段と左手に力をこめた。倫子は呻《うめ》いた。倫子はやっと五味の狙いがわかった。本人の口から聞くまでは確実ではないが、絶対にそうだ。

「汐見会は武器の売買にまで手を染めているの？」

倫子は連れてこられた小部屋で木俣に訊いた。

「フン、どうかな。今までとはシノギの形態が違うんでね。俺にはなんとも言えないな」

「それでレーザー兵器、戦術高エネルギーレーザーにまで手を出した……」

「おい、見習いキャスター、ちょっとは静かにしろよ」

やはりそうだ。冨山と上原がコツコツと調べた結果が実を結んだ。しかし、通常であれば番組プロデューサーから金一封が出るはずのスクープも、出口はおろか、自分の逃げ道すらなしの状況に陥っている。

「おとなしくした方がいいぜ。五味さんはあんたが想像しているよりもずっと冷酷だ」

「冷酷？」

「今にわかるよ」

「その兵器に関連する、テレビでは放映していない映像を持ってるの。見たくない？」

倫子は思い切ってそう言った。木俣の腕の力が若干弱まった。

「ちょっと待ってろよ」

木俣はドアを少しだけ開け、リビングに向かって五味を呼んだ。

「五味さん、とっておきの映像です。見ておいて損はありませんよ！」

倫子は大声で叫んだ。

16

「逆の流れとは、中国の紛争に絡んだ何らかの代金を受け取る、そういうことだな？」

画面を見続ける五味に向かって、椎名は言った。

「そうだ。それは今まではジェルソミナのギフトカードを使っていたんだ。だが、あのお嬢さんが変なスクープとやらを放ってから事情が変わった」

五味は肩をすくめながら言葉を継いだ。

「9・11の同時多発テロ以降、アメリカ政府は世界中のカネの流れを監視している。大銀行から田舎《いなか》の小さな銀行に至るまでね。現実世界のリアルな通貨を金融の決済網に乗せた途端、世界中の金融当局にその動きを捕捉されてしまう。だったらカネを銀行の口座に入れなければいい。俺はそこに目をつけていた」

五味はそう言った直後、唇を舐《な》めた。今まで優男風な態度で椎名に接触を図ってきた五味は、獲物を狙うヘビのような目付きに変わっている。

「ここ数年、電子マネーだのポイントだのが急速に広がってきた。ジェルソミナのギフトカードは恰好の運び屋だったんだ。そして、今度は怪しげなオンライン将棋ゲームの登場だ。俺達にとっては、またしても恰好の偽装通貨《フェイクマネー》が現れたんだよ」

五味は椎名に目を向けながら、「偽装通貨」という言葉に力をこめた。

直後、寝室から田尻の鋭い声が聞こえた。五味は眉間に皺を寄せながら、廊下に足を向けた。

「ほお、映像素材をお持ちですか。さすがですね」

五味のわざとらしい声が聞こえた。田尻は何らかの映像を持っている。椎名は五味の様子を慎重にうかがった。五味は木俣と言葉を交わしたあと、田尻のトートバッグを携えてリビングに戻ってきた。

「DVDですね。ここに本物の素材があるわけだ」

五味のあとに田尻もリビングに戻ってきた。

「そのきれいなお嬢さんにはDVDについて解説してもらおうかな」

五味はトートバッグからディスクを取り出すと、てきぱきとリモコンを操作した。プレーヤーがディスクを読みこみ始めてから一〇秒後、椎名の眼前に中国の地方都市らしき映像が映し出された。

軍服姿の男達に追われ、逃げ惑うイスラム教徒らしき一般市民の群れが現れた。阿鼻叫喚《あびきょうかん》の声が部屋中にこだました。直後、青白い光が放たれ、リビング中を照らした。次いで、画像のアングルが変わり、乗用車脇に横たわる真っ黒焦げの遺体が大写しとなったとき、五味が突然手を叩き始めた。

「ほお、すごい威力だ。最新兵器ってのはすごいね。こりゃ、多少無理をしても中国が追加を欲しがるわけだ。真っ黒けだもんなあ。これはすごいや」

五味はヒューと口笛を鳴らしたあと、大声で笑い始めた。

椎名は自らの体が硬直したのを感じ取った。画面がもう一度切り替わった。今度は母親らしき黒焦げの遺体が、子供の遺体を抱き締めたまま絶命した映像だ。

「こんな凄惨な遺体を生み出す兵器のために手を貸しちゃダメです！」

腕を絞り上げられたままの田尻が椎名に叫んだ。椎名は自身の肩が強張るのを感じた。

真っ黒に焦げた遺体。しかも、母親が子供を抱きながら炭のように固まってしまった遺体だ。言葉が出ない。

田尻が言うまでもなく、こんな新兵器の代金受け渡しのために自らが作ったシステムを利用されてはたまらない。この兵器をためらいもなく一般市民に向ける政府に加担するのも絶対にごめんだ。

「椎名さん、あなたならこの映像が持つ本当の悲惨さを理解できるはずです！」

椎名がディスプレーを見て固まっていると、田尻の声が鋭く鼓膜を刺激し始めた。

「田尻さん、椎名さんの情に訴える作戦に出ましたか。たしかに椎名さんは奥様とお嬢さんを失った……でも、その一点を衝《つ》くのは、メディアの汚いやり口だ」

五味が言った。

これまで感情を押し殺し、ひたすら仕事を続けてきた。そうやって逃げ場を探し続けることしかできなかった。

「椎名さん、この映像を見たら、なおさら仕事を急がなくてはならないと実感しましたよ。これから向こうに連絡を入れます。一〇〇〇億円分だ。準備に取りかかってください」

五味は淡々と言ったが、椎名は答えなかった。答えたくもなかった。

「そうか、手数料の打ち合わせが済んでいませんでしたね。あなたが設定した一〇パーセントというわけにはいきません。いくらなんでもボリすぎだ。一パーセントでどうですか？　それでも一〇億円。悪いレートじゃない。それにあなたがこれでビジネスから足を洗おうって考えているのなら、私がシステムごと五億円で買い取りますよ。悪い条件ではないはずだ」

五味が商社マンのような口調で言った。田尻が鋭く叫んだ。

「ダメ、椎名さん、絶対にダメです！」

「ちょっと、お嬢さんに静かにしてもらおうか」

五味は木俣に目配《めくば》せした。木俣は倫子の左手をたちまちねじり上げた。

17

「痛い、ちょっと痛い！」

倫子はそう叫びながらも椎名を見続けた。その時、木俣のポケットの中から携帯の着信音、オルゴールの音色が響き始めた。

「私の携帯です。打ち合わせに行くはずだったから、出ないと怪しまれますよ」

左腕を絞り上げられる痛みに耐えながらも、倫子は懸命にうそをついた。

「しょうがない。では手ぶらモードで話してもらいましょうか」

五味は冷たくそう言い放つと、木俣に目で合図した。頷いた木俣はスーツのポケットから薄い青の端末を取り出し、スピーカースイッチをオンにしてテーブルに置いた。

〈ダージリン、今どこにいるの？〉

上原だ。倫子は五味に顔を向けた。五味は小さく頷いた。話せ、という合図だ。

「今、ちょっと込み入った取材をしておりまして……」

〈込み入った取材って何よ。冨山君と一緒じゃないの？〉

「今はちょっと、話しにくい状況に」

倫子がそう言った直後、木俣が倫子の腕を一段ときつく絞った。

「あ、イタ……」

〈どうしたの？　何かあったの？〉

「いえ、何でもありません。机に足をぶつけちゃって……それより、何かありました？」

〈あのさ、例のレーザー兵器に絡んでいる日本人、政治部の同期に聞いたら、なんとなくだけど概要がつかめたそうよ。今、官邸に報道各社のトップが呼ばれて極秘

のレクチャーを受けているのも、その日本人のことを伏せるようにと強要されているからよ〉

「もしかして……」

〈五味って奴らしいわ。そいつが兵器売買の仲介に絡んでいた事実を警視庁がつかんだみたいなの〉

「それで、各社トップはその条件を呑むんですか？」

〈ええ。絶対に呑むわ。今の政権は中国に弱腰でしょ。同時にアメリカにも頭が上がらない。例の光の動画が、各社にも行き渡っているのを把握して、苦し紛れの手を打って圧力をかけて一時しのぎをする寸法よ。日本人が何らかの役割を果たしているから、どうしてもネタを出させるわけにはいかないのよ〉

「そんな……」

倫子がそう言った瞬間、五味が空いた手で口を覆った。おかしくてしょうがないということらしい。その時、上原に自分の居場所を伝えるメッセージが閃《ひらめ》いた。そうだ、あの手がある。

18

椎名の目の前で五味が笑っている。その表情を見た田尻の表情がさらに険しくなった。その時、田尻が突然口笛を吹いた。椎名にも馴染みのあるメロディーだった。いや、椎名には鼓膜を突き破るようなインパクトを持ったメロディーだ。しかし、ワンフレーズ続かないうちに、五味がテーブルの上の携帯端末を取り上げると、力いっぱいフロアに叩きつけた。

木俣が条件反射のように腕を絞り上げ、田尻は鋭い呻《うめ》き声をあげた。

「余計なことをするな」

「とっさにアニメのヒーローに助けを求めようと思っただけ」

五味が田尻を鋭い眼光で睨んでいる。

「アニメのヒーロー」――。

田尻ははっきりそう言った。娘、真佐美が大好きだったあのキャラクターだ。トラブルに巻きこまれた田尻は、必死に何かを訴えている。どうすれば事態を打開できるのか。椎名は怯《おび》えた顔を装いながら必死で考えた。何ができる？　何をやらねばならないのか。椎名はその時、ある考えを思いついた。しかし問題は、城所が気付いているかどうかだ。椎名は唾を飲みこんだあと、口を開いた。

「田尻さんをいくら締め付けても、無駄だ。所詮、私には関わりのない人だ。あなたほどではないが、私だって悪どいことをやってきた人間だ。一回や二回会っただけの人間がどうなろうと知ったことじゃない」

「椎名さん！」

「うるさいよ。勝手に俺のまわりを取材して、余計な人間まで引っ張ってきて騒がないでくれ」

「やはり椎名さんは冷静な方だ。こんなことくらいで首を縦に振るような人じゃない。おい、下にアレが届いた頃だろう。持ってこい」

五味はスキンヘッドの若者にそう告げた。スキンヘッドは即座に頷くと、小走りにリビングを後にした。

「アレとは何だ？　システムを悪用させるつもりはない。脅しても無駄だ」

「もうすぐウチの若い者が戻ってきます。話はそれからにしましょうか」

五味がそう言った直後、スキンヘッドの若者が戻ってきた。

若者は手提げ袋を持っていた。五味は唇を舐めながら手提げ袋を見たあと、顎で袋を開けるよう促した。

「何が入っているんだ？」

「まずは田尻さんに見てもらいましょうか。おい、お見せしろ」

スキンヘッドは、木俣に拘束されている田尻の顔面近くに袋を持ち上げると、手提げ袋の口を開いた。

何が入っているのか。なぜ田尻から先に見せるのか。椎名にはわからなかった。椎名は田尻の顔を凝視した。田尻は最初、手提げ袋から顔を遠ざけていたが、木俣に腕を一段と捻り上げられたあと、諦めたように袋の中を覗きこんだ。田尻は目を凝らしている。が、今ひとつ理解できないようで、さらに目を凝らした。次の瞬間、田尻は鋭く叫んでその場に力なくへたりこんだ。

「次は椎名さんの番だ」

五味がそう告げると、スキンヘッドは手提げ袋を携えて椎名に近づいてきた。

「いったい、何だ？　私には関係ない。脅されてもやるつもりはない」

椎名は手提げ袋を避けるように顔を動かした。

「まあ、中を見てもらってからだ」

五味は落ち着いた口調で言った。五味の言葉に頷いたスキンヘッドは、椎名の手に手提げ袋を渡すと、顎をしゃくって中を見るように指示した。

袋を受け取った椎名は、右手にかかる重量が思ったよりはるかに軽いと感じた。田尻の心を一瞬でへし折ったものとは何か。椎名は恐るおそる手提げ袋の口を開いた。

「これは何だ？」

中身を覗いた瞬間、椎名は思わず口にした。袋の底に何か黒い物体がある。

「よく見てください」

五味が低い声で言った。椎名は田尻と同じように目を凝らした。目の焦点がようやく合ってきた。ヘアピースのような毛の塊だった。

「中身を出してやれ」

五味がスキンヘッドに指示を出した。スキンヘッドは即座に頷き、椎名が持つ手提げ袋に右手を突っこんで黒い塊を取り出した。

「こ、これは……」

黒い塊はヘアピースだった。ただ、通販のＣＭでよく見るヘアピースと違うのは、髪が強烈なくせ毛であること、そして皮膚が付着し、血糊《ちのり》が滴り落ちている点だった。どこかで見たことがある……。

「そう、日本橋テレビの冨山記者の毛髪、いや正確に言えば毛髪つきの頭皮だ」

椎名は左手で口を覆った。胃の中身が逆流しそうだった。

「以前から私のことをコソコソ調べていたので、コマ切れになってもらったよ」

五味はそう言いながら、再び唇を舐め回した。

「私は常々、優秀な方とは長いお付き合いをしたいと考えています。しかし、邪魔をする者には容赦しない。椎名さんをこのようにはしたくはありません」

五味がそう言い放った直後、スキンヘッドが冨山の毛髪を自身の頭に被《かぶ》せ、ニヤリと笑った。

19

「次は誰にしようかな」

五味が倫子の顔を見下ろした。冨山の頭皮を被りながら、スキンヘッドの若者が倫子に顔を向けた。

「止《や》めて……」

リビングの床にへたりこんだ倫子は懇願した。

「冨山さんは例の兵器についても、相当しつこく周辺をかぎ回っていた。たまたまジェルソミナの一件があり、私は多少イライラしてたからね」

「だから殺したの？」

「そんなところでしょうか。誰かさんがスクープを放ってくれたので、少々急いでおりましてね。田尻さん、冨山さんの命はあなたが奪ったも同然なんだよ」

倫子は恐るおそる顔を上げた。冨山の毛髪を被ったスキンヘッドの若者が、倫子との間合いを詰め始めた。一歩、また一歩と間合いが詰まるたび、毛髪の隙間から血が滴り落ちる。

「取材をしただけでこんなことをされたら、ジェルソミナの仕組みを壊した私はどうなるの？」

倫子は両腕で自身の肩をつかみながら、懸命に声を振り絞った。

「キャスターはしゃべりが商売ですよね。まず、舌をコマ切れにするってのはどうです？」

五味はジャケットのポケットを探ると、赤いヴィクトリノックスのナイフを取り出した。

「このナイフ、職人に作らせた特注品で切れ味抜群です。試してみますか？」

「冗談言わないで！」

「冨山さんの一部を見てもまだわからないの？　私は本職の人間だ。ためらいなんかないよ」

五味はしゃがんで、倫子の目を覗きこんできた。切れ長の目。白目がちの目が鈍い光を放っていた。

「殺しをやっても最新技術を駆使した捜査ですぐに足がつくわよ」

「どうでしょうか？　私も裏の人間だ。汚れ仕事のノウハウも持っていましてね。簡単に捕まるヘマは犯さない」

「止めて……」

「怯える顔も綺麗《きれい》ですね。苦しみ出したらもっと艶《つや》っぽくなりそうだ」

倫子の眼前で、五味が唇を舐めた。近づく五味の顔を避けようと、倫子は必死で顔を逸らした。

20

「やめろ！」

椎名は思わず叫んだ。しゃがんでいた五味が立ち上がり、鋭い視線を椎名に向けた。

「おや、田尻さんを助ける気になりましたか？」

五味が口元を歪ませて言った。

「私は田尻さんがどうなろうと関係がない。それよりも、自分の部屋が汚れるのは耐えられない」

「椎名さん、お願い！　助けて」

「ほお、私が想像していた以上に椎名さんは胆がすわっている。では、どうしても私のお願いを聞いていただけない、そういうことでしょうか」

「ヤクザや人殺し兵器の片棒を担ぐつもりはない」

椎名は自身の鼓動が着実に早まるのを感じながら、努めて冷静な口調で告げた。

「手強《てごわ》いなあ、椎名さん。カタギにしておくのはもったいない。でも、どうしても私の頼みを聞いていただきますよ」

五味はそう言うと、冨山の頭皮を被ったスキンヘッドの若者に向かって顎をしゃくった。若者は頭皮を床に捨てると、スーツのポケットから携帯電話を取り出し、小さな液晶画面を椎名に向けた。

「小さくてわかりづらいでしょうから、直接手に取ってご覧になってください」

「わかりづらい？」

椎名が答えると、スキンヘッドが端末を手渡してきた。

「な、なんてことをするんだ」

「どうです？　これで私のオーダーを受けていただく気になりましたか？」

椎名の掌の中で、猿ぐつわを噛まされ、暗がりの中で後ろ手に縛られた香子が横たわっていた。

「香子はどこにいるんだ？」

「すぐ近くですよ」

「だから、どこだ！」

椎名は自分でも驚くほど大きな叫び声をあげた。

「マンション下に置いてあるクアトロポルテのトランクの中ですよ。私のひと声で、このスキンヘッドの凶暴な男が飛び出していきます」

五味は冷たく言い放った。スキンヘッドは、額や後頭部にこびり着いた血糊を両手で拭い取ると、顔を洗うように鼻や目の周辺に塗りたくった。

「汚いじゃないか」

椎名は怒鳴り声をあげた。五味がうすら笑いを浮かべた。

その時、五味や田尻の背後の、リビングのドアが唐突に開き、一人の男が入ってきた。はっきりと見覚えのある顔だった。

「汚い？　椎名さんも今までたくさん汚いことをやってきたでしょう。銀行マン時代は怪しげなハイリスク商品を売りつけ、七海ファイナンス時代は天下りキャリアを人身御供《ひとみごくう》にして王様を守った。同じようなものじゃないですか」

「な、なぜ、あんたがここに？」

「なぜでしょうかね」

男は五味と目配せし合ったあと、ニヤリと口元を歪ませた。

「日下！」

池本を追い出し、実質的に七海ファイナンスを取り仕切っている日下常男。下がり眉で人の良さそうな笑顔を浮かべた日下は、池袋の本社ロビーで顔を合わせた時と同じように柔らかな口調で切り出した。

「ここにいるのがそんなに不思議ですか？　五味さんと知り合いじゃいけませんか？」

日下は、首を傾げながら椎名の目を見た。依然として口元が歪んでいる。

いったい、どういうことなのだ。ヤクザ、それも指定広域暴力団汐見会の幹部である五味。そして美園協立銀行出身で七海ファイナンス社長の日下だ。両者に接点などないはずだ。日下は五味に顔を向け、にこやかに笑っている。

21

「五味さんとは旧美園銀行時代からの長いお付き合いでしてね」

「そうですよ、椎名さん。日下さんは優秀な総務マンでしたから」

うすら笑いを浮かべる日下、そして五味。五味の口から「総務マン」という言葉が出た瞬間、椎名は二人を結び付ける接点を見出《みいだ》した。

「美園銀行はかつて総会屋事件で一大トラブルを抱えたことがあった……」

椎名は小声で口に出した。

「私は総務部で総会屋との縁切りを一任された特命担当でした」

「表向き、日下さんは総会屋との縁切りに奔走した。だが、総務部が動くだけで銀行と総会屋の縁切りなんかできるはずがない。熱心な日下さんのために、私がいろいろとお手伝いさせていただいたんです。そしていまだにこうしてお付き合いしている」

「池本さんの追い落としのスキームも……」

椎名は奥歯を嚙みながら、日下の目を見た。人の良さそうな顔が、一瞬醜く歪んだ。

「さあ、どうでしょうか。ご想像にお任せしますよ、椎名さん」

「ちっくしょう……全部アンタらが描いたシナリオだったということか」

「椎名さん、そろそろ決断しないと、大事な香子さんが本当に死んでしまいますよ」

五味が椎名の手の中の、携帯電話を指差しながら言った。

「あなたにはめられた元キャリア二名、その後はそれぞれ一家離散の憂き目にあったことをご存知ですか？　人をはめるか、殺《あや》めるか。私はより確実な方法を選んだだけです」

「そんなのは詭弁《きべん》だ」

「詭弁でしょうね。だが、ヤクザは狙った獲物を絶対に逃がさない。あなたも池本さんも、我々が描いたシナリオに乗っていただけなんですよ。さあ、あの女を生かすも殺すもあなたの判断次第です」

椎名は手の中の映像を見た。ポニーテールで薄手のワンピース姿の香子。上半身を荒縄で縛られた上に、両手首を腰のあたりで捻り上げられている。どれくらい狭いトランクの中に閉じこめられているのかはわからないが、香子は眉根を寄せ、肩で息をついている。

「何度か水分補給をしていますが、そろそろ限界でしょう」

クスリと笑いながら、五味が言った。

「どこまで汚いんだ！」

「あなたが手を貸してくれるまでは、どんな汚い手も使います」

ビジネスをいち早く軌道に乗せ、素早く旨みを吸い上げ、さっさと退散する。退散したあとは、先々の細かいことを考えずに香子とどこかに行く。ぼんやりとそう考えてきた。そんな自分のために今、香子が生死の境を彷徨《さまよ》っている。

「もう水分補給をしてやるつもりはありません。ご決断を。そうそう、私としても彼女の両親だけでなく、さすがに娘まで手にかけるのは気が引けますからね」

五味は、子供が小さな虫を殺したことを自慢するかのように言った。

「今、なんて言った？」

椎名は両方の拳に力をこめ、五味に言った。

「ですから、彼女の両親は私が殺しました。直接手を下したのは弟分ですがね。昔、将棋クラブに出入りしている客のリストをウチのオヤジが欲しがりましてね。カリスマ真剣師には頼めないから、娘、つまり香子さんのお母上に頼んだのですが、見事に断られました。彼女が道場主に告げ口する恐れがあったので、ダンナと一緒にいるところを弟分がダンプカーでね」

五味は、小学生が課外活動の報告を担任教師にするような軽い口調で告げた。

「ふざけるな！」

「いえ、私はいたって真面目《まじめ》ですよ」

文字通りの八方塞がりだ。池本の忠告を真剣に受け入れていたら……。信濃町の大学病院で五味の誘いをきっぱりはねつけていたら……。遅かれ早かれ、五味は接触をはかってきたかもしれない。が、少なくとも、香子がトランクに閉じこめられるようなことは起こらなかったはずだ。

椎名は精いっぱい閉じていた拳をゆっくりと開いた。

「椎名さん、ようやく、観念しましたね。それが賢明です。ヤクザ相手の交渉事《かけあい》に勝ち目はない」

「ダメ！　椎名さん、言うことを聞いちゃダメ！」

木俣に腕を取られたまま、田尻が再び鋭く叫んだ。椎名は二度、大きく頭を振ったあと、城所に顔を向けた。

「最後の仕事だ。中国側からカネを逆流させる」

城所は、ずっと作業スペースのモニターとサーバーの前に立ち塞がったままだった。五味はポケットからメモを取り出し、椎名に手渡した。メモには中国の銀行口座の番号がある。それに、いつの間に入手したのか、アビエント社の近藤名義のユーザーIDが記されている。一連の情報を城所がシステムに入力すれば、中国政府が武器商人に対して足跡を残すことなくレーザー兵器の代金支払いができる。

「香子ちゃんの命を救うためだ。やってくれ！」

城所は立ちすくんだままだ。

「城所さん、絶対にダメ！　協力したら何十万人という新たな犠牲者が増えるのよ！」

田尻が顔の向きを変え、城所に叫んだ。

「冗談じゃない。あんたら何を考えてる。もういい加減にしろ」

目を見開いたまま、城所がはっきりと言った。

椎名は城所の顔を見た。目の焦点が合っていない。しかも口が半開きだ。

突然、城所が一瞬だけ口笛を吹いた。田尻が吹いたメロディーとまったく同じだった。

「おい、このゲームオタクのお兄さん、壊れたのか？」

五味が侮蔑的な視線を城所に向けた。

「そうかも知れませんね。ゲーム以外にはなんの取り柄もない人ですから」

木俣が吐き捨てるように言った。

「さあやってくれ」

椎名は城所の傍らに駆け寄り、強く肩をつかんだ。

城所は突然体の向きを変え、モニターを見据えた。

「ぶっつけ本番ですが最終手段です。やりますよ」

城所がささやいた。椎名は城所の目を見た。三回目の回収に赴いた際、手間賃を提供すると言った時と同じ目だった。城所の瞳が鈍く光った。

「城所さん、早く！　香子ちゃんを早く助けるんだ！」

椎名は五味に聞こえるよう、鋭く叫んだ。

「ポイントを逆にトランスファーさせるんだ！」

城所は頷きながら、近藤のIDを画面に表示させ、一〇〇〇億円分のポイントを中国から逆上陸させるための情報を打ちこんだ。

「どうやら動き始めたようですね」

五味が満足げな表情を浮かべた。

「いま一〇〇〇億円のポイントが飛び始めているよ」

城所が答えた。

「まあ、お手並み拝見です」

「あと一〇分程度で確認のメールがウチのサイト宛に入る。あなたの望み通りにしたんだ。そろそろ香子ちゃんをトランクから出してやってくれ」

22

「香子さん、もっと飲んで！」

膝の上に香子を抱えた倫子は、ミネラルウォーターのボトルを口元に運んだ。城所が気をきかせ、香子の首筋と両脇にアイスノンを挟んだ。幸い、香子の意識ははっきりしている。

「ご苦労様でした、椎名さん。今日はこれで引き揚げます。どうです、明日にでも日下社長も交じえて今後のビジネスの相談をしませんか？　青山でとびきりのイタリアンをご馳走《ちそう》しますよ」

五味が椎名の肩に手をのせながら言った。

「あなた方と食事しても味がわからない。それにもうこのビジネスから撤退する。あなた方からの手数料一〇億円を老後資金に充てて引退だ」

椎名は額に浮き出た汗を手で拭いながら言った。ついに椎名が五味に屈した。香子という切り札が切られたにせよ、まだ何らかの糸口はあったはずだ。倫子は唇を強く嚙んだ。倫子の眼前で、今後も人を殺し続ける兵器の代金受け渡しシステムが譲渡された。

「では、我々はこれで引き揚げますよ。今回は良いビジネスをさせてもらった」

五味は日下に目配せしながら言った。

「あなた達はこれから何をするの？」

倫子は五味の背中に向けて叫んだ。五味は振り返ると、いままでと同じように涼しい顔のまま言った。

「新しいビジネスを始めるんですよ」

「そう、新しいビジネス」

五味の言葉に反応した日下も口を開いた。倫子は日下の顔を睨み返した。

「ヤクザとビジネスですか？」

「そうだ。七海ファイナンスは、サラ金からの脱皮を図ります。もちろん、バカな個人向けのカネ貸しは続けますが、グレーゾーン金利撤廃でもう旨みはない。だから、五味さんの嗅覚で将来有望と判断した新興企業に投資するプライベート・エクイティ事業を展開します。五味さんの目利きは大したものですからね。今回、椎名さんが考えたビジネスを見つけ出したようにね。このビジネスは、法規制の網がかかるまでの間、莫大《ばくだい》な利益をあげるでしょう」

「絶対に暴いて、世間に公表してやるからね」

倫子は日下に食ってかかった。

「あなたに尻尾をつかまれるようなヘマはしませんよ。七海ファイナンスだけでなく、他の投資ファンドも同じような仕組みで仕事をしているんだ。たかがテレビのキャスターごときには無理です」

「でも、絶対にやりますから」

「あまり調子に乗らない方がいい。身辺の安全は保証いたしかねます。あなたのような美しい女性を冨山記者のようなコマ切れにはしたくない。それに田尻さんのご親族は全員、私の配下の人間が二四時間監視をつづけています。下手《へた》な考えはもたないことだ。今度、我々のビジネスを邪魔したらどうなっても知らないよ」

倫子は五味を睨んだ。

五味の目には、うすら笑いがうかんでいた。

五味はスキンヘッドの若者に毛髪をひろわせ、ドアを開けた。その時、椎名が口を開いた。

「もう二度とお会いすることはないでしょう。二度とね」

五味は振り返って笑みを浮かべたあと、大声で笑い出した。

「私もあなたに会う必要はない」

ドアが閉まった直後、倫子は椎名に食ってかかった。

「椎名さん、あなたは最低の人です！」

香子をフロアに横たえ、倫子はもう一度最低と叫び、椎名の真正面に立ち塞がった。

「ああ、ご指摘の通り、私は最低の人間だ」

抵抗を見せない椎名に、倫子の苛立《いらだ》ちは募った。

「五味みたいな人間に加担したら、もっとたくさんの犠牲者がでるのは確実なのに！　あなた達はみすみす手を貸した」

倫子は強い口調でまくしたてた。

「香子ちゃんを救いつつ、五味を妨害する手立ては他にもあったかもしれない。ただ、私は単純に手を貸しただけじゃない。きっちり奴らにもオトシマエをつけてもらう手筈《てはず》をつけている」

「オトシマエ？　あなたまでヤクザみたいな言葉を使うんですか！」

「田尻さん、あなた自身も五味にオトシマエをつけさせる役割を果たしたんですよ。あなたの気転がなかったら、我々はただやられているだけだったかもしれない」

　城所が口を開いた。

「私の気転？　冗談言わないで！」

「冗談じゃないさ。結果的に、田尻さんは我々と同じ船に乗ったんですよ」

「同じ船？　どういうこと？」

　その時、作業スペース脇の小型のスピーカーからポーンと機械音が響いた。

「メールだ。田尻さん、あなたが同じ船に乗ったということを証明するメールが今、届きましたよ」

「メール？　いったいどういうこと？」

　城所が巨体を揺らしながら作業スペースにダッシュした。次いで椎名もモニター脇に走り寄った。

「田尻さん、あなたも一緒に確認したらいい。さっき私が『二度と会うことはない』、そう五味に言った意味を理解してもらえるだろう」

倫子は渋々椎名の傍らに歩み寄った。城所は素早くキーボードを叩くと、メールボックスに入った一通のメールを画面に呼び出し、同時にプリンターにデータを送った。

「よっしゃ、目論見通りだ。これで五味にケジメをつけさせることができる！」

椎名はサーバー横に置かれたプリンターのトレイから、一片の紙を取り出し、倫子に差し出した。

「これが同じ船に乗ったという証明書ですか？」

「ええ、そういうこと。何の変哲もない入金報告のメールですが、これで五味は確実に追いこまれる。彼が初めて犯したミスだ」

「新橋将棋クラブ運営会社御中　ポイ・チェンからの入金確認＝日本円：一〇億円」

「どういうこと？　意味がわかりません」

倫子は椎名、城所の顔を交互に見比べた。

23

椎名は紙を見つめた。自然に笑いがこみ上げてきた。

「汐見会の金庫番を追い詰めてやったよ」

「どういうことですか？　この一〇億円は、先ほどの一〇〇〇億円送金を仲介して得た手数料じゃないですか。いわば、汚れたカネ、中国の少数民族の血を吸い上げたカネですよ。やっぱりあなたはあんな悲惨な兵器がウラで流通しても構わないと思っているんじゃない！」

　田尻が眉間に皺を寄せて言った。

「こき下ろすのは、この中身をきちんと確認してからにしてほしいな」

　椎名は入金確認のシートを人差し指で弾《はじ》いたあと、「日本円：一〇億円」の文字の下を指差した。

「ニッポン・インターネット銀行」——。

「田尻さん、この金融機関をご存知ですか？」

　椎名は銀行のロゴマークを指したあと、田尻の顔を覗きこんだ。

「ニッポン・インターネット銀行……たしか、かすみ銀行や系列の商社、流通企業が共同出資して興《おこ》したネット専業銀行……」

「ポイ・チェンの提携先。企業のポイントや電子マネーを交換する先として、このネット専業銀行がポイ・チェンと提携しているのを知らないんですか？」

「もしかして……先ほどの手数料はここに振り込まれるよう設定されていたのです

か?」

「そう。ニッポン・インターネット銀行は日本の銀行法上の免許を保有しているれっきとした金融機関だ。日本の法律が適用される国内銀行の口座に一〇億円という記録が残ったんだ」

「あなたのビジネスは、サイト上で将棋ゲームのアイテムをユーザーに買わせ、アイテムをポイントに交換した上で海外に……銀行に足跡を残さずに行えるから五味のような人間があこぎな手を使ってきたわけでしょ……なぜわざわざ銀行に……あっ!」

田尻が、手を打った。ようやく仕掛けを理解したようだ。椎名は田尻の顔を見ながら頷いた。

「椎名さん、ニッポン・インターネット銀行の入金確認書、たった今、警視庁の代表アドレスと、それから大学の同級生の弁護士にメール転送完了しました」

「やった!」

椎名は思わず叫んだ。レーザー兵器とかいう最新の武器拡散に歯止めをかけることはできなかった。しかし、その違法な兵器の違法な決済に絡む重要人物の資金の流れは、銀行口座に入金するという行為を通じ、一端を捕捉することができた。あとは、どうやってこの資金を得たか、取引の仕組み、詳細な流れを警視庁に伝えればよい。

「椎名さん、こんなタイミング、しかもこんなやり方で、つい数時間前に考えた『コロンブスの卵』の出番がくるとは思いませんでしたね」

城所が髪を掻《か》きながら言った。

中国各地で勃発する争乱を受けポイントの移行・換金が中国国内で実行できなくなった際や中国のデビットカード「銀峰」が使えなくなった時などの非常時のリスクに備え、ポイントに替えたカネを現金としてきっちり保護してくれる日本の銀行に預けよう。椎名と城所は最終手段として、ニッポン・インターネット銀行に振り込みを行う手筈を整えていた。

田尻が口を挟んだ。

「私がきっかけを作ったというのは？　気転ってなんですか？」

「あなたがあの口笛を吹いてくれたおかげで、我々はとっさにこの仕組みのことを、日本の銀行に入れてしまうという最終兵器を思い出したんだよ」

キーボードを叩きながら、城所が口を開いた。その通りだ、と椎名は思った。

「だって、私は電話の向こう側にいるみのりさんに、『椎名さんのところにいる』というメッセージをこめて、あのドラえもんの口笛を……」

「やはりね……」

田尻の言葉を引き取った椎名は、頷いた。やはり自分の過去は、田尻とその仲間たちによってすっかり洗い出されていた。恐らく二〇〇七年の新聞社会面、妻と娘が犠牲になった時の記事を掘り起こしたに違いなかった。

「あの口笛を聴いた瞬間、何かやらなきゃいけない、絶対に抵抗しなきゃならないと思った。だから、田尻さんは同じ船に乗った人なんだ」

椎名は田尻の目を見ながら言った。本心だった。

中国の地方都市、親子の無惨な遺体を目にした瞬間、自らが考え出した仕組みが、ヤクザだけでなく武器商人のビジネスにさえ転用可能だということを椎名は悟った。自ら作った仕組みが、自分と同じような思いをすることになる人間を作り出す可能性さえある。そのことをあの炭のようになった親子の遺体を見た瞬間に思った。

「これから、どうするんですか？」

「城所さん、香子ちゃんと一緒に警視庁に出頭する。まずは組対四課に行って全てを話す」

「自首ということになるのですか？」

「自首か。罪に問われるかどうかは大いに疑問だな。何せ、ポイントや電子マネーを海外に送金してはならないという法律がない。しかし、暴力団や武器商人の片棒を担いだのは事実だ。そこは彼らに判断してもらうしかない」

「私はどうしたらいいんでしょうか？」

「同行取材したらいかがですか？　一連の騒動をリポートしたら、かなりインパクトが大きいだろうね」

「構わないんですか？」

「もちろん。我々はもう手を引くから、報道されて困るようなことはない。あなただって、日本の法律にどれだけ抜け道があるのか、それがどれほど危険か身をもって体験した。これだけリアルな素材を持ったキャスターは他にいない」

椎名は言った。

「ただし、我々のプライバシーをさらされるのはごめんです」

「わかりました。でも、オンラインゲームの仕組みを悪用した悪党一味がいたってことは絶対にオンエアで流します」

「その辺に関しては、これからネゴしようか」

椎名は田尻にそう言って笑った。田尻は何度も頷いた。ジェルソミナのギフトカードが田尻のリポートを契機に「裏」の機能を失ったように、今後は企業のポイントや電子マネーを使った裏のビジネスも息絶える。椎名は作業スペースのモニター内に映っている、ニッポン・インターネット銀行の振込確認のメールを見てそう確信した。

「サイレンの音が聞こえませんか？」

リビングの窓際に走り寄った城所が言った。椎名は耳を澄ました。たしかに神楽坂駅の方向からサイレンの音が響いている。

「私がとっさに口笛を吹いたので、上原さんが通報してくれたのだと思います」

田尻が肩をすくめながら言った。椎名は首を傾げた。

「なぜ、口笛を吹いただけでこの場所が？」

「椎名さんのアルファロメオのナンバーからここの住所は既に割り出していましたから」

「油断もスキもないな。やはり同行取材は遠慮していただきましょうか」

椎名は笑いながら田尻の顔を見つめた。

エピローグ

「全てをお話ししました。不本意ながら五味の片棒を担いだことにはいまだに後悔の念があります。いかなる処分も受けます」

会議机いっぱいに並べられた資料を一瞥《いちべつ》したあと、椎名は捜査官達に言った。

「偽装通貨を使った取引の詳細は了解しました。五味の扱いについては、我々に一任してください」

皇居の凱旋濠《がいせんぼり》を見下ろす警視庁の会議室で、組対の管理官が椎名に告げた。

「私が同じ状況に巻きこまれていたら、恐らく椎名さんと同じことをしていたでしょう」

管理官はブラインドに手をかけながら呟《つぶや》いた。

「皆さんの身辺警護は私が責任をもって手配させていただきます。汐見会にも私が直接ネジを巻いておきますのでご安心ください」

組対課長は椎名に告げた。

警視庁に到着してから既に五時間が経過していた。

椎名と城所、香子の三人組は組織犯罪対策四課を訪れたのち、会議室に通された。第一段階として、汐見会を担当する主任警部と管理官から事情を聴かれた。二人ともたちまち顔色を変えた。一時間後、会議室にあわてた様子の組対課長が現れた。組対課長は知能犯を担当する捜査二課の第一知能犯特別捜査班の主任警部と理事官を帯同した。警視庁の捜査幹部達は、椎名の持ちこんだ資料、五味が手を染めたジェルソミナの一件、七海ファイナンスの日下が汐見会と手を組み、投資事業に本格参入を試みているという話に耳を傾けた。

「我々から金融庁を突き上げるのが得策ですな」

二課の理事官が吐き捨てるように言った。

「警察庁の上層部を巻きこんで一気にやろう」

理事官に応じて、組対課長が何度も頷《うなず》いた。

「私達が受け取った手数料はどのようにしたらよいでしょうか?」

捜査幹部の会話が途切れたのを見計らい、椎名が口を開いた。

「法律がない以上、椎名さん達のカネを没収する権限は我々にはありません。ただし、税務関係の処理はきちんと済ませてください。あこぎな所得隠しを見つけたら容赦しません」

理事官は、椎名を強い視線で見据えながら言った。

「あなたはかつて二課の看板にドロを塗ったことのある要注意人物だ。その辺は胆《きも》に銘じておいてください」

椎名は素直に頭を下げ、席を立った。

「本当に大丈夫かしら？」

会議室を出ると、香子が不安げな声をあげた。

「組対の課長があそこまで言ったんだ。大丈夫さ。それに、もう警護の人がついてくれたようだ」

椎名はそう言って振り返った。組対の人間か警備課の人間かはわからないが、胸板の厚い四、五人の男達が椎名達の後方一〇メートル程度の距離に立っていた。

「早めに撤退するって決めてたけど、こんなに早くビジネスが終わるとはなぁ」

城所が両手を伸ばし、あくび交じりに言った。

「所詮、身に付かないカネだったんだ」

椎名は自分に言い聞かせるように言った。

椎名は城所、香子とともにエレベーターに乗り、一階のロビーにたどりついた。総合受付のカウンター横に、心配げな顔で田尻が待ち構えていた。

「どうでした？」

椎名の顔を見るなり、田尻が言った。

「ご覧の通りお咎《とが》めなし」

「では、近いうちに五味は逮捕される？」

「そうなると思いますよ」

「新橋辺りで軽くビールでも飲みながらお話ししませんか？」

椎名の顔を見ながら、田尻が早速取材攻勢に出た。椎名は顔の前で何度も手を振った。

「新橋で飲むのは当分やめておきますよ。ビジネスの段取りを始めたのが新橋、五味に初めて会ったのも新橋だ。当分近づかないつもりです。そうそう警察があなたにも警護をつけるそうだ」

「ありがとうございます」

田尻は椎名の顔を見ながら、後方に控える屈強な男達の姿を認め、肩をすくめた。

「さあ、とりあえずどこかで食事でもしましょうか」

椎名はそう言いながら香子、城所に顔を向け、警視庁のロビーを出た。

「あっ」

歩道に足を踏み出した途端、香子が叫んだ。椎名は香子の視線の先を追い、歩みを止めた。桜田通り沿いに、黒いクアトロポルテが停車していた。

「椎名さんひどいな。あんなことをするなんて、一本取られましたね」

後部座席のドアから五味が降り立ち、椎名に鋭い視線を向けた。椎名の背後で警護役の警官達が走り寄る足音が響いた。

「何もしないよ」

五味は吐き捨てるように言うと、椎名に向けた視線に一段と力をこめた。

「これから組対課長にネジを巻かれます。ただ、残念ながら俺もパクられないよ」

五味は口元を歪《ゆが》め、言い放った。

「そんなことはない。全て資料を提出してきたばかりだ。当分は、お好きなイタリアンなんて食べられないと思いますがね」

椎名は五味の目を見据えて言った。香子が怯《おび》えるように背後に隠れた。田尻は椎名と五味を交互に見比べている。

「椎名さん、だからあなたはツメが甘いのです。私は逮捕されない。絶対にね」

五味は、携帯電話を取り出した。

「先ほどある政治家から電話をいただきましてね。当分、おとなしくしていろとお説教されましたよ」

「政治家がどうしたって言うんだ？」

「私がパクられたらたちまち西の連中がなだれこんでくる。東京の繁華街は全てパニックになりますよ」

「天王寺連合のことを言ってるの？」

田尻が口を開いた。五味は白い歯を見せながら笑った。

「私だってあちこちに保険をかけている。東京の治安と私の身柄《ガラ》を天秤《てんびん》にかけた官邸の裏協議では、東京の治安維持を取ると決まったばかりですよ」

五味はそう言うと、右手を高く掲げて足早に警視庁の建物に消えた。

「そ、そんなことって……ありえない」

田尻が五味の後ろ姿を見ながら唇を嚙んだ。椎名は警視庁の建物を見上げた。

「我々に一任しろ、か。俺の悪知恵なんてたかが知れていたのかもな」

◇

「視聴者の皆さん、番組スタッフの田尻がまたスクープです。田尻さん、最新情報を伝えてください」

『プライムイブニング』のアンカー、小森祐吉が倫子に顔を向けた。

「はい。では、お伝えいたします」

倫子は頷いたあと、「2」の赤いランプが灯《とも》るカメラに向かって原稿を読み始めた。赤いランプの背後には、ツンツンに固めた金髪頭が見える。

「急速に普及する電子マネーに絡んだ犯罪を未然に防ぐ目的で、金融庁が『電子マネー特別法』の制定に動き出したことが明らかになりました。

同庁は、来月設ける審議会のメンバーとして、金融問題に詳しい大学教授やシンクタンクの研究員など有識者のほか、日銀、警察庁・警視庁の担当者を招き、電子マネーや企業ポイントの問題点を洗い出すとともに、利用者保護と不正使用阻止に向けた新法制定に動き出します。次期通常国会での成立を目指す構えです。

同庁が新法制定を急ぐ背景には、実際に仮想通貨が国境を越え、マネーロンダリングや不正送金用として使用可能になっていることがあります。関係筋によりますと、ごく最近、ある指定広域暴力団幹部が国際的なテロ組織と結託し、違法な武器の代金受け渡しに仮想通貨、いや、偽装通貨を使ったことが判明しました。この事件が金融庁など関係当局者の間に強い衝撃を与えたもようで、一気に法整備へとつながった形です」

倫子が原稿を読み終えた直後、小森が口を開いた。

「なお今回の取材中、当社経済部の冨山勲記者が行方不明となりました。現在、捜査当局が捜査中ですが、闇の勢力が危害を加えた疑いが濃厚です。田尻さんも取材の過程で危険な目に遭ったそうですね」

「はい。違法な武器の代金受け渡しが行われる現場に立ち会うことになりました」

「詳細は来週、この番組の中で特別企画としてお伝えする予定です。田尻さん、引き続きこの問題を取材してください」

小森はそう短くコメントすると、キャスターデスクから離れていいと目で合図を送った。

倫子は原稿を持つと、腰を屈《かが》めてスタジオの隅に移動した。小森の通りの良い声が耳に響いている。

「では、次のニュースです。消費者金融大手、七海ファイナンスの日下常男社長が本日、突然辞任しました。会社側は健康上の理由と説明していますが、辞任の背景には日下社長が取締役会に無断で始めた投資ファンド事業に関する……」

スタジオの隅の副調整室《サブ》に向かう細い階段。倫子は番組チーフプロデューサーに挨拶するため、階段を上った。途中、倫子の姿をカメラで撮っていた上原が合流した。

「ダージリン、良かったわよ。あなた、立派になったわね」

「まだまだですよ。取材はこれからも続けなきゃいけませんし、冨山さんはいまだに見つかっていません」

「すぐにベソをかいてたダージリンが、ウチの看板報道番組で特別企画を組むまでになったんだもの……」

「みのりさんの目に狂いはなかった？」

「うん。でも、冨山君の分までまだまだお尻を叩くわよ」

上原はそう言いながら、倫子の尻を平手でぴしゃりと叩《たた》いた。

「本当に叩かなくてもいいじゃないですか」

倫子は満面の笑みを浮かべながら、ドアを押し開けた。

◇

「すごい景色だな。ディカプリオが惚《ほ》れこむわけだ」

タイの離島、ピピ。ローダラム湾を一望できる丘で、椎名は香子の細い肩を抱きながら、呟いた。沖合の巨岩から、丘の上に向かって熱帯特有の湿った熱い風が吹き上がり、香子の髪を何度も巻き上げた。

「こんな綺麗《きれい》な景色が、大津波を受けて一瞬で地獄になったのね」

「そうだ。現実に起こったことだ」

二人の頭上を、すさまじい速度で黒い海燕《うみつばめ》が通過した。海燕は丘を一気に下降し、沖合の巨岩に向かった。

「でも、渉さんがあのお金を全額寄附するとは思わなかった。まあ、そのおかげでこんな絶景を眺めることができたんだけどさ」

香子が椎名の腕を強くつかみながら言った。

「税金で取られても、どんな使われ方をするかわかったもんじゃない。だったら目に見える形で使われる方がいい」

「そうね。でも田尻さんが津波被害の子供達のために活動しているなんて知らなかった」

「根が真面目《まじめ》なのさ、彼女は。その辺は俺達とは根本的に違う」

「俺達？　あら、私も渉さんの側なのかしら」

「嫌なのか？」

「どうしようかな」

香子は鼻の頭に皺《しわ》を寄せ、いたずらっぽく笑った。

「やっぱり、冷たくて悪い人の方がいいや」

「そうか。ずっとこっち側にいてくれ」

「うん」

椎名は香子の鼻をつねり、笑った。その時、丘の登り口の方から通りの良い声が響いた。

「あの、お邪魔だったでしょうか？」

椎名は振り返った。田尻だった。田尻の傍らには、フランス人の男性がいる。その横には痩せ細った少女が立っていた。

「椎名さん、この子が前にお話ししたシンチャイ。一〇歳よ」

シンチャイら多数の子供が今も大津波の被害に苦しんでいる。親をなくし、兄弟を奪われ、現在もＰＴＳＤ《心的外傷後ストレス障害》に苦しんでいる。あの騒動が収まったあと、田尻は熱心にピピ島の惨状を説いた。

シンチャイは両親と兄弟を波に奪われ、今は片足をなくした祖父と暮らしている。生活を支えるため、外国人相手に体を売って生計を立ててきた。椎名ら一同は即座にサイトの収益の全額寄附を決めた。

「シンチャイにひと目だけでも会ってもらおうと思って」

田尻は膝を折り、シンチャイの目線に合わせながら椎名に言った。

椎名は息を呑《の》んだ。

一〇歳の少女は沖合の岩を見たまま、視線を動かさない。大津波がどの程度のエネルギーで彼女の家族と生活、そして人生を呑みこんでしまったのか。椎名には推し量る術《すべ》がなかった。少女は沖合の岩を見ることで、何らかの思いを胸の内にしまいこみ、自身の感情さえも封印してしまった。初対面だが、その虚《うつ》ろな目の奥には、椎名が想像もつかない大きな苦しみや悲しみが宿っている。

「ごめん、俺……」

シンチャイの姿を見て、椎名の内側から何かがわき上がってきた。大津波に襲われた少女。そして大地震で命を絶たれた娘の真佐美の姿が、風の強い丘の上で一つに重なった。椎名は体の向きを変え、沖合に浮かぶ岩を見た。あのメロディーが口笛に乗って椎名の口から漏れた。

「パパ！」

突然、椎名の背後からシンチャイの声が響いた。椎名は反射的に振り返った。今までどんよりと曇っていたシンチャイの瞳に、一瞬だが光が走ったように見えた。フランス人の通訳と田尻が何か小声で話している。シンチャイに何が起こったのか。

「椎名さん、彼女は小さな頃からドラえもんが好きだったそうです。彼女のお父さんは、いつもドラえもんの歌をうたってくれたそうです……」

声を詰まらせながら田尻が言った。

「パパ！」

シンチャイがもう一度そう叫んだのを椎名ははっきりと聞いた。椎名は、シンチャイが走り出したのを確認して、膝を折った。

（了）

【参考文献】

『2010年の企業通貨―グーグルゾン時代のポイントエコノミー』(野村総合研究所　情報・通信コンサルティング一部企業通貨プロジェクトチーム著／東洋経済新報社)
『新しいお金―電子マネー・ポイント・仮想通貨の大混戦が始まる』(高野雅晴著／アスキー新書)
『マイルがたまる！　―チャート式最強ガイド』(ANA&JAL マイレージ研究会編／朝日文庫)
『韓国のオンラインゲームビジネス研究』(魏晶玄著／東洋経済新報社)
『銀行再生とIT・IC戦略』(宮崎正博著／中央公論事業出版)
『サブプライム問題とは何か』(春山昇華著／宝島社新書)
『海神襲来―インド洋大津波・生存者たちの証言』(広瀬公巳著／草思社)
『資本論　第一巻(上)』(カール・マルクス著 今村仁司・三島憲一・鈴木直訳／筑摩書房)
『セオリー 2008 vol.1　日本の新・定番』(講談社)
『ワイン王国』(料理王国社)
『日本経済新聞』
『日経ビジネス』
『日経コンピュータ』
『朝雲新聞』
『月下の棋士』(能條純一著／小学館文庫)
『ハチワンダイバー』(柴田ヨクサル著／集英社ヤングジャンプ・コミックス)
『サンクチュアリ』(史村翔・池上遼一著／小学館文庫)
＊この他に多数の書籍、雑誌、インターネットからの情報を参考にさせていただきました。

あとがき

「カネは働いて得るものではなく、作り出すものだ」――。

一年ほど前、ある酒場でこんな話を偶然耳にしたのが本書執筆のきっかけとなりました。

自らカネを作り出す、そう豪語していたのはたまたま酒席にいたゲーマー。「カネを作り出す」。その怪しい響きに突き動かされ取材を重ねると、日本の法体系に大きな抜け穴があることが浮き彫りとなりました。同時に、ＩＴ技術の進歩とともにゲームで作ったカネ、そして本書で触れたように、企業が発行したポイントや電子マネーがいとも簡単に現実のマネーと交換可能な状態であることに驚きました。

ポイント交換サイトに関する描写は実際のサイトとは設定を変えましたが、海外サイトとの間で「仮想通貨」が自由に行き来できるのは紛れもない事実です。取材を進めるうち特定の意図を持った方々がこうした仕組みを使っている、との情報さえ得ました。

本書執筆中、さまざまなメディアを通じ、電子マネーや企業のポイントの法整備に関する報道がなされました。本書では、現在進行形の諸問題を読者に提示すると同時に、この国の危うい状況の一端を切り取ったつもりです。

ストーリーに登場するキャラクターは全くのフィクションですが、取り上げたエピソードのいくつかは実際に起こった事象を色濃く投影させています。嘘《うそ》と真実を境目なく読み解いていただけたら幸いです。

執筆に当たり、ＲＭＴ《リアル・マネー・トレード》の仕組みを解説してくださったＥ氏、そして消費者金融業界の内情を教えてくださったＳ氏。おふた方には、全くの門外漢に様々な知識を授けていただきました。御礼申し上げます。また、テレビ界の内情については、Ｏ氏、Ｍ氏、Ｓ氏などさまざまな業界関係者の皆さまからアイディアを頂戴しました。加えて、税務、捜査関係者の方々からも貴重な情報をいただきました。取材源秘匿の観点から皆さんの実名をあげることはできませんが、改めて御礼申し上げます。ありがとうございました。

二〇〇八年五月吉日　屋根裏の仕事場にて

相場英雄

文庫版あとがき

「現在を切り取ることの難しさ」……。本書の文庫化にあたり、七年前の文書データを担当編集者から受け取った際、私が感じたのはこの一言です。

単行本のあとがきにも記しましたが、当時急速に勢いを増し始めた仮想通貨は、筆者の想像をはるかに超えるスピードと規模で、現代の日本社会に浸透しました。「便利なことは確かだが、通貨というリアルマネーの領域を脅かすほどの存在には成り得ないのでは」……本書を綴《つづ》っておきながら、そんな考えを抱いていた筆者の想像を、現実が簡単に超えてしまった格好です。

今、交通系の電子マネー（あるいは決済機能が付与されたクレジットカード）でほぼ全国の公共交通機関をなに不自由なく利用できるほか、コンビニやタクシー、あるいは一部のスーパーでもごくごく当たり前に使うことができるのが、我々の日常です。

本書の文庫化にあたり、かつて取材でお世話になった人に現状を訊《たず》ねました。もちろん、我々が一般的に使っている電子マネーやそれに類する仮想通貨で悪さをしている人がいるか否か、という点についてです。

読者のみなさんが想像される通り、「悪さをしている人は増えている」というのが答えでした。

その一つが、刑事事件にもなった電子通貨の一種である「ビットコイン」です。世界的に流通量を増すビットコインですが、日本市場の一部では、悪意を持った管理者の姿が浮き彫りになりました。

管理する側が意図的に擬似通貨の発行（あるいは流通）に手をつけると、便利さと表裏一体にある危険が露呈することを我々は目の当たりにしました。こうした事態は、単行本を上梓《じょうし》した筆者にも予想できないものでした。

本書にも記しましたが、一つ一つの新たな仕組みが頓挫すれば、次に別のスキームが生まれ、そこに先行者利益を求める起業家が現れます。また、ここに寄生しようと様々な思惑を胸に抱いた闇の勢力が忍び寄ってくるのは確実です。

近い将来、本書とは別の切り口でリアルマネーを凌駕《りょうが》するフェイクマネーの動向を描き出す日が来るかもしれません。

二〇一五年秋　　相場英雄

解説

田口幹人
（さわや書店　フェザン店店長）

まず先に、東北地方の小さな書店の書店員である私が、文庫本にとって大切な解説を書かせていただくことをお許しいただきたい。書評家ではないので、本書の分析を事細かに書くことはできないが、著者のこれまでの作品と、彼が取り組んできた活動を間近で見て、聞いてきた者として、作品の奥にどんな想いが詰まっていたのかを紹介したいと思う。

東北地方には、新潟県出身の彼を東北地方の郷土出身作家と同じように愛着を持って接し、彼の作品を大切にし続けている書店員が大勢いる。もちろん私もその一人だ。時事通信社で、日銀や東京証券取引所などを担当する経済記者だった彼は、『デフォルト　債務不履行』（ダイヤモンド社）で第二回ダイヤモンド経済小説大賞を受賞し、作家としてデビューした。同作は、真実を訴え続けたエコノミストの死に端を発した復讐《ふくしゅう》劇を通じて、日本銀行や財務省、金融庁、そして大手銀行のエリートたちによる腐敗の構造を浮き彫りにした作品だった。続いて出版された『株価操縦　マニピュレーション』（ダイヤモンド社）では、株式投資ブームを背景に、巨額のお金が瞬時に動く世界で暗躍するブローカーの実態を、未公開株を使った詐欺事件を通じて描いた。そして、その後に出版された、「みちのく麺食い記者・宮沢賢一郎」シリーズから彼と東北との繋《つな》がりが始まった。

同シリーズは、大和新聞東北総局の遊軍記者である主人公の宮沢賢一郎が、『奥会津三泣き因習の殺意』（小学館）で福島県の会津地方を舞台に疲弊する地方ゼネコンの実態を暴き、『佐渡・酒田殺人航路』（双葉社）で山形県酒田市と佐渡を繋いだ過去にたどり着き、『完黙』（小学館）で青森県五所川原市を舞台に津軽三味線の名手の裏側に見てきたものを描き、『誤認』（双葉社）で秋田県角館市を舞台になまはげに隠された謎に挑み、『追尾』（小学館）で岩手県の東北自動車道を北上するバスジャックを書き、そして『偽計』（双葉社）で東京と宮城県仙台市と石巻市を結ぶ殺人事件を追った、東北六県を舞台としたものだった。

彼は本シリーズを執筆するための取材で、東北地方の隅々を訪れた。その先々で、現地に入り込み、地元の人々との強い絆《きずな》を作り出していったのだ。各地で出会った東北の民からの声を吸い上げ、東北地方が共通して抱える病を、自らの足で歩き回り生み出した「みちのく麺食い記者・宮沢賢一郎」シリーズは、それぞれの地域の歴史や文化、そして何よりその土地の風土そのものを下地に、東北の「今」が切り取り描かれていた。そこで生まれた絆が、彼のその後の作品に大きな影響を与えた。『偽計』が出版された二〇一〇年一〇月から五か月後の二〇一一年三月一一日、東日本大震災が発生した。彼は、その三週間後『偽計』の舞台となった石巻市にいた。以前取材で訪れた町を想い、お世話になった浜の父ちゃん母ちゃんたちに物資を届けるために。そこで彼が目の当たりにしたのは、目を覆いたくなるような被災地の現実だった。その後も被災地に何度も何度も足を運び続けた彼は、書くべきか書かざるべきか悩み続けた末、震災を書くことを選んだ。執筆するにあたり、小説家とは嘘《うそ》を書く商売だという考えが彼を苦しめた。震災に関して、作り話を盛り込むことがどうしてもできないという思いから、殺人事件以外は、直接現地で見聞きしたことだけを書く覚悟を決め、『共震』（小学館）を上梓《じょうし》した。

被災地での取材直後に会った時の彼の目を今でも忘れることができない。「あまりにも凄《すさ》まじい話を聞くと、人は相槌《あいづち》すら打てなくなる」「これ以上頑張ったら死んでしまうよ」という現地の声。綺麗《きれい》ごとの報道の陰に隠れた避難所での殴り合いの喧嘩《けんか》を見た時の想い、報道と現実の落差を語った時の彼の言葉の一つ一つを今でもはっきりと覚えている。その姿は、まるで誰かに伝えることで、被災地で見聞きしたことが現実であると、自分を納得させているかのようだった。

『共震』では、ルポとして震災の現実を書き記すのではなく、あえて小説の形で世に問いたいという彼の作家としての心構えと、受け入れてくれた東北の地への感謝を込め、主人公に据えたのが、東北六県を渡り歩き東北人が親しんでいた宮沢賢一郎だった。今でも時間を作り定期的に被災地へ足を運び続けている彼の覚悟がそこに現れていたと感じている。

もう一冊、彼について論じる際に欠かせない作品が『震える牛』（小学館）だ。東北地方を取材した際に感じた「食の安全」と「地方衰退のからくり」の現状に警鐘を鳴らした作品だった。巨大ショッピングセンターが地方の街を壊してゆく様子を、生々しく描き、その裏に見えてきた犯罪の影を追い辿《たど》り着いた先にあったのは、地方が抱える日本の病巣だった。その縮図を、きっと彼は東北地方に重ねていたのだろう。

ここから本題に入ろうと思う。前置きが長くなったのには理由がある。『共震』へと通じる「みちのく麺食い記者・宮沢賢一郎」シリーズと『震える牛』は、社会派の推理作家としての彼の代表作だ。その二つの作品の原点が、『偽装通貨』（東京書籍）なのだ。記者時代の経験を生かした経済小説を書いてきた彼が、社会派の推理小説といわれるジャンルを手掛けた最初の作品であり、経済小説作家という枠組みを自ら脱却しようとした作品でもある。そして、文庫化に際し、『偽装通貨』を大幅に加筆修正したのが、本書『偽金　フェイクマネー』だ。

主人公は大手銀行出身で、七海ファイナンスという消費者金融の新宿店店長である椎名渉。七海ファイナンス代表取締役社長の日下常男の出身銀行である美園共立銀行の謀略により会社を辞めることとなった椎名は、かつての債権者で、元オンラインゲームの開発運営会社の開発部長・城所隆太郎と共に、無法地帯であったネットマネーのからくりを利用し新しいビジネスを立ち上げる。将棋ゲームのアイテムを使用し、富裕層のお金を痕跡を残さず海外に移すというものだ。

一方で、BSのニュース番組「プライムマーケット速報」に出演する元新潟県民テレビのアナウンサーで、現在はフリーの田尻倫子は、特ダネを探し日本橋テレビのカメラマンらとともに企業が発行しているポイントカードにたまったポイントを換金する仕組みの裏側を追う。

椎名と田尻の物語、その二つが少しずつリンクしながら交互に進行してゆく。文庫化にあたり、大幅にそぎ落とし鋭さを増した筆致は、新たにスピード感や緊張感を生み出し、まるで『偽装通貨』と違う作品を読んでいるかのような印象を受けたほどだ。経済小説と社会派推理小説の側面に、コンゲーム小説の要素を織り交ぜた贅沢《ぜいたく》な作品となっている。椎名と田代の二人の物語の結末を、作中にちりばめられた伏線を楽しみながら、ぜひ読んで確かめていただきたい。

ポイントなどの仮想通貨の持つ危うさや、電子マネーの無法地帯と呼ばれる場所の存在を暴きだした本書は、七年前に出版されたにもかかわらず、まったく古びることがない。過去、現在、そして未来にも通じているように思えてならない。彼の紡ぐ物語は、今という切り口で正面から描いているから、時が経《た》っても古くなることがないのだろう。

最後に、本書が『共震』と『震える牛』へと通じる個所を紹介したい。作中、田尻のアドバイザーとして登場する日本橋テレビのカメラマン・上原実を次のように評している。「現地で踏ん張る庶民の『目を』着実にとらえる。悲しみで途方にくれる人、憎しみを抱く人。混乱や困難から懸命に立ち上がろうとする人々の目。上原ほど、人間の目をシビアにとらえ、視聴者に訴えかけるカメラマンはいない」。この言葉が、著者の被災地との向き合い方の原点となり、『共震』を書かせたのだろう。

さらに、『震える牛』については、「現在、地方のスーパーは全国区の大手に押されて大苦戦を強いられています。ポイントというインセンティブ、つまりおまけが通用しなくなったことも一因です」という一節が強く関連している。

今を描くことは、これまでと、これからを描くこと。本書のなかに、彼のその後の物語を紡ぐ礎を垣間見《かいまみ》ることができる。彼は、これからも「今」を切り取り、物語を紡いでゆくのだろう。その原点となる本書、お見逃しなく。

二〇〇八年七月東京書籍刊
（『偽装通貨』を改題）

実業之日本社文庫 あ91

偽金《にせがね》 フェイクマネー

2015年12月15日 初版第1刷発行

著 者 相場英雄《あいばひでお》

発行者 増田義和
発行所 株式会社実業之日本社
〒104-8233 東京都中央区京橋 3-7-5 京橋スクエア
電話 [編集]03(3562)2051 [販売]03(3535)4441
ホームページ http://www.j-n.co.jp/
DTP 株式会社ラッシュ
印刷所 大日本印刷株式会社
製本所 大日本印刷株式会社

フォーマットデザイン 鈴木正道(Suzuki Design)

ISBN978-4-408-55263-7(文芸)